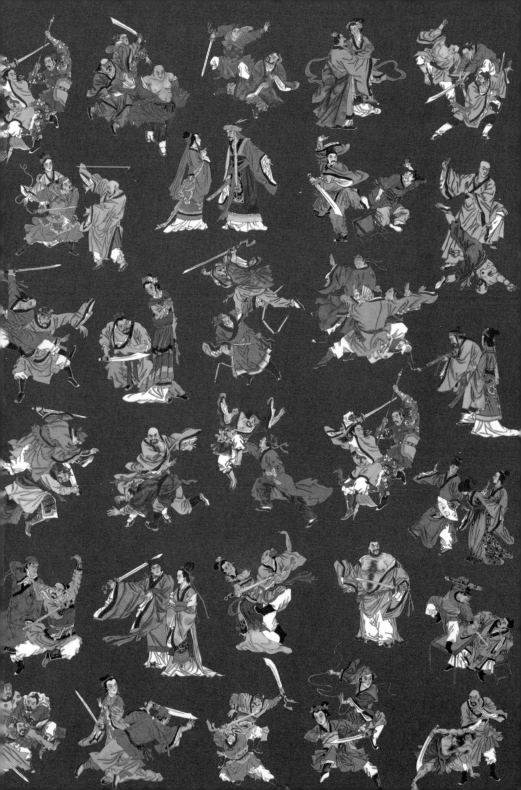

左上 卧龙生，前右 诸葛青云，右上 古龙。

绘图珍藏本

七种武器

叁

珠 海 出 版 社

版权贸易合同登记号：19－2004－205

图书在版编目（CIP）数据

七种武器/古龙著．—4版．—珠海：珠海出版社，2005．8
（古龙作品集）2009年11月修订
ISBN 978－7－80607－071－0

Ⅰ．七…　Ⅱ．古…　Ⅲ．侠义小说－中国－当代

Ⅳ．I247．5

中国版本图书馆 CIP 数据核字（2005）第044475号

　　本书由台湾古龙著作管理委员会授权珠海出版社在中国内地独家出版发行中文简体字版

七种武器

◎古龙　著

责任编辑：雷良波
封面设计：吕唯唯

出版发行：珠海出版社
地　　址：珠海银桦路566号报业大厦3层
电　　话：0756－2639330　　邮政编码：519001
邮　　购：0756－2639344　2639345　2639346
网　　址：www．zhcbs．net
E－mail：zhcbs@zhcbs．net

印　　刷：茂名广发印刷有限公司
开　　本：880×1230mm　　1/32
印　　张：42.5　　　　字数：980千字
版　　次：2009年11月第4版第1次印刷
书　　号：ISBN 978－7－80607－071－0
定　　价：66.00元（全三册）

王大小姐

（一）

她就是霸王枪？

这杆枪长约一丈三尺余，至少比她的人要高出一倍多。

这杆枪重七十三斤余，也远比她的人重。

她真的就是霸王枪？

金枪徐不信，丁喜不信，邓定侯也不信，无论谁都不会相信。

但是他们又不能不相信。

金枪徐试探着问："姑娘贵姓？"

"姓王。"

"芳名？"

"王大小姐。"

金枪徐笑了笑，道："这当然不是你的真名字。"

喝酒的女孩子板着脸道："你用不着知道我的名字，你只要记住'霸王枪王大小姐'这七个字就行了。"

金枪徐道："这七个字倒很容易记得住。"

王大小姐道："就算你现在还记不住，以后也一定会记住

七种武器

的。"

金枪徐道："哦？"

王大小姐冷冷道："你身上多了个伤口后，就一定永远也忘不了。"

金枪徐大笑，道："你约战比枪，莫非就要我记住这七个字？"

王大小姐道："不但要你记住，也要江湖中人人都知道，霸王枪并没有绝后。"

金徐枪道："王老爷子呢？"

王大小姐咬着嘴唇，脸色更苍白，过了很久，才大声道："我爸爸已经死了，他老人家虽然没有儿子，却还有个女儿。"

她说话的声音就像是呐喊。

也许这句话并不是说给屋子里的人听的，她呐喊，只是她生怕她远在天上的父亲听不见。

——女儿并不比儿子差。

这件事她一定要证明给她父亲看。

"一枪擎天"王万武真的死了？

像那么样一个比石头还硬朗的人，怎么会忽然就死了？

邓定侯在心里叹息，忍不住道："令尊一向身体康健，怎么会忽然仙去？"

王大小姐瞪眼道："你管不着。"

邓定侯勉强笑道："在下邓定侯，也可算是令尊的老朋友。"

王大小姐道："我知道你认得他，但你却不是他的朋友，他死的时候已连一个朋友都没有。"

她美丽的眼睛里，忽然涌出了泪光，心里仿佛隐藏着无数不能对人诉说的委曲和悲伤。

这是为什么？

是不是因为她父亲死得并不平静？

丁喜忽然道："王老爷子去世后，姑娘想必一定急着要扬名立威，所以才找上徐三爷的？"

王大小姐又咬了咬嘴唇，忍住眼泪，道："我要找的不止他一个。"

丁喜道："哦？"

王大小姐道："从这里开始，往前面去，每个使枪的人我都要会一会。"

丁喜笑了笑道："若是姑娘在这里就已败了呢？"

王大小姐连想都不想，立刻大声道："那么我就死在这里。"

丁喜淡淡道："为了这一点儿虚名，大小姐就不惜用生命来拼，这也未免做得太过分了吧。"

王大小姐瞪起眼睛，怒道："我高兴这么做，你管不着！"

她忽然扭转身，抄起了桌上的霸王枪。

她的手指纤纤，柔若无骨。

可是这杆七十三斤重的霸王枪，竟被她一伸手就抄了起来。

她抄枪的动作不但干净利落，而且姿势优美。

金枪徐脱口道："好！"

王大小姐道："走！"

她的腰轻轻一扭，一个箭步就蹿了出去。

金枪徐看着她蹿到外面的院子里，忽然长长地叹了口气。

丁喜道："你看她的身手如何？"

金枪徐道："很好。"

丁喜道："你没有把握胜他？"

金枪徐又叹了口气，道："我只不过有点儿后悔。"

丁喜道："后悔什么？"

金枪徐淡淡道："我本不该着急料理后事的。"

院子里阳光灿烂。

他们走出去，别的人当然也全都跟着出去。屋子里已只剩下四个人。

小马还是痴痴地坐在那里，痴痴地看着。

那喝茶的女孩子垂着头，红着脸，竟似也忘了这世上还有别人存在。

邓定侯在门后拉着丁喜的手，道："王老头的脾气虽坏，人却不坏。"

丁喜道："我知道。"

邓定侯道："不管怎么说，他都是我的朋友，老朋友。"

丁喜道："我知道。"

邓定侯道："所以……"

丁喜道："所以你不能看着他的女儿死在这里。"

邓定侯点点头，长叹道："可惜这位王大小姐却绝不是金枪徐的对手。"

丁喜道："哦？"

邓定侯道："我知道金枪徐的功夫，的确是经验丰富，火候老到。"

丁喜道："王大小姐好像也不弱。"

邓定侯道："可惜她太嫩。"

丁喜道："难道你认为她败了真的要会死？"

邓定侯道："我也很了解王老头的脾气，这位王大小姐看来也正跟她老子一模一样。"

丁喜笑了笑道："我明白了。"

邓定侯道："明白了什么？"

丁喜道："你是想助她一臂之力，金枪徐再强，当然还是比不上神拳小诸葛。"

邓定侯苦笑道："这是正大光明的比武较技，局外人怎么能插手？何况，看来这位王大小姐的脾气，一定是宁死也不愿别人帮她忙的。"

丁喜道："那么你是想在暗中帮她的忙，在暗中给金枪徐吃点苦头？"

邓定侯叹道："我也不能这么做，因为……"

丁喜道："因为一个人有了你这样的身份和地位，无论做什么事都得特别谨慎小心，绝不能让别人说闲话。"

邓定侯道："我的确有这意思，因为……"

丁喜又打断了他的话，道："因为我只不过是个小强盗，无论多卑鄙下流的事都可以做。"

邓定侯道："不管你怎么说，只要你肯帮我这次忙，我一定也会帮你一次忙。"

丁喜看着他，脸上还是带着那种独特的、讨人喜欢的微笑，缓缓道："我只希望你能够明白两件事。"

邓定侯道："你说。"

丁喜微笑道："第一，假如我要去做一件事，我从来也不想别人报答；第二，我虽然是个强盗，却也有很多事不肯做的，就算砍下我脑袋来，我也绝不去做。"

他微笑着转过身，大步走了出去，走入灿烂的阳光下。

邓定侯怔在那里，怔了很久，仿佛还在回味着丁喜刚才说的那些话。

他忽然发现他那些大英雄、大镖客的朋友，实在有很多都比不上这小强盗。

（二）

现在屋子里只剩下两个人。

喝茶的女孩子抬起头，四面看了看忽然站起来，很快的走到小马面前，叫了声："小马。"

她叫得那么自然，就像在千千万万年前就已认得小马这个人，就好像已将这两字呼唤过千千万万次。

小马也没有觉得吃惊。

一位陌生的女孩子忽然走过来，叫他的名字，在他感觉中竟好像也是很自然的事。

在这一瞬间，他们谁也没有觉得对方是个陌生人。

喝茶的女孩子道："我听别人都叫你小马，所以我也叫你小马。"

小马凝视着她，道："我叫马真，你呢？"

喝茶的女孩子道："我叫杜若琳，以前我哥哥总叫我小琳，你也可以叫我小琳。"

她的胆子一向很小，一向很害羞，从来也不敢在男人面前抬起头。

可是现在她居然也在凝视着小马。

情感本是件奇妙的事，世上本就有许多无法解释的奇妙感情。

这种感情本就是任何人都无法了解的。有时甚至连自己都不能。

"小琳……小琳……小琳……"

小马轻轻地呼唤着，轻轻地握住了她的手。

她纤弱的指尖在他强壮的手掌里轻轻颤抖，可是她并没有抽回她的手。

小马的人就像是在梦中，声音也很像是在梦中来的。

"我一直是个很孤独的人，没有认得你的时候，我只有一个朋友。"

"我本来也有一个朋友。"

"谁？"

"王盛兰。"小琳道："她不但是我的朋友，也是我的姐妹，有时我甚至会把她当作我的母亲，这些年来，若不是她照顾我，也许我已经……"

小马没有让她说下去，轻轻道："我明白你的意思。"

他的确明白，没有人能比他明白。

因为他和丁喜的感情，也正如她们一样，几乎完全一样。

小琳道："所以我想求你替我做一件事。"

小马道："你说。"

小琳道："我要你替我去救她。"

小马道："救你的朋友？"

小琳点点头，道："别人都说她绝不是金枪徐的对手，可是她绝不能败。"

小马道："你要我帮她击败金枪徐。"

小琳道："不管你用什么法子，我只希望你能为我做到这件事。"

她已握紧了小马的手。

"我知道你一定能做到的。"

现在他们已走出去。

七种武器

这里本是个充满了欢乐的地方，现在却忽然变得说不出的空洞寂寞。

人世间本就没有永恒不变的事，更没有永恒的欢乐。

红杏花慢慢地从后面出来，用一双洞悉人生的眼睛目送着他们走出去，叹息着喃喃自语："我就知道你们只要一见面，就会互相纠缠，自寻烦恼的，我早就知道……"

有些人就像是钉子和磁铁，只要一遇见，就会粘在一起。

小马和小琳是这样子。

丁喜和王小姐呢？

红杏花叹息着又道："小马这样子已经够糟了，可是丁喜以后只怕还要更糟，我实在不应该让他们见面的，我早就知道……"

（三）

阳光灿烂。

发亮的长枪，在阳光下更亮得耀眼。

蓝天白云，远山青翠，竹篱下开满了鲜花，蜜蜂和蝴蝶在花丛中飞舞，甚至连风都在传播着生命的种子。

这本是个生命孕育生命成长的季节，在这种季节里，没有人会想到死。

只可惜死亡还是无法避免的。

金枪徐慢慢地解开了套在金枪上的布袋，眼睛一直在盯着他的对手。

他心里还在想着"死"。

很少有人能比他更了解"死"的意义，因为他已有无数次接近过死亡。

——不是我死，就是你死。

这就是他对于"死"的原则。

这原则简单而残酷，其间绝没有容人选择的余地。

在江湖中混了二十年之后，无论谁都会被训练成一个残酷而自私的人。

金枪徐也不例外，所以才活到现在。

可是现在他面对着这个对手，实在太年轻了，年轻得连他都不忍看着她死。

——不是她死，就是我死！

——她不能败，我又何尝能败？

他在心里叹了口气，从布袋里抽出了他的枪。

金枪！

金光灿烂，亮得耀眼。二十年来，已不知有多少人死在这耀眼的金光下。

枪的型式削锐，枪尖锋利，枪杆修长，就算拿在手里不动，同样也能给人一种毒蛇般灵活凶狠的感觉。

丁喜远远地看着，脱口而赞："好枪！"

邓定侯同意："的确是好枪。"

丁喜道："霸王枪若是枪中的狮虎，这杆枪就可以算是枪中的毒蛇。"

邓定侯道："江湖中本来就有很多人，把这杆枪叫做蛇枪。"

丁喜道："据说这杆枪本来就是用黄金混合精铁铸成的，不但比普通的铁枪轻巧，而且枪身还可以随意弯曲。"

邓定侯道："所以金枪徐用的枪法，也独具一格，与众不同。"

丁喜道："我也听说过，他用的枪法就叫蛇刺。"

邓定侯道："他们家传的枪法，本来一百零八式，金枪徐又加了四十一式，才变成现在的蛇枪一百四十九式。"

丁喜道："霸王枪呢？"

邓定侯笑了笑，道："霸王枪的招式，只有十三式。"

丁喜也笑了笑，道："真正有效的招式，一招就已足够。"

邓定侯忽又叹了口气，道："只可惜你没有看见当年王万武施展他'霸王十三式'的威风，霸王枪在他手里，才真正是霸王枪。"

丁喜再也没有说什么，因为这时决斗已开始。

阳光下普照的庭院，仿佛忽然变得充满了杀气。

这两杆枪都是经历百战、杀人无数的利器，它们本身就带着一种杀气。

金枪徐的人，也正像是他手里的枪，削锐、锋利、精悍。

他的眼睛始终在盯着他的对手，双手合抱，斜握金枪。

这正是枪法中最恭敬有礼地起手式，他已表示出他对霸王枪的尊敬。

王大小姐却只是随随便便的将大枪抱在身上，就凭这一点，也已不如金枪徐。

——高手相争，尊敬自己的对手，就等于尊敬自己。

金枪徐嘴里露出冷笑，却还是礼貌极恭，沉声道："当年王老爷子在时，在下无缘求教，如今老成凋谢，枪在人亡，请受我一拜。"

他左腿后曲，真的行了一礼。

王小姐只不过点了点头，淡淡道："我是来找你麻烦的，你也不必对我太客气。"

金枪徐沉下了脸，道："我拜的是这杆枪，并不是你。"

王大小姐冷笑道："你最好记住，从今以后，霸王枪就是我，我就是霸王枪。"

金枪徐冷冷道："在我眼中看来，王老爷子一去，霸王枪也已不在人间了。"

王大小姐怒道："你看不见我手里的枪？"

金枪徐道"这杆枪在王大小姐手里，已只不过是杆平平常常的大铁枪。"

王大小姐用力咬住了嘴唇，显然在极力控制着自己的怒气。

她也知道高手相争时，若是心情激动，就随时都可能造成致命的错误。

金枪徐盯着她，又道："在下还未到这里来时，已将所有的后事全都料理清楚。"

王大小姐道："很好。"

金枪徐悠然道："王大小姐，你的后事，是不是也已交代好了？"

王大小姐一张脸已气得通红，大声道："我若死这里，自然有人替我料理后事。"

金枪徐道："谁？"

王大小姐道："你管不着。"

她的手一抢，一丈三尺七寸三分长的大铁枪，就飞舞而起，带起了一阵凌厉的枪风，压得竹篱的花草全都低下了头。

金枪徐却没有低头，身形一闪，已从铁枪抢起的圆弧外滑了过去。

丁喜叹了口气，道："看来这位王大小姐的确太嫩，竟看不出徐三爷是故意激她的。"

邓定侯却笑了笑，道："也许徐三爷这一着反而用错了。"

丁喜道："为什么？"

邓定侯道："霸王枪走的是刚烈威猛一路，本是男子汉用的枪，王大小姐毕竟是个女子，总不免失之柔弱。"

丁喜同意。

邓定侯道："可是她怒气一发作起来，情况就不同了。"

丁喜道："哦？"

邓定侯微笑道："我可以保证，他们家传的脾气比他们家传的枪法还要厉害得多。"

他们只说了七八句话，王大小姐的霸王枪已攻出三十招。

她的枪法虽然只有十三式，可是一施展起来，却是运用巧妙，变化无方。

她的招式变化间虽不及蛇刺灵巧，可是那一种凌厉的枪风却足以弥补招式变化间之不足。

无论谁都看不出这么样一个柔弱的女孩子，竟真的施展了如此刚烈威猛的枪法，竟真的能将这杆大铁枪挥舞自如。

这种长枪大戈本来只适于两军对垒、冲锋陷阵，若用与武林高手比武较技，就不免显得太笨重。

可是她用的枪法，又弥补了这一点，无论枪尖、枪柄、枪身，都能致人的死命。而且枪风所及之处，别人根本无法近她的身。

她十三招攻出，金枪徐只还了六招。

丁喜皱眉道："看样子徐三爷只怕是想以逸待劳，先耗尽她的力气再出手。"

邓定侯又笑了笑，道："徐三爷若真的这么想，就又错了。"

丁喜道："为什么？"

邓定侯道："霸王枪分量虽沉重，可是招式一施展开，枪的本身，就能带动起一种力量，她借力使力，自己的力量用得并不多。"

这道理正如推车一样，车子一开始往前走，本身就能带起一股力量，推车的人反而像是被车子拉着往前走了。

邓定侯道："也因为这杆枪的分量太重，力量太大，要闪避就很不容易，所以采取守势的一方，用的力气反而比较多。"

他笑了笑，接着道："以前有很多人都跟金枪徐有一样的想法，想以逸待劳，所以才会败在霸王枪下，这其间的巧妙，若不是老头子偷偷地告诉我，我也不明白。"

丁喜道："知道这其间巧妙的人，当然不会多。"

邓定侯道："除了百里长青和我之外，王老头子好像并没有对别人说过。"

丁喜道："因为你们是他们的朋友？"

邓定侯道："他的朋友本来就不多。"

丁喜道："他是你的朋友，我却不是，你为什么要将这秘密告诉我？"

邓定侯笑了笑，道："因为我喜欢告诉你。"

丁喜也笑了。

这解释并不能算很合理，可是对江湖男儿们说来，这理由已足够。

现在王大小姐已攻出七十招，非但已无法遏止，再想近身都已很不容易，只要对方的枪杆一横，他就被挡了出去。

徐三爷忽然发觉这杆枪最可怕的地方并不是枪锋，这杆一丈三尺七寸三分长的枪，每一分、每一寸都同样可怕。

无论谁都看得出他已落在下风。

只有一个人看不出。

突听一声大喝，竟有个人赤手空拳，冲入他们的枪阵。

这个人竟是小马。

他真的醉了。

不管他醉的是人，还是酒？他的确已真醉了，否则又怎能会看不出这两杆枪之间，枪风所及处，就是杀人的地狱。

看来他不但是"愤怒的小马"，简直是个"不要命的小马"。

居然还举手大呼："住手，你们全都给我住手！"

丁喜的心已沉了下去。

他知道王大小姐是绝不会住手的，也不能住手，因为霸王枪本身所起的力量，已绝非她所能控制。

在这种力量的压迫下，金枪徐想必也一定会使出全力。

一个人若已将全力使出，一招击出后，也很难收回来。

就在这时，两杆枪已全部制止在小马身上。

他的人就像是弹丸般忽然弹起，鲜血雨雾般从他身上溅出。

两杆枪居然还没有停。

他们实在已无法停下来，已无法住手。无论谁的枪先停下来，对方都可能给他致命的一击。

谁也不敢冒这个险。

"这个人疯了。"

"他为什么要自己去送死？"

大家惊呼着，眼睁睁地看着小马身子飞起，眼睁睁地等着他落下来。

每个人都看得出，等到这个人再落入枪阵中，就一定已是个死人。

就在这一瞬间，竹篱下的花丛前，忽然有一条长绳飞来，套住了小马的腰。

长绳一抖，小马的人就跟着它一起飞了回去。

他并没有跌入那杀人的枪阵。

他跌入丁喜的怀抱里。

（四）

鲜血还在不停地流，小马整个人都已因痛苦而痉挛扭曲。

可是他眼睛里并没有痛苦，反而像充满了愉快和满足。

丁喜在跺脚！

"你怎么会做出这种蠢事来的？"

小马没有回答。

他的人虽然在丁喜怀里，他的眼睛却始终在看着另一个人。

"小琳……小琳……小琳……"

他虽然已痛苦得连声音都发不出，可是他心里却还是在呼喝，不停地呼喝。

小琳在流泪，也不知是悲哀的眼泪，还是感激的眼泪？

丁喜终于看见了她："你是为了她？是她要你这么样做的？"

小马点点头，又摇摇头。

这当然是他自己愿意做的，他不愿做的事没有人能勉强他。

这女孩子竟有这么大的力量，能让他心甘情愿的做出这种蠢事？

现在他的酒意已随着冷汗和鲜血而流出，清醒使得他的痛苦更剧烈，更难以忍受。

他若是能晕过去，也可以少受些痛苦——晕厥本就是人类自卫的本能之一。

但是他却在努力挣扎着，不让自己的眼睛闭起。

因为他要看着她。

小琳也在看着他，看到他的痛苦和柔情，也终于忍不住冲了过去，在几十双眼睛的注视下冲了过来，扑在他身上。

她做梦也想不到自己会有这么大的勇气，会做出这种事。

在这一瞬间，她几乎已不顾一切。

丁喜放下他，放在花圃旁的绿草地上，让他们拥抱在一起。

她的眼泪落在他脸上，这一滴滴泪水中，竟仿佛有种神奇的魔力。

他的痛苦竟已减轻，忽然道："你是不是也觉得我这件事做得蠢？"

小琳点点头，又摇摇头。

小马勉强笑了笑，道："可是我只有这么样做，因为我想不出别的法子。"

小琳道："我知道，我……"

她没有说完这句话，因为她已泣不成声。

小马道："你为什么还在哭？难道他们还没有住手？"

小马又问道："你的朋友没有死？"

小琳道："没有。"

小马道："你要我为你做的事，我是不是已替你做到了？"

小琳道："是……是的。"

小马长长吐出口气，居然真的笑了，微笑道："那么你最好告诉我们的朋友，我这件事做的并不太蠢。"

他微笑着闭上了眼睛。

他终于晕了过去。

这年轻人有的痛苦和安慰，丁喜几乎都能同样感觉得到。

他是他的朋友，是他的兄弟，也是他的父亲。

风依旧在吹，阳光依旧灿烂，两杆枪依旧在飞舞刺击。

丁喜慢慢地转过身，慢慢地向着他们那杀人的枪阵走了过去。

邓定侯失声道："你想干什么！"

丁喜笑了笑，脚步没有停。

邓定侯道："难道你也想去做他一样的蠢事？"

丁喜又笑了笑。

没有人能了解他和小马的感情，甚至连邓定侯也不能。

他的人忽然飞起，也像小马刚才一样，投入他们的枪阵。

他竟似也忘了，这两杆枪之间，枪风所及处，就是杀人的地狱！

奇　变

（一）

枪锋带起的劲风，冷得刺骨。

有谁人知道极冷和极热的感受，几乎是完全一样的？

丁喜知道。

他冲入了这人的枪阵，就像投入了洪炉。

邓定侯的心沉了下去。

丁喜绝不能死。

他一定要带他去找出那六封信和六个死人，一定要找出那叛徒的秘密。

可是邓定侯也知道，王大小姐和金枪徐是绝不会住手的。

他只有眼睁睁地看着丁喜投入洪炉，再眼睁睁地等着他被枪尖抛起。

只听一声轻叱，一声低呼，一样东西飞了起来。

飞起来的竟不是丁喜，而是徐三爷的金枪！

高手相争，掌中的兵器死也不能离手，徐三爷的金枪是怎么会脱手的？

他自己甚至都不太清楚。

在金枪徐脱手的前一刹那间，他只看见有个人冲入了他和王大小姐两杆枪的枪锋之间，两杆枪都往这个人身上刺了过去。

他想住手已不及。

可是就在这同一刹那间，这个人突然一扭身，已往他枪锋下窜过，一只手托住枪的时候，一只手在他腰上轻轻一撞。

他的人立刻被撞出七八步，手里的金枪也脱手飞起。

他只有看着，因为他的半边身子已发麻，连一点力气都使不出。

近二十年来，他身经大小百战，几乎从来也没有败过。

他做梦也想不到世上竟有人能在出手一招间就夺走他手里的金枪，更想不到这个人居然就是那个年纪轻轻的丁喜。

丁喜金枪在手，眨眼间已攻出三招。迅速、毒辣、准确。

金枪徐脸色变得更苍白。

他已看出丁喜用的招式，居然就是他的独门枪法"蛇刺"。

就在片刻前，他还用过同样的招式去对付霸王枪。

事实上，他已将蛇刺中最犀利毒辣的招式全都使出，可是招式一出手，立刻就被封死，根本无法发挥出应有的威力。

丁喜现在只使出了三招。

三招之后，他就已攻到了霸王枪的核心，突然枪尖斜挑，轻叱一声：

"起！"

只听"呼"的一声响，七十三斤重的霸王枪竟被他轻轻一挑就挑了起来，夹带着风声飞出。

王大小姐已踉跄后退了七八步。

丁喜凌空翻身，一只手接住了霸王枪，一只手抛出了金枪，抛给徐三爷。

金枪徐只有用手接住。

等他接住了他的枪，才发现身子不麻了，力气也已恢复了。

丁喜正看着他微笑。

金枪徐咬了咬牙，手腕一抖，也在眨眼间攻出了三招。

这三招正是丁喜刚才用来对付霸王枪的三招——"毒蛇出穴"、"盘蛇吐信"、"蛇尾枪"，正是蛇刺中的三招杀手。

在这杆金枪上，他至少已有三十年的苦功，他自信这三招用得绝不比丁喜差。

丁喜既然能在三招间就抢入霸王枪的空门，他为什么不能？

但他却偏偏就是不能。

三招出手，他立刻就发现自己整个人都已被一种奇异的力气压住。

他的枪若是毒蛇，丁喜手里的枪就是块千斤巨石。

这块巨石一下子就压住了毒蛇的七寸。

只听丁喜轻叱一声：

"起！"

金枪徐只觉得一股不可抗拒的力量压下来，整个人都已被压住，手里的枪却弹了出去。

就在这片刻间，他的金枪已脱手两次。

（二）

金光灿烂，金枪飞虹般落下，"夺"的一声，插在徐三爷身旁的地上。

徐三爷没有动，没有开口。

霸王枪也已插在王大小姐身旁，枪杆还在不停的颤动，琴弦般"嗡嗡"的响。

王大小姐也没有动，没有开口，苍白的脸已涨得通红，嫣红的嘴唇却已发白。

丁喜看着她笑了笑，又看看徐三爷笑了笑。

他只不过笑了笑，并没有说出什么尖刻的话。

"像两位这样的枪法，还争什么风头？逞什么强？"

这句话他并没有说出来，也不必说出来——他用金枪徐的蛇刺击败了霸王枪，又用王大小姐的霸王枪击败了金枪徐。

这是事实。

事实是人人都能看得见的，又何必再说出来？

所以他只不过笑了笑，笑得还是那么温柔，还是那么讨人欢喜。

可是在王大小姐眼里看来，他笑得却比毒蛇还毒，比针还尖锐。

她明朗光亮的眼睛里又有了泪光，忽然顿了顿脚，抄起了霸王枪，拖着枪冲过去，一把拉住了杜若琳："我们走！"

杜若琳只有走。

她不想走，又不敢不走，走了几步，又忍不住回过头。

等她再回过头时，眼泪已流下面颊。

金枪徐却还是痴痴地站在那里。

金枪徐呆呆地看着面前的金枪。

这杆枪本是他生命中最大的荣耀，但现在却已变成了他的羞辱。

他脸上完全没有表情，心里是什么滋味，也只有他自己知道。

——痛苦和悲伤，就像是妻子的乳房一样，不是让别人看的。

——痛苦越大，越应该好好地收藏。

——乳房岂非也一样？

金枪徐忽然笑了，微笑着，抬起头，面对丁喜，道："谢谢你。"

丁喜道："谢谢我？为什么谢谢我？"

金枪徐道："因为你替我解决了个难题。"

丁喜道："什么难题？"

金枪徐望着青翠的远山，目光忽又觉得十分温柔，缓缓道："我已在那边的青山下买了几亩田，盖了几间屋，屋后有修竹几百竿，堂前有梅花几十株，青竹间红梅，还有几条小小的清泉。"

金枪徐道："我早已打算在洗手退隐后，到那里去过几年清闲安静的日子。"

丁喜道："好主意。"

邓定侯道："好地方。"

金枪徐叹了口气，道："怎奈浮名累人，害得我一点儿都下不定决心，也不知要等到哪一天才能放下这个重担子。"

丁喜也叹了口气，道："浮名累人，世人又有几人能放得下这副担子？"

金枪徐道："幸好我遇见了你，因为你，我才下了决心。"

丁喜道："决心放下这担子？"

金枪徐点点头。

丁喜道："决定什么时候放下来？"

金枪徐道："现在。"

他又笑了笑，笑得很轻松，很愉快，因为他的确已将浮名的重担放了下来。

他已不再有跟别人逞强争胜的雄心，已不愿再为一点儿浮名闲气出来跟别人拼死拼活。

能解开这个结并不容易，他的确应该觉得很轻松，很愉快。

可是他心里是不是真的能完全放得开？是不是还会觉得有些惆怅，有些辛酸？

这当然只有他自己知道。

"你有空时，不妨到那边的青山下去找我。"

"我记得，你的屋后有修竹，堂前有梅花。"

"我屋里还有酒。"

"好，只要我不死，我一定去。"

"好，只要我不死，我一定等你来。"

金枪徐也镇定了，显得很洒脱。

一个人只要败得漂亮，走得洒脱，那败又何妨，走又何妨？

（四）

红日未坠，金枪徐的人影却已远了。

邓定侯忽然叹了口气，道："看来这人果然是条好汉。"

丁喜道："他本来就是。"

邓定侯道："你看人好像很有眼力。"

丁喜道："我本来就有。"

七种武器

邓定侯道：“你也很会解决一些别人解不开的难题。”

丁喜道：“我也替你解开这个难题？”

邓定侯道：“我就不知要怎么样才能让徐三爷和王大小姐住手，你却有法子。”

丁喜道：“我的法子一向很有效。”

邓定侯叹道：“不管你的法子是对是错，是好是坏，的确都很有效。”

丁喜道：“所以别人都叫我聪明的丁喜。”

邓定侯笑了。

丁喜道：“你知不知道我还有个最大的好处？”

邓定侯道：“不知道。”

丁喜道：“我最大的好处，就是不够朋友。”

邓定侯道：“不够朋友？”

丁喜道：“我惟一的一个朋友现在正躺在地上，我却让刺伤他的人扬长而去，而且还跟你站在这里胡说八道。”

现在小马已躺在床上，红杏花的床上。

胖的人都喜欢睡硬床，年轻人都喜欢睡硬床，红杏花既不胖，也不再年轻。

她的床很软，又软又大。

红杏花叹息着道：“一直要等到七十岁以后，我才能习惯一个人睡觉。”

邓定侯忍不住接道：“你今年已有七十？”

红杏花瞪眼道：“谁说我已经有七十？今年我才六十七！”

邓定侯想笑，却没有笑，因为他看见小马已睁开了眼睛。

小马睁开眼睛后，说的第一句话就是：“小琳呢？”

“小琳？”

“小琳就是你刚才见过的那个女孩子。”

丁喜看着他，脸上已有冷容，甚至连一点笑意都没有。

小马道："她是个很好很好的女孩子。"

丁喜不说话。

小马道："她很乖，很老实。"

丁喜不说话。

小马道："我看得出她对我很好。"

丁喜淡淡地道："可是你为她受了伤，她却早已走了。"

小马咬着牙，过了很久，才缓缓道："她一定有理由走的。"

丁喜道："她也有理由留下来。"

小马道："你……你是不是不喜欢她？"

丁喜道："我只不过想提醒你一件事。"

小马听着。

丁喜道："不管怎么样，她总是走了，以后你很可能永远再也见不到她，所以……"

小马道："所以怎么样？"

丁喜道："所以你最好赶快忘了她。"

小马又咬着牙沉默了很久，忽然用力一拳捶在床上，大声道："忘记她就忘记她，这种事也没他妈的什么了不起。"

丁喜笑了，微笑道："我正在奇怪，你怎么已经有许久没有说'他妈的'，我还以为你这小王八蛋变了性。"

小马也笑了，挣扎着要坐起来。

丁喜道："你想干什么？"

丁喜道："你能跟我走？"

小马道："只要我还剩下一口气，无论你这老乌龟要到哪里去，我爬也要爬着跟去。"

丁喜大笑道："好，走就走。"

红杏花笑眯眯地看着他们。

红杏花道："你们两个小乌龟真他妈的不愧是好朋友，真他妈的够义气……"

一句没说完，忽然就跳起来，一个耳光捆在丁喜的脸上。

丁喜被打得怔住。

红杏花跳起来大骂道："可是你为什么不先看着他受伤有多重，难道你真想看着他这条腿残废，真是像乌龟一样跟在你后面爬？"

丁喜只有苦笑。

红杏花指着他的鼻子，狠狠道："你要滚，就赶快滚。滚得越远越好，可是这小王八蛋却得乖乖的给我躺在床上养伤，不管谁想带他走，我都先打断他的两条腿。"

丁喜道："可是我……"

红杏花瞪眼道："你怎么样？你滚不滚？"

她的手又扬起来，丁喜这次却已学乖了，早就溜得远远的，赔笑道："我滚，我马上就滚。"

小马忍不住叫了起来："你真的不带我走？"

这句话没说完，他的脸也挨了一耳光。

红杏花瞪眼道："你鬼叫什么？是不是想要我用针缝起你的嘴。"

小马苦着脸道："我不想。"

红杏花道："那么就赶快乖乖的给我躺下去。"

小马居然真的躺了下去。

在红杏花面前，这个"愤怒的小马"，竟好像变成了"听话的小山羊。"

"你还不滚？真想要我打断你的腿。"红杏花又抓起把扫帚，去打丁喜。

丁喜赶紧往外溜，直溜到院子外面，坐上了等在外面的马车，才松了口气，苦笑道："这老太婆真凶。"

邓定侯当然也跟着溜了出来，也在叹着气，道："实在凶得要命。"

丁喜道："你见过这么凶的老太婆没有？"

邓定侯道："没有。"

丁喜叹道："我也没有见过第二个。"

邓定侯道："你真的怕她？"

丁喜道："假的。"

邓定侯不禁大笑，道："看来，她也不像是你的真祖母。"

丁喜道："她不是。"

邓定侯道："是你……"

丁喜打断了他的话，道："可是我没有饭吃的时候，只有她给我饭吃；我没有衣服穿的时候，只有她给我衣服穿；有时候我挨了揍，受了伤，只要我想起她，心里就不会太难受。"

邓定侯道："因为你知道只要到这里来，她就一定会照顾你。"

丁喜点点头，微笑道："只可惜她年纪稍大了几岁，否则我一定要娶她做老婆。"

邓定侯盯着他看了半天，忽然问道："你真的没有想到过要娶个老婆？"

丁喜笑道："你是不是想替我做媒？"

邓定侯道："我倒真有个很合适的人，配你倒真是一对。"

丁喜道："谁？"

邓定侯道："王大小姐。"

丁喜忽然不笑了，板着脸道："你若喜欢她，为什么不自己娶她做老婆！"

邓定侯笑道："我倒也不是没有想过，只可惜我年纪也大了几岁，家里又已经有了一个母老虎。"

丁喜板着脸冷笑道："有趣有趣，你这人怎么变得越来越他妈的有趣了。"

邓定侯道："因为……"

他的话还没有说出来，忽然间"轰隆隆"一声响，这辆大车连人带马都跌进了一个坑里。

丁喜反而笑了。

邓定侯居然也还是动也不动地坐着，而且完全不动声色。

丁喜笑道："这种落马坑本是我的拿手本领之一，想不到别人居然也会用来对付我。"

邓定侯道："你怎么知道人家要对付的是你。"

丁喜又笑了笑，道："我知道，这就叫做报应。"

这时外面已有人在用刀敲着车顶，大声道："里面的人快出来，我们大老板有话要对你们说。"

丁喜看了看邓定侯，道："你知不知道这附近有什么大老板？"

邓定侯道："这里距离乱石岗很近，已经是你们的地盘，你应该比我清楚。"

丁喜道："现在就在这附近的，惟一的一个大老板，好像就是你。"

外面的人又在催，车顶几乎已经快被打破。

丁喜道："你出不出去？"

邓定侯道："不出去行不行？"

丁喜道："不行。"

邓定侯不禁苦笑道："我看也不行。"

丁喜推开车门，道："请。"

邓定侯道："你先请，你总是我的客人。"

丁喜道："可是你的年纪比我大，我一向都很尊敬长者。"

邓定侯道："你什么时候变得如此客气的？"

丁喜笑道："我刚才听见外面有弓弦声的时候，就已决心要对你客气些。"

邓定侯大笑。

他当然也听见了外面的弓弦声。

人已埋伏，强弓四布，只要一走出这马车，就可以被乱箭射成个刺猬。

但是他们却还是笑得很开心。

邓定侯道："我出去之后若是中了别人的乱箭，你怎么办？"

丁喜道："那时我就会像缩头乌龟一样，躺在车子里，就算他们叫我祖宗，我也不出去。"

邓定侯大笑道："好主意。"

丁喜道："莫忘记我是聪明的丁喜，想出来的当然都是好主意。"

邓定侯大笑着走出去，在外面站了很久，居然还没有变成刺猬。

一个人高高地站在他对面，从车子里看出去，只看得见这人的一双脚。

一双很纤巧，很秀气的脚，却穿着白布裤和白麻鞋。

这是双女人的脚。

男人当然绝不会有女人的脚，这位大老板难道竟是个女人？

丁喜在车子里大声地问道："外面怎么样？"

邓定侯道："外面的天气很好，既不太冷，也不太热。"

七种武器

丁喜道："那么，我就不能出去了。"

邓定侯道："为什么？"

丁喜道："我受不了这么好的天气，一出去就只会发疯。"

邓定侯道："现在天气好像快变了，好像还要下雨呢！"

丁喜道："那么我更不能出去了。"

邓定侯道："你怕淋雨？"

丁喜道："怕得要命。"

邓定侯道："不过，现在雨还没有下。"

丁喜道："你难道要我站在外面等着淋雨？"

邓定侯叹了口气，看着站在落马坑上面的大老板，苦笑道："这小子好像已拿定主意，是绝对不肯出来的了。"

大老板冷笑道："不出来也得出来。"

邓定侯道："你有法子对付他？"

大老板道："他再不出来，我就用火烧。"

邓定侯又叹了声道："我就知道，世上假如还有一个人能对付丁喜，这个人一定就是王大小姐。"

这位大老板居然就是王大小姐。

四条大汉站在她身后，扛着她的霸王枪，八条大汉张弓搭箭，已将这地方包围住。

杜若琳却远远地坐在一棵树下，用一把大梳子在慢慢地梳着头发。

王大小姐冷冷道："这些兄弟都是我镖局里的老伙计，我要他们放火，他们马上就会放火；我要他们杀人，他们也马上就会杀人。"

邓定侯道："我看得出。"

王大小姐道："那么你就应赶紧叫那姓丁的快些滚出来。"

邓定侯道："出来之后怎么样。"

王大小姐道："只要他肯老老实实的回答我一句话，我绝不会难为他。"

邓定侯道："好，我先进去跟他商量商量。"

他刚想走进去，突然"轰"的一响，车顶已被撞开个大洞。

一个人从里面直窜了出来，身法又快又猛，看样子至少还可以蹿起三丈。

可是他最多只蹿起了三尺。

落马坑上，还盖着面又粗又大的渔网。

邓定侯叹息着，苦笑道："我早就知道你一遇见王大小姐，就会自投罗网。

丁喜板着脸，坐在车顶，冷冷道："有趣有趣，你这人真他妈的有趣极了。"

平时他遇见这种事，还是会笑的，现在他却没有笑。

也不知道为了什么，一看见王大小姐，他就好像再也笑不出。

王大小姐也没有笑，板着脸道："这上面虽然只有八张弓，可是你只要动一动，在转瞬间他们就能射出五十六根箭。"

丁喜没有动。

他看得出这些大汉都是极好的弓箭手。

王大小姐冷笑道："你为什么不动？"

丁喜道："因为我正在等。"

王大小姐道："等什么？"

丁喜道："等着听你要问我的那句话。"

王大小姐咬了咬嘴唇——她一开始紧张，就会咬着嘴唇。

她究竟要问丁喜什么事？为什么会变得如此紧张？

邓定侯想不通。

七种武器

王大小姐终于冷冷道："你虽然有很多事都做得很混账，我看在邓定侯面上，也懒得跟你计较了，只不过有两件事我却非问清楚不可。"

丁喜道："你问吧！"

王大小姐脸色忽然变得发青，两只手都已握紧。又用力咬了咬嘴唇，才一字一字问道："五月十三日那天，你在哪里？"

丁喜道："今年的五月十三？"

王大小姐道："不错，就是今年的五月十三。"

丁喜道："你费了这么多功夫，挖了这么大一个坑，为的就是要问我这句话？"

王大小姐问道："不错，我就是要问这句话，所以你最好老老实实的回答我。"

她看来不但很紧张，而且很激动，连说话的声音都在发抖。

五月十三那天，丁喜在哪里，跟她又有什么关系？

她为什么如此紧张？

邓定侯更想不通。

丁喜也想不通，忽然叹了口气，道："幸好你问的是五月十三日，总算我运气看来还不错。"

王大小姐道："为什么？"

丁喜道："因为你若问我别的日子，我早就忘了自己是在哪里了。"

王大小姐道："可是五月十三那天的事情，你却记得。"

丁喜点点头，道："因为那天我做了件很愉快的事。"

王大小姐道："什么事？"

她一双手握得更紧，全身都好像在发抖。

丁喜却忽又转过头，去问邓定侯："你知不知道那天我曾经做了什么事？”

邓定侯苦笑道："我知道，我当然知道。"

王大小姐大声道："那天他究竟做了什么事？"

邓定侯道："他曾经劫了我们的镖。"

王大小姐道："知否是在哪里下的手？"

邓定侯道："太原附近。"

王大小姐道："你没有记错？"

邓定侯道："别的事我都可能会记错，这件事绝不会。"

王大小姐道："为什么？"

邓定侯道："我至少有十三万五千个理由。"

王大小姐不懂。

邓定侯苦笑道："为了这件事，我已赔出了十三万五千两银子，每一两银子都可以让我记住这件事。"

王大小姐不说话了，看她脸上的表情，好像觉得松了口气，又好像觉得很失望。

丁喜道："现在你还有没有别的事要问？"

王大小姐道："当然还有。"

丁喜道："还有？"

王大小姐冷冷道："我问你，我跟姓徐的比枪，跟你们有什么关系？你们凭什么要来多事？"

丁喜道："你自己好像刚说道，这些事你都已不再计较了的。"

王大小姐道："现在我又要计较了。"

丁喜道："小马本来是想帮你忙的。"

王大小姐道："帮我的忙？"

丁喜道："他怕你败了后真的会死。"

王大小姐怒道："难道他看不出二十招内我就能把徐三枪

击倒?"

丁喜道:"他看不出。"

王大小姐道:"难道他是个瞎子?"

丁喜道:"他眼睛若能看得很清楚,又怎么会认为这位杜大小姐又乖又老实,而且对他很好?"

王大小姐道:"无论她是个什么样的女孩子,你都管不着。"

丁喜道:"我也不想管。"

王大小姐道:"那姓马的最好也走远些,永远莫要让我们直接看见了他。"

丁喜道:"我会去告诉他的。"

王大小姐道:"就算天下的男人都死光了,我也不会让小琳下嫁给他的。"

丁喜道:"多谢多谢。"

王大小姐咬着嘴唇,狠狠地瞪着他,道:"我的话已经说完了,现在你已经可以跪下来。"

丁喜道:"跪下来?"

王大小姐道:"不但要跪下来,而且还得恭恭敬敬地跟我叩三个头。"

丁喜道:"我为什么要跪下来叩头?"

王大小姐道:"因为我说的。"

丁喜道:"因为你手下的弟兄会发连珠箭?"

王大小姐道:"一点也不错。"

丁喜笑了。

他的笑有很多种,现在这种无疑是最不讨人欢喜的一种。

王大小姐瞪眼道:"你瞧不起我们的连珠箭?"

丁喜淡淡道:"你们的连珠箭究竟是长是短,是圆是尖?

我还没有见识过。"

王大小姐怒道："你想见识见识？"

丁喜道："很想。"

王大小姐冷笑道："我本来并不想你这么短命的，你死了可不能怨我。"

丁喜又笑了笑，道："你放心，我是死不了的。"

他忽然站了起来，拉住了上面的渔网，两只手轻轻一扯。

这面连鲨鱼都挣不破的渔网，被他轻轻一扯，居然就被扯破个大洞。

王大小姐脸色变了，轻咤道："不能让他走，留下来！"

叱咤出口，弓弦已响，八柄强弓，七箭连珠，尖锐的飞声破空，乱箭已飞蝗般射了过来。

丁喜的两只手，就像是两只专门吃蝗虫的麻雀，一枝箭飞来，他接过一枝，十支箭飞来，他接十枝，眨眼间就已将五十六枝连珠箭全部都接在手里。

然后这五十六枝箭，又像是一条线似的，从他手里飞了出去，钉入了杜若琳身旁的大树。

丁喜忽然大喝一声："断！"

钉在树上的五十六枝箭，立刻一寸寸断成了无数截，只留下一截发亮的箭柄，钉入了树木。

丁喜拍了拍手，微笑道："看来这连珠箭只怕连猪都射不死。"

王大小姐脸色铁青，嘴唇发抖，哪里还说得出话来。

丁喜欣然道："我留在这里，只不过为了想听听她有什么事要问我而已，像这样的连珠箭就算有个千儿八百枝，我还是要来就来，说走就走。"

王大小姐咬着嘴唇，恨恨道："你好，很好。"

丁喜道："现在你还要不要我跪下去叩头？"

王大小姐道："现在你想怎么样？"

丁喜道："你认不认得字？"

王大小姐盯着他，好像恨不得在他脑袋上钉出两个大洞来。

丁喜道："你若认得字的话，为什么不回头去仔细看看。"

王大小姐回过头，才发现那五十六枝发亮的箭柄，竟排成了两个字："再见。"

这是什么样的手法？什么样的劲力？

王大小姐深深地吸了一口气，转过去的头似已转不回来。

她实在已没法子再回头面对丁喜。

丁喜道："这两个字你认不认得？"

王大小姐跺了跺脚，扭头就走。

丁喜冷冷道："我说是说'再见'，其实最好是永远不要见了。"

王大小姐用力咬着嘴唇，忽然跳上了一匹马，打马飞奔。

只听她的声音远远传来："谁想再见你，谁就是王八蛋！"

六封信的秘密

（一）

夕阳满天。

丁喜和邓定侯在夕阳下往前走，汗水已经湿透了衣服。

现在他们的车已破了，马已跛了，连赶车的都已被邓定侯赶走。

所以他们现在惟一的交通工具，就是他们自己的两条腿。

大路上居然连一辆空车都没有。

邓定侯叹息着，喃喃道："夕阳好，尤其是夏日的夕阳，我一向最欣赏。"

丁喜道："可是你现在已知道，就算在最美的夕阳下要用自己的两条腿赶路，滋味也不好受。"

邓定侯擦了擦汗，苦笑道："实在不好受。"

丁喜凝视着远方，眼睛里带着深思之色，缓缓道："你若肯常常用自己的两条腿四处去走走，一定还会发现很多你以前想不到的事。"

邓定侯道："哦？"

丁喜道："我本该带你到乱石岗看看。"

邓定侯道："乱石岗？"

丁喜道："那里有几十个妇人童子，天天在烈日下流汗流泪，却连饭都吃不饱。"

邓定侯道："为什么？"

丁喜冷冷道："你应该知道为了什么。"

邓定侯道："你说的是沙家兄弟的孤儿寡妇？"

丁喜道："就因为他们想劫五犬旗保的镖，所以死了也是白死，就因为那些孤儿寡妇们是沙家的人，所以挨饿受罪都是活该，江湖中既不会有人同情他们，也不会有人为他们出来说一句话。"

邓定侯终于明白，苦笑道："你出手劫我们的镖，就是为了要救济他们？"

丁喜冷笑道："他们难道不是人？"

邓定侯道："你难道不能用别的法子。"

丁喜道："你要我用什么法子？难道要那些七八岁的孩子做保镖？难道要那些年轻的寡妇跑到妓院里去接客？"

邓定侯不说话了。

丁喜也不开口了，两个人慢慢的往前走，显得都有很多心事。

他们做的事，都是他们自己认为应该去做的，可是现在却连他们自己也分不清是谁对？谁错？

——也许"对"与"错"之间，本就很难分出一个绝对的界限来。

夕阳已淡了，蹄声骤响，三骑快马从他们身边飞驰而过。

马上人意气飞扬，根本就没有将这两个满身臭汗的赶路人看在眼里。

七种武器 （3）

许明康 许黎黎／绘

"丁喜和邓定侯在夕阳下往前走，汗水已经湿透了衣服。"

邓定侯却看见了他们，忽然笑了笑，道："你知道这三个人是谁？"

丁喜摇摇头。

邓定侯道："他们全都是归东景镖局里的第三流镖师，平时看见了我，在二丈以外就会弯腰的。"

丁喜也笑了笑，道："只可惜你现在是倒霉的时候。"

一个人既有得意的时候，就一定也有倒霉的时候，无论什么人都一样。

邓定侯微笑道："所以我一点也不生气。"

健马驰过，尘土飞扬，一张纸飘飘地落了下来，落在他们面前。

丁喜已走过去，忽然又回身捡了起来，眼睛里忽然发了光。

邓定侯道："这是从他们身上掉下来的？"

丁喜道："嗯。"

邓定侯道："我看看。"

他只看了一眼，脸上也露出种很奇怪的表情，因为他一眼就看见了八个令他触目的字："双枪客决斗霸王枪"。

他接着看下去：

"日月双枪：岳，

日枪重二十一斤，长四尺五寸；月枪重十七斤半，长三尺九寸，

霸王枪：王，

长一丈三尺七寸重七十三斤。

决战时刻：

七月初五，午时，

地点：东阳城，熊家大院，

公证人：

熊九太爷，

旁证：

"活陈平"陈准，

"立地分金"赵大秤，

战后讲评：

"小苏秦"苏小波。

巡场："大力金刚"王虎，

"小仙灵"万通。

欢迎观战，保证精彩，

"凭券入院，每券十两。"

看到最后八个字，邓定侯笑了。

丁喜早就笑了。

邓定侯摇着头笑道："这哪里还像是武林高手的决斗，简直就像是卖狗皮膏药的。"

丁喜道："万通的本身，本来就是卖狗皮膏药的。"

邓定侯道："哦？"

丁喜道："他还有个外号，叫无孔不入，只要有点机会能弄钱，他就不会错过，这一定又是他玩的把戏。"

邓定侯道："你认得他？"

丁喜道："这些人我全都认得出来。"

邓定侯道："哦。"

丁喜苦笑道："饿虎岗真正的老虎最多只有两条，其余的不是老鼠，就是耗子，谈不上一个会钻洞。"

邓定侯道："他们都是饿虎岗的人？"

丁喜点点头，道："这些人里面，却只有日月双枪岳麟还勉强可以算是条老虎。"

邓定侯道："我听说过这个人的名头，以他的身份，怎么会让小仙灵做这种事？"

丁喜道："万通不但是只老鼠，还是只狐狸，老虎岂非总是会被狐狸耍得团团转？"

邓定侯道："还有熊九……"

丁喜道："熊九虽然是条好汉，可是别人只要给他几顶高帽子一戴，他就糊涂了。"

邓定侯笑着道："小苏秦当然一定很会给人高帽子戴的。"

丁喜道："他本来就是饿虎岗的说客，陈准、赵大秤和我是分赃的，王虎的打手。你若剥开他们外面一层皮，就会发现他们里面什么都没有。"

邓定侯道："你好像对他们并不太欣赏。"

丁喜并不否认。

邓定侯道："但你却也是饿虎岗上的人。"

丁喜笑了笑，道："狐狸并不一定要喜欢狐狸，耗子也不一定要喜欢耗子。"

邓定侯盯着他，道："你也是耗子？"

丁喜微笑道："我若是耗子，你岂非就是条多管闲事的狗？"

邓定侯笑了，苦笑。

——狗捉耗子，多管闲事。

他忽然发觉自己的闲事确实管得太多了些。

"就连这件事我都不该问。"他抛开了手里的这张纸。

他苦笑道："他们是双枪斗单枪也好，是饿虎斗母老虎也好，跟我一点儿关系都没有。"

丁喜道："有关系。"

邓定侯道："有？"

丁喜道："饿虎岗并不是个可以容人来去自如的地方，从前山到后山，一共三十六道暗卡，十八队巡逻，我本来实在没把握带你上去。"

邓定侯道："现在你难道已有了把握？"

丁喜点点头，笑道："老虎要出山去跟母老虎决斗，那些大狐狸、小狐狸，大耗子、小耗子，当然也一定会跟着去看热闹的。"

邓定侯眼睛也亮了，道："所以七月初五那天，饿虎岗的防卫，一定要比平时差得多。"

丁喜道："一定。"

邓定侯道："所以我们正好乘机上山去。"

丁喜道："一点儿也不错。"

邓定侯笑道："想不到王大小姐居然也替我们做了件好事。"

丁喜忽然不笑了，冷冷道："只可惜这件事，对她自己连一点儿好处都没有。"

邓定侯道："你认为她绝不是岳麟的对手？"

丁喜叹了口气，道："她不是。"

丁喜道："假如她自己还有点自知之明，也应该知道的。"

邓定侯叹道："所以我实在不懂，她为什么一定要找上江湖中这些最扎手的人物？"

丁喜道："你不懂，我懂。"

邓定侯道："你懂？"

丁喜道："嗯。"

邓定侯道："你说她是为了什么？"

丁喜道："她疯了。"

邓定侯也不能不承认："就算她还没有完全疯，多多少少也有一点疯病。"

丁喜道："你若遇见了一条发疯的母老虎，你怎么办？"

邓定侯道："躲开她，躲得远远的。"

丁喜道："一点儿也不错。"

（二）

丁喜算准了一件事，就很少会算错的。

所以他是聪明的丁喜。

他算准了七月初五那天，饿虎岗的防守果然很空虚，他们从后面一条小路上山，竟连一处埋伏都没有遇见。

"这条路本来就很少有人知道。"

崎岖陡峭的羊肠小路，荒草淹没，后山的斜坡上，一片荒坟。

"做保镖的人，只知道保镖的常常死在强盗手里，却不知道强盗死在保镖手里的更多。"

邓定侯没有开口。

面对着山坡上的这一片荒坟，他也不禁在心里问自己："是不是所有的强盗全都该死？"

丁喜道："埋在这里的，全部是强盗，我本不该把那六个埋在这里的。"

邓定侯道："因为他们不是强盗？"

丁喜淡淡道："因为他们比强盗更卑鄙、更无耻，至少强盗还不会出卖自己的朋友。"

邓定侯道："你认为我们一定是被朋友出卖了的？"

丁喜道："除了你自己之外，还有谁知道你那趟镖的秘密？"

邓定侯道："还有四个人。"

　　丁喜道："是不是百里长青、归东景、姜新、西门胜？"

　　邓定侯道："是。"

　　丁喜道："他们是不是你的朋友？"

　　邓定侯道："若说他们四个人当中，有一个是奸细，我实在不能相信。"

　　丁喜道："若不是他们这四个人，就一定是另外那个人了。"

　　邓定侯道："另外那个人是谁？"

　　丁喜道："是你。"

　　邓定侯只有苦笑。

　　知道那些秘密的，确实只有他们五个人，没有第六个。

　　丁喜的嘴在说话，手也没有闲着，他的话里带着讥讽，手里却带着锄头。

　　锄头比他的舌头动得还快。

　　现在六口棺材都已挖了出来，——每口棺材里都有一个死人。

　　丁喜用袖子擦着汗。

　　丁喜道："你为什么还不打开来看看？"

　　邓定侯也在用袖子擦着汗，他的汗好像比丁喜的还多。

　　丁喜道："你是不是不敢看？"

　　邓定侯道："为什么不敢？"

　　丁喜道："因为你怕我找出那个奸细来，因为他很可能就是你最好的朋友。"

　　邓定侯终于叹了口气，道："我的确有点怕，因为我……"

他没有说下去。

刚打开第一口棺材，他就怔住。

他眼睁睁地看着棺材里的死人，棺材里这个死人好像也在眼睁睁地看着他。

丁喜道："你认识这个人？"

邓定侯点点头，道："这人姓钱，是'振威'的重要人物。"

丁喜道："振威是不是归东景镖局的？"

邓定侯道："嗯。"

丁喜道："你知不知道他的镖局里有人失踪？"

邓定侯摇摇头。

他已打开了第二口棺材，又怔住："这人叫阿旺。"

"阿旺是谁？"

"是我家的花匠。"邓定侯苦笑。

"你也不知道他失踪了？"

"我已经有七八个月没回家去过。"

丁喜只有苦笑。

——第三个人是"长青"的车夫，第四个人是姜家的厨子，第五个人是"威群"的镖伙，第六个人是替西门胜洗马的。

丁喜道："这六个人现在你已全看见，而且全部都认得。"

邓定侯道："嗯。"

丁喜道："可惜你看过了也是白看，连一点用也没有。"

邓定侯道："不过，幸好还有六封信。"

丁喜道："这六封信都是一个人写的？"

邓定侯道："嗯。"

丁喜道："你看出这是谁的笔迹吗？"

邓定侯道："嗯。"

丁喜的眼睛亮了。

邓定侯忽然笑了笑，笑得很奇怪："这个人的字不但变得好，而且有几笔变得很怪，别人就算要学，也很难学会。"

丁喜道："这个人究竟是谁？"

邓定侯笑得很奇怪，慢慢地伸出一根手指，指着自己的鼻子。

"这个人就是我。"

"这个人就是你？"

丁喜想叫，没有叫出来；想笑，又笑不出——这件事并不好笑，一点也不好笑。

事实上，这件事简直可以让人一把鼻涕、一把眼泪地哭出来。

邓定侯笑的样子就并不比哭好看。

丁喜盯着他，上上下下看了好几遍，忽然问道："你自己会不会出卖自己？"

邓定侯道："不会。"

丁喜道："这六封信是不是你写的？"

邓定侯道："不是。"

丁喜一句话都不再说，扭头就走。

邓定侯就跟着他走。

走了一段路，两人的衣服又都湿透，丁喜叹了口气，道："其实我们走这一趟也并不是完全没有收获的。"

邓定侯道："哦？"

丁喜道："我至少总算得到个教训。"

邓定侯道："什么教训？"

丁喜道："下次若有人叫我在这种天气里，冒着这么大的太阳，走这么远的路，来找六个死人探听一件秘密，我就……"

邓定侯道："你就踢他一脚？"

丁喜道："我既不是骡子，也不是小马，我不喜欢被人踢，也从来不踢人。"

邓定侯道："那么你就怎样？"

丁喜道："我就送样东西给他。"

邓定侯道："你准备送给他什么东西？"

丁喜道："送他一个人。"

邓定侯道："人？"

丁喜道："一个他心里喜欢，嘴里却不敢说出来的女人。"

邓定侯笑了，道："你说的女人是不是那位王大小姐？"

丁喜也笑了，道："一点儿也不错。"

邓定侯道："因为王大小姐已经疯了。"

丁喜笑道："这个人叫我做这种事，当然也有点疯病，他们两人岂非正是天生的一对？"

邓定侯大笑，道："这个人当然就是我。"

丁喜故意叹了口气，道："你既然一定要承认，我也没法子。"

邓定侯道："反正我嘴里就算不说出来，你也知道我心里一定喜欢得要命。"

丁喜道："答对了。"

邓定侯道："只不过还在担心一件事。"

丁喜道："什么事？"

邓定侯道："若有人真的把王大小姐送给了我，你怎么办呢？"

七种武器

丁喜又不笑了，板着脸道："你放心，世上的女人还没死光，我也绝不会出家当和尚去，我一向不吃素。"

邓定侯笑道："素虽然不吃，醋总是要吃一点的。"

丁喜用眼角瞄着他，道："我只奇怪一件事。"

邓定侯道："什么事？"

丁喜道："江湖中为什么没有人叫你滑稽的老邓？"

他们下山的时候，居然也没有遇见埋伏暗卡，这个"可怕的饿虎岗"竟像是已变成了个任何人都可以随便上去逛逛的地方。

只可惜逛也是白逛。

邓定侯道："除了这个教训外，你看看还有什么别的收获？"

丁喜道："还有一肚子气，一身臭汗。"

邓定侯道："那么，现在我还可以让你再得到一个教训。"

丁喜道："什么教训？"

邓定侯道："你以后听人说话，最好听清楚些，不能只听一半。"

丁喜不懂。

邓定侯道："我只说笔迹很少有人能学会，并不是说绝对没有人能学会。"

丁喜的眼睛又亮了。

邓定侯道："至少我知道有个人能模仿我写的字，几乎连我自己也分辨不出。"

丁喜道："这个人是谁？"

邓定侯道："是归大老板归东景。"

丁喜大笑道："是他？"

邓定侯道："这个人从外表看来，虽然有点傻头傻脑，好像很老实的样子，其实却是个绝顶聪明的人，连我都上过他的当。"

丁喜道："你上过他什么当？"

邓定侯道："有一次他假冒我的笔迹，把我认得的女人全都请到我家里，我一走进门，就看见七八十个女人全都打扮得花枝招展的，坐在我的客厅里，我的老婆已气得颈子都粗了，三个多月没有跟我说过一句话。"

丁喜忍住笑，道："他为什么要开这种玩笑？"

邓定侯恨恨道："这老乌龟天生就喜欢恶作剧，天生就喜欢别人难受着急。"

丁喜终于忍不住大笑，道："可是你相好的女人也未免太多了一点儿。"

邓定侯也笑了，道："不但人多，而且种类也多，其中还有几个是风月场中有名的才女，连他们都分不出那些信不是我写的，可见那老乌龟学我的字，实在已可以乱真。"

丁喜道："所以虽然他害了你一下，却也帮了你一个忙。"

邓定侯道："帮了我两个忙。"

丁喜道："哦？"

邓定侯道："他让我清清静静地过了三个月的太平日子，没有听见那母老虎啰嗦半句。"

丁喜道："这个忙帮得实在不小。"

邓定侯目光闪动，道："现在他又提醒了我，那六封信是谁写的。"

丁喜的眼睛里也在闪着光，道："你们的联营镖局，有几个老板？"

邓定侯道："四个半。"

丁喜道："四个半？"

邓定侯道："我们集资合力，赚来的利润分成九份，百里长青、归东景、姜新、和我各占两份，西门胜占一份。"

丁喜道："所以归东景自己也是老板之一。"

邓定侯道："他当然是的。"

丁喜道："他为什么要自己出卖自己？"

邓定侯沉吟着，道："我们一趟十万两的镖，只收三千两公费。"

邓定侯道："扣去开支，纯利最多只有一千两，分到他手上，已只剩下三百多两。"

丁喜道："可是我劫下这趟镖之后，就算出手时要打个对折，他还是可以到手一万两。"

邓定侯道："一万两当然比三百两多得多，这笔账他总能算得出来的。"

丁喜笑道："我也相信他一定能算得出，近年来他几乎可算是江湖第一巨富，他那些钱当然不会真的是从天上掉下来的。"

邓定侯道："而且他自己也说过，他什么都怕，银子他绝不怕多，女人也绝不怕多。"

丁喜笑道："我也不怕。"

邓定侯道："我却有点怕。"

丁喜道："怕什么？"

邓定侯叹道："这种事本来就很难找出真凭实据，我只怕他死不认账，我也没法子让他说实话。"

丁喜道："我有法子。"

邓定侯道："我们几时去动手？"

丁喜道："现在就走。"

邓定侯道："谁去动手？"

丁喜眨了眨眼，道："那老乌龟的武功怎么样？"

邓定侯道："也不能算太好，只不过比金枪徐好一点儿。"

丁喜道："一点儿是多少？"

邓定侯道："一点儿的意思，就是他只要用手指轻轻一点，金枪徐就得躺下。"

丁喜好像已笑不出来了。

邓定侯道："据说他还有十三太保横练的功夫，却也练得不太好，有次我看见有个人只不过在他背上砍了三刀，他就已受不了。"

丁喜道："受不了就怎么办？"

邓定侯道："他就回身抢过了那个人的刀，一下子拗成了七八段。"

丁喜道："后来呢？"

邓定侯道："然后他就跟我们到珍珠楼喝酒。"

丁喜道："他被人砍了三刀，还能喝酒？"

邓定侯道："他喝得并不多，因为他急着要小珍珠替他抓痒。"

丁喜道："抓痒？替他抓什么痒？"

邓定侯道："当然是要抓他的背。"

丁喜怔了半天，忽然笑道："我知道了。"

邓定侯道："知道了什么？"

丁喜道："知道应该谁去动手了。"

邓定侯道："谁？"

丁喜道："你。"

这一条路

（一）

上山容易，下山也不难。

太阳还没有下山，他们就已下了山。

山下有条小路，路旁有棵大树，树下停着辆大车，赶车的是个小伙子，打着赤膊，摇着草帽蹲在那里晒太阳。

树阴下有风，风吹过来，传来一阵阵酒香："是上好的竹叶青。"

附近看不见人烟，惟一可能有酒的地方，就是这辆大车。

这小伙子一个人蹲在外面晒太阳，却把这么好的酒放在车子里吹风乘凉。

丁喜叹了口气，忽然发现这世上有毛病的人倒是真不少。

邓定侯看着他，问道："你想不想喝酒？"

丁喜道："不想。"

邓定侯很意外，道："为什么？"

丁喜道："因为我虽然是个强盗，却还没有抢过别人的酒喝。"

邓定侯道："我们可以去买。"

丁喜道："我也很想去买，只可惜我什么样的酒铺都看见过，却还没有看见过开在马车里的酒铺。"

邓定侯笑道："你现在就看见了一个。"

丁喜果然看见了。

那赶车的小伙子，忽然站起来，从车后拉起了一面青布酒旗，上面写着："上好竹叶青，加料卤牛肉。"

若说现在这世上还有什么事能让丁喜和邓定侯高兴一点儿，恐怕就只有好酒加牛肉了。

邓定侯道："那老乌龟实在很不好对付，我只怕还没有撕下他的耳朵来，就已先被他撕下了我的耳朵。"

丁喜道："所以你现在就很发愁。"

邓定侯道："所以我就要去借酒浇愁。"

丁喜道："好主意。"

两个人大步走过去。

"来十斤卤牛肉，二十斤酒。"

"好。"

这小伙子嘴里答应着，却又蹲了下去，开始用草帽煽风。

他们看着他，等了半天，这小子居然连一点站起来的意思都没有。

丁喜忍不住道："你的牛肉和酒自己会走过来？"

赶车的小伙子道："不会。"

他连头都没有抬，又道："牛肉和酒不会走路，可是你们会走路。"

丁喜笑了。

小伙子道："我只卖酒，不卖人，所以……"

丁喜道："所以我们只要是想喝酒，就得自己走过去拿了。"

小伙子道："拿完了之后，再自己走过来付账。"

马车虽然并不新，门窗上却挂着很细密的竹帘子，走到车前，酒香更浓。

"这小伙子的人虽然不太怎么样，卖的酒倒真是顶好的酒。"

"只要酒好，别的事就全部都可以马虎一点了。"

邓定侯走过去，往车厢里一看。

丁喜也怔住。

一个人舒舒服服地坐在车厢里，手里拿着一大杯酒，正咧着嘴，看着他们直笑。

这个人的嘴表情真多。

这个人赫然竟是"福星高照"归东景。

车厢里清凉而宽敞。

丁喜和邓定侯都已坐下来，就坐在归东景对面。

归东景看着他们，一会儿咧着嘴笑，一会儿撇着嘴笑，忽然道："你们刚才说的老乌龟是谁？"邓定侯道："你猜呢？"

归东景道："好像就是我。"

邓定侯道："猜对了。"

归东景道："你准备撕下我的耳朵？"

邓定侯道："先打门牙，再撕耳朵。"

归东景叹了口气，道："你们能不能先喝酒吃肉，再打人撕耳朵？"

邓定侯看着丁喜。

丁喜道："能。"

于是他们就开始喝酒吃肉，喝得不多，吃得倒真不少。

切好了的三大盘牛肉转眼间就一扫而空，归东景又叹了口气道："你们准备什么时候动手？"

邓定侯道："等你先看看这六封信。"

六封信拿出来，归东景只看了一封："这些信当然不是你亲笔写的。"

邓定侯道："不是。"

归东景苦笑道："既然不是你写的，当然就一定是我写的。"

邓定侯道："你承认？"

归东景叹道："看来我就算不想承认也不行了。"

丁喜道："谁说不行？"

归东景道："行？"

丁喜道："你根本就不必承认，因为……"

邓定侯紧接着道："因为这六封信，根本就不是你写的。"

归东景自己反而好像很意外，道："你们怎么知道不是我写的？"

丁喜道："饿虎岗上的人不是大强盗，就是小强盗，冤家对头也不知有多少。"

邓定侯道："这些人就算要下山去比武决斗，也绝不该到处招摇，让大家都知道。"

丁喜道："因为他们就算不怕官府追捕，也应该提防仇家找去，他们的行踪一向都惟恐别人知道。"

邓定侯道："可是这一次他们却招摇得厉害，好像惟恐别人不知道似的。"

丁喜道："你猜他们这是为了什么？"

归东景道："我不是聪明的丁喜，我猜不出。"

邓定侯道："我也不是聪明的丁喜，但我却也看出了一些苗头。"

归东景道："哦？"

丁喜道："他们这么样做，好像是故意制造机会。"

邓定侯道："好让我们上饿虎岗去拿这六封信。"

归东景道："你既然知道这六封信不是自己写的，就一定会怀疑是我了。"

邓定侯道："于是我就要去打你的门牙，撕你的耳朵。"

丁喜道："于是那个真正的奸细，就可以拍着手在看笑话了。"

归东景不解道："饿虎岗上的好汉们，为什么要替我们的奸细做这种事情？"

丁喜道："因为这个人既然是你们的奸细，就一定对他们有利。"

归东景道："你呢？你不知道这回事？"

丁喜笑了笑，道："聪明的丁喜，也有做糊涂事的时候，这次我好像就做了被人利用的工具。"

归东景也笑了，道："幸好你并不是真糊涂，也不是假聪明。"

邓定侯道："所以现在你耳朵还没有被撕下来，牙齿也还在嘴里。"

归东景盯着他，忽然问道："我们是不是多年的朋友？"

邓定侯道："是。"

归东景道："现在我们又是好伙伴？"

邓定侯道："不错。"

归东景指着丁喜道："这小子是不是被我们抓来的那个劫镖贼？"

邓定侯微笑点头。

归东景叹息着，苦笑道："可是现在看起来，你们反而像是个好朋友，我倒像是被你们抓住了。"

丁喜道："你绝不会像是个小贼。"

归东景道："哦？"

丁喜道："你就算是贼，也一定是个大贼。"

归东景道："为什么？"

丁喜道："小贼惟恐别人说他糊涂，所以总是要作出聪明的样子；大贼惟恐别人知道他聪明，所以总是喜欢装糊涂，而且总是装得很像。"

归东景大笑，道："讨人欢喜的丁喜，果然真的讨人欢喜。"

他大笑着站起来，拍了拍丁喜的肩，道："这辆马车我送给你，车里的酒也送给你。"

丁喜道："为什么给我？"

归东景道："我喝了酒之后，就喜欢送人东西，我也喜欢你。"

丁喜道："你自己呢？"

归东景笑道："我既然已没有嫌疑，最好还是赶快溜开，否则就得陪着你伤透脑筋了。"

归东景道："奸细既然不是我，也不是老邓，怎么能跟饿虎岗串通的？怎么会知道你们的要求？"

他摇着头，微笑道："这些问题全部伤脑筋得很，我是个糊涂人，又懒又笨，遇着要伤脑筋去想的事，一向都溜得很快。"

他居然真的说溜就溜。

丁喜看着邓定侯，邓定侯看着丁喜，两个人一点法子也没有。

归东景跳下马车，忽又回头，道："还有件事我要问你。"

丁喜道："什么事？"

归东景道："你们既然已怀疑我是奸细，怎么会忽然改变主意的？"

丁喜笑了笑，道："因为我喜欢你的嘴。"

归东景看着他，摸了摸自己的嘴，喃喃道："这理由好像不错，我这张嘴也实在很不错。"

只说了这两句话，他的嘴已改变了四种表情，然后就大笑着扬长而去，却将一大堆伤脑筋的问题，留给了邓定侯和丁喜。

邓定侯叹了口气，苦笑道："这人实在有福气，有些人好像天生就有福气，有些人却好像天生就得随时伤脑筋的。"

丁喜道："哦？"

邓定侯道："你刚才既然说出了那些问题，现在我就算想不伤脑筋都不行了。"

丁喜同意。

邓定侯道："有可能知道我们到饿虎岗来的，除了我们外，只有百里长青、姜新和西门胜。"

丁喜道："不错。"

邓定侯道："现在看起来，嫌疑最大的就是西门胜了。"

丁喜道："因为他亲耳听见我们的计划。"

邓定侯道："也因为他在九份纯利中，只能占一份。"

丁喜道："可是他们却已被归东景派出去走镖了。"

邓定侯苦笑道："所以我才伤透脑筋。"

丁喜道："百里长青呢？"

邓定侯道："两个月前，他就已启程回关东了。"

丁喜道："现在有嫌疑的人岂非已只剩下了'玉豹'姜新？"

邓定侯道："算来算去，现在的确好像已只剩下他，只可惜他已在床上躺了六个月，病得连站都站不起来了。"

他苦笑着又道："据说他得是色痨，所以姜家上上下下都守口如瓶，不许把这些消息泄露。"

丁喜怔了一怔，道："这么样说来，有嫌疑的人，岂非连一个都没有？"

邓定侯叹道："所以我更伤脑筋。"

丁喜的眼珠转了转，忽又笑道："我教你个法子，你就可以不必伤脑筋了。"

邓定侯精神一振，问道："什么法子？"

丁喜道："这些问题你既然想不通，为什么不去问别人？"

邓定侯立刻又泄了气，喃喃道："这算是个什么法子？"

丁喜道："算是个又简单、又有效的法子。"

邓定侯道："这些问题，我能去问谁？"

丁喜道："去问'无孔不入'万通。"

邓定侯精神又一振。

丁喜道："熊家大院的决战那么招摇，一定是他安排的，和你们那奸细勾结的人，也一定就是他。"

邓定侯道："至少他总有份。"

丁喜道："所以他就一定会知道那奸细是谁。"

邓定侯跳起来，拉住丁喜道："既然如此，我们为什么还不走？"

丁喜却懒洋洋地躺了下去，微笑道："莫忘我已是有车阶级，为什么还要走路？"

（二）

他们赶到熊家大院时，熊九太爷正在他那平坦广阔、设备完美的练武场上负手漫步。

他平生有三件最引以为傲的事，这练武场就是其中之一。

自从他退休之后，的确已在这里造就过不少英才，使得附近的乡里子弟，全部变成了身体强壮的青年。

现在他温柔可爱的妻子已故去多年，儿女又远在他方，这练武场几乎已成为他精神上最大的安慰和寄托。

阳光灿烂，是正午。

七月初六的正午。

练武场上柔细的沙子，在太阳下闪闪发光，他光秃的头顶、赤红的脸，在阳光下看来，亮得几乎比两旁的兵器架上的枪还耀眼。

他是个健壮开朗的老人，仪表修洁，衣着考究，无论谁都休想从他身上找出一点老人的蹒顸拥臃之态。

丁喜和邓定侯已在应有的礼貌范围内，仔细地观察他很久了。

他们只希望自己到了这种年纪时，也能有他这样的精神和风度。

在骄阳的热力下，连远山吹来的风都变得懒洋洋的，提不起劲来。

老人"刷"地展开手中的折扇，扇面上四个墨迹淋漓的大字："清风徐来。"

这四个字看来好像很平凡、很庸俗，但你若仔细咀嚼，才能领略到其中滋味。

熊九太爷轻摇着折扇，已带领着丁喜和邓定侯四面巡视了一周，脸上带着种骄傲而满足的微笑，道："这地方怎么样？"

邓定侯道："很好，好极了。"

他们只能说很好，但他们说的也并不是虚伪的客气话，而是真心话。

熊九太爷微笑道："这地方纵然不好，至少总算还不小，就算同时有两千人要进来，这里也照样可以容纳得下。"

邓定侯同意，他们就这么样走一圈，已走了一顿饭的功夫。

熊九太爷道："一个人十两，三千人就三万两，别人在拼命，他们却发财了。"

邓定侯道："这件事前辈也知道？"

熊九太爷纵声大笑道："他们以为我不知道，以为我戴上顶高帽子，就可以利用我，却不知我年纪虽老了，却还不是老糊涂。"

邓定侯试探着道："前辈这么样做，莫非别有深意？"

熊九太爷笑说道："我这里排场虽摆得大，却是个空架子，经常缺钱用。"

邓定侯道："我听说过，贫穷人家的子弟到这里来练武，前辈不但管吃用，还负责照顾他们家小。"

熊九太爷点点头，目中露出狡黠的笑意，道："这笔开销实在很大，可是有了三万两银子至少就可以应付个三五年了。"

邓定侯也不禁微笑。

现在他才明白熊九的意思，原来这老人竟早已准备黑吃黑。

熊九太爷用一双炯炯有光的眼睛，直视着面前这两个人，忽又笑了笑，道："两位远来，我直到现在还未曾请教过两位的高姓大名，两位一定以为我礼貌疏缓，倚老卖老。"

邓定侯道："不敢。"

熊九太爷道："阁下想必就是'神拳小诸葛'邓定侯了。"

邓定侯笑了一笑，道："前辈怎么知道的？"

熊九太爷道："一个三四十岁的年轻人，除了神拳小诸葛外，谁能有这样的风采、这样的气概？"

他目中忽又露出那种狡黠的笑意，道："何况，远在多年前，我就已见过阁下的真面目了，否则我还是一样认不出来的。"

邓定侯又笑了。

他忽然发现这老人的狡黠，非但不可恨，而且很可爱了。

熊九太爷转向丁喜，道："这位少年人，我们眼生得很。"

丁喜道："在下姓丁，丁喜。"

熊九太爷道："就是那个聪明的丁喜吗？"

丁喜道："不敢。"

熊九太爷又上下打量他几眼，笑道："好，果然是一付又聪明、又讨人欢喜的样子。"

他微笑着，忽然出手，五指虚拿，闪电般去扣丁喜的手腕。

这招正是他当年成名的绝技"三十六路大擒拿手"。

他的出手不但迅速、准确，而且虚实相间，变化很多。

丁喜直等到脉门已被他扣住了，手腕轻轻一翻，立刻又滑出。

老人脸色变了。

三十年来，江湖中还没有一个人能在他掌握下滑脱的。

他看着自己的手，忽又大笑，道："好，果然是英雄出少年，看来我真的已老了。"

丁喜微笑道："可是你双手却还没老，心更没老。"

熊九太爷拍着丁喜的肩，道："好小子，真是个好小子，你下次若是劫了镖，有剩下的银子，千万莫要忘记送来给我，我也缺钱用。"

丁喜道："前辈昨天岂非还赚了三万两？"

熊九道："连一两都没赚到。"

丁喜道："日月双枪和霸王枪决斗，难道会没有人来看？"

熊九道："有人来看，却没有人决斗。"

丁喜愕然道："为什么？"

熊九道："因为王大小姐根本就没有来。"

丁喜怔住。

邓定侯忍不住问道："饿虎岗上的那些好汉们呢？"

熊九道："他们听人说起王大小姐和金枪徐的那一战，就全都赶到杏花村去了。"

邓定侯立刻躬身道："告辞。"

熊九道："你们也想赶到杏花村去？"

邓定侯点点头。

老人眼里第三次露出了那种有趣而狡黠的笑意，道："到了那里，千万莫忘记替我问候那朵红杏花，就说我还是不嫌她老，还等着她来找我。"

车马已启行，熊九太爷还站在门外，带着笑向他们挥手。

从车窗里望去，他的人越来越小，头顶却越来越亮。

邓定侯忽然笑道："其实我也早就见过了，只不过一直懒得跟他打交道而已。"

丁喜道："为什么？"

邓定侯道："因为我一直以为他只不过是个昏庸自大的老头子，想不到……"

丁喜道："想不到他却是条老狐狸？"

邓定侯点点头，微笑道："而且是条很可爱的老狐狸。"

丁喜伸直了双腿，架在对面的位子上，忽然自己一个人笑了起来，笑个不停。

邓定侯道："你笑什么？"

丁喜笑道："假如我们真的能替他跟红杏花撮和，让他们配成一对，那岂非一定很有趣？"

邓定侯大笑，道："假如你真有这么大的本事，我情愿输给你五百席酒席。"

丁喜的人立刻又坐直了，道："真的？"

邓定侯道："只要你能叫那老太婆来找他，我就认输了。"

丁喜道："一言为定？"

邓定侯道："一言为定。"

其实他心里也知道聪明的丁喜一定有这种本事，可是他却情愿输。

因为他从来也没有见过熊九和红杏花这么年轻的老人。

所以他们就应该永远有享受青春欢乐的权利。

所以他希望他们真的能生活在一起。

他也相信，假如这世上真的还有一个人能让那妖精去找那老狐狸，这个人一定就是丁喜。

（三）

红杏花忽然从藤椅中跳起来，跳得足足有八尺高，人还没有落下来，就一把揪住了丁喜的衣襟，大声道："什么？你说什么？"

丁喜赔笑道："我什么都没有说，什么话都是那老狐狸说的。"

红杏花瞪眼道："他真的说我怕他？"

丁喜道："他还跟我打赌，说你绝不敢走进熊家大院一步。"

他作出一副不服气，一副要替红杏花打抱不平的样子，他恨恨道："最气人的是，他居然还说你一直都想嫁给她，他却不要你。"

红杏花又跳了起来："你最好弄清楚，是他不要我，还是我不要他！"

丁喜道："当然是你不要他。"

红杏花道："你跟他赌了多少东道？"

丁喜道："我没有赌。"

红杏花道："为什么？"

丁喜叹道："因为我知道这种死无对证的事，是永远也弄不清楚的，就让他自己去自我陶醉，我倒也不会少掉一块肉。"

红杏花瞪着他，忽然反手给了他一记耳光，又顺手打碎了酒壶，然后就像是被人踩疼了尾巴的猫一样，冲了出去。

丁喜摸着自己的脸，喃喃道："看来这次她真的生气了。"

邓定侯道："你看得出？"

丁喜苦笑道："我看不出，却摸得出，我至少已挨过她七八十个耳光，只有这次她打得最重。"

邓定侯道："就因为打得重，可见她早已对那老狐狸动了心，只不过自己想想，毕竟已有了一大把年纪，总不好意思临老还要上花轿。"

丁喜失笑道："答对了，有奖。"

邓定侯叹了口气："我本来一直认为他用的这法子很不高明，想不到你用来对付她，倒真的很有效。"

丁喜道："所以现在你已经后悔，本不该跟我打赌的。"

七种武器

邓定侯故意冷笑道："难道你认为我现在已经输了吗？"

丁喜道："难道你认为你自己现在还没输？"

邓定侯淡然道："你怎么知道她一定是到熊家大院去的？"

丁喜道："我当然知道。"

邓定侯道："她连一点行李也没有带，连一样事都没有交代，就会这样走了？"

丁喜微笑道："她不想走的时候，你就算明火烧了她的房子，她还是一样会动也不动地坐在房里。"

一直斜倚在旁边软榻上的小马，忽然也笑了笑，接着道："她若想到一个地方，就算光着屁股，也一定会去的。"

邓定侯忍不住大笑，道："看来你们两个人的确都很了解她。"

邓定侯道："哦？"

小马道："她明明知道我宁可让伤口烂出蛆来，也不愿这么样躺在床上的。"

他整个人就像是件送给情人的精美礼物一样，被人仔仔细细地包扎了起来。

邓定侯看着他，笑道："幸好你这次总算听了她的话，伤口里若真的烂出蛆来，那滋味我保证一定比这么样躺着还难受得多。"

丁喜也同样在看着这个像礼物般被包扎得很好的人，眼睛里连一点笑意都没有，却带着种很奇怪的表情，忽然问道："岳麟、万通他们还没有来了？"

小马显得很诧异，反问道："他们会来？"

丁喜慢慢地点了点头，目光不停地往四面搜索，就像是条猎狗。

一条已嗅到了猎物气味的猎狗。

小马道："你在找什么？"

丁喜道："狐狸。"

小马笑了，一笑起来，他的伤口就痛，所以笑得很勉强。

邓定侯忍不住问道："这屋子里有狐狸？"

丁喜道："可能。"

邓定侯道："老狐狸在熊家大院。"

丁喜道："小狐狸却可能在这里。"

邓定侯道："是公的？还是母的？"

丁喜道："当然是母的。"

邓定侯也笑了。

就在这时，只听"哗啦啦"一声响，好像同时有人摔破了七八个杯子。

这间房是红杏花的私室，外面才是贩卖酒的地方。

小马皱眉道："这一定是老许伺候得不周到，客人们发了脾气。"

老许就是杏花村惟一的伙计，又老又聋，而且还时常偷喝酒。

这时外面又是"哗啦啦"一声响，酒壶杯子又被摔破了不少。

邓定侯也不禁皱起了眉，道："这位客人的脾气也未免太大了。"

小马眼珠子转了转，道："岳老大的脾气一向不小，不知道来的是不是他？"

这句话还没有说完，丁喜已冲了出去，邓定侯也跟着冲了出去。

小马看着他们冲出门。

小马忽然长长叹了口气，就好像放下副很重的担子。

只听外面一个人大声道："是你，你居然还没有走？"

这人的声响沙哑低沉，果然是"日月双枪"岳麟的声音。

另外一人道："我们等你已经等得快要急出病来了，你却躲在这里喝酒。

这人的声音又尖又高，恰好跟岳麟相反，却是岳麟的死党，"活陈平"陈准。

活陈平和立地分金一向形影不离，他既然来了，赵大秤当然也在。

"万通呢？"

这是丁喜的声音。

万通的胆子最小，从来不肯落单，别人都来了，他怎么会没有来？

岳麟道："你要找他？"

丁喜道："嗯。"

岳麟冷冷道："他好像也正想找你。"

丁喜道："他的人在哪里？"

陈准道："就在附近，不远。"

赵大秤道："只要你有空，我们随时都可以带你去找他。"

三个人说话的声音都很奇怪，竟像是隐藏着什么阴谋一样。

——他们对丁喜会有什么阴谋？

小马又皱起了眉，挣扎着想爬起来，可是他身后忽然伸出了一只手，按住了他的肩。

屋子里本来没有别的人，这人是哪来的？难道是从他后面的衣柜里钻出来的？

小马显然早已知道衣柜里有人，所以一点也不觉得惊奇意外，却压低了声音，道："快躲进去，说不定他们马上就会进来。"

"不会的。"这人也压低了声音，俯在他肩上轻轻耳语。

"丁喜好像在急着找万通，一定会马上就跟着我们去。"

小马道："他就算要走，也一定会先进来告诉我一声的。"

这人道："也不会。"

小马道："为什么？"

这人道："因为他怕别人跟着他进来，他不愿别人看见你这样子。"

小马还没有开口，已经听见丁喜在外面大声道："好。"

岳麟道："外面那辆马车是你的吗？"

丁喜道："是别人送给我的。"

陈准冷笑道："原来小丁现在交的都是阔朋友，所以才会把我们忘记了。"

赵大秤道："能交到阔朋友也是好事，我们是秃子跟着月亮走，多多少少也可以沾点光。"

几个人冷言冷语，终于还是跟着丁喜一起走了出去，大家谁都没有问起邓定侯。

"神拳小诸葛"名头虽响，黑道朋友见过他真面目的却不多。

脚步声忽然就已去远了，外面只剩下老许一个人在骂街。

"你他娘的是什么玩意儿，乱碰杯子干什么？我操你娘！"

然后外面又传来一阵车辚马嘶声，转眼间也已去得很远。

小马和按在他肩上的那只手紧紧地握在一起，就好像彼此都再也舍不得放开。

（四）

车子里坐七个人虽然还不算太挤，可是邓定侯却已被挤到

七种武器

角落里。

因为坐在他这边的几个人，有两个是大块头，尤其是其中一个手里提着把开山大斧的，一条腿就比陈准整个人都重。

"这个人一定就是大力神。"

邓定侯看来像是已睡着，其实却一直在观察着这些人的。

尤其是岳麟，——一个人被称做"老大"，总不会没有原因的。

岳老大的身材并不高大，肩却极宽，腰是扁的，四肢长而有力，只要一伸手，就可以看见一块块肌肉在衣服里跳动不停。

他的脸上却很少有什么表情，古铜色的皮肤，浓眉狮鼻，却长着双三角眼，眼睛里精光四射，凛凛有威，虽然一坐上车就没有动过，看起来却像是条随时随地都准备扑起来择人而噬的高山豹子。"这个人看来不但剽悍勇猛，而且还一定是天生的神力。"

邓定侯又从他的手，看到他所拿的枪。

他的手宽阔粗糙。

他总是把手平平地放在自己膝盖上，除了小指外，其他的指甲都剪得很秃，仔细一看，才看得出是用牙齿咬的。

"这个人的外表虽然冷酷无情，心里却一定很不平静。"

邓定侯观人于微，知道只有内心充满矛盾不安的人，才会咬指甲。

那对分量极重的"日月双枪"，并不在他手里，两杆枪外面都用布袋套着，也有个人专门跟着他，为他提枪。

这人也是个彪形大汉，看来比大力神更精悍，此刻就坐在岳麟对面，一双手始终没有离开过枪袋，甚至连目光都没有离开过。

陈准却是个很瘦小的人，长得就像是那种从来也没有做过蚀本买卖的生意人一样，脸上不笑时也像是带着诡笑似的。

他们一直都在笑眯眯地看着丁喜，竟像是完全没有注意到车子里还有邓定侯这么样一个人。

丁喜当然也不会着急替他们介绍，微笑着道："你们本来是不是准备到杏花村去喝酒的？"

岳麟板着脸道："我们不是去喝酒，难道还是去找那老巫婆的？"

想喝酒的人，喝不到酒，脾气当然难免会大些。

丁喜笑了笑，从车座下提出了一坛酒，拍开了泥封，酒香扑鼻。

陈准深深吸了口气，道："好酒。"

赵大秤皮笑肉不笑，悠然道："小丁果然越来越阔了。居然能喝得起这种好几十两银子一坛的江南女儿红，真是了得。"

陈准笑道："也许这只不过是什么大小姐、小姑娘送给他的定情礼。"

大力神忽然大声道："不管这酒是怎么来的，人家总算拿出来请我们喝了，我们为什么还要说他的不是？"

岳麟道："对，我们先喝了酒再说。"

他一把抢过酒缸子，对着口"咕噜咕噜"的往下灌，一口气至少就已喝了一斤。

孙准忽又叹了口气，道："这么好的酒，百年难遇，万通却喝不到，看来这小子真是没有福气。"

丁喜道："对了，我刚才还在奇怪，他为什么今天没有跟你们在一起？"

陈准道："我们走的时候，他还在睡觉。"

丁喜道："在哪里？"

陈准道："就在前面的一个尼姑庙里。"

丁喜道："尼姑庙？为什么睡在尼姑庙里？"

陈准带笑道："因为那庙里的尼姑，一个比一个年轻，一个比一个漂亮。"

丁喜道："尼姑他也想动？"

陈准道："你难道已忘了他的外号叫什么人？"

丁喜大笑。

陈准眯眼笑着道："无孔不入的意思就是无孔不入，一个人名字会叫错，外号总不会错的。"

（五）

青山下，绿树林里，露出了红墙一角，乌木横匾上有三个金漆脱落的大字："观音庵。"

你走遍天下，无论走到哪里，都一定可以找到叫"观音庵"的尼姑庙，就好像到处都有叫"杏花村"的酒家一样。

尼姑庵里出来应门的，当然是个尼姑，只可惜这尼姑既不年轻，也不漂亮。

事实上这尼姑比简直红杏花还老。

就算天仙一样的女人，到了这种年纪，都绝不会漂亮的。

丁喜看了陈准一眼笑了笑。

陈准也笑了笑，压低声音道："我是说一个比一个年轻，一个比一个漂亮，这是最老最丑的一个，所以只够资格替人开门。"

丁喜道："最年轻的一个呢？"

陈准道："最年轻的一个，当然在万通那小子的屋里了。"

丁喜道："他还在？"

陈准道："一定在。"

他脸上又露出那种诡秘的笑，道："现在就算有人拿扫把赶他，他也绝不会走。"

他们穿过佛殿，穿过后院，梧桐树下一间禅房门窗紧闭，寂无人声。

"万通就在里面？"

"嗯。"

"看来他睡得就像是个死人一样。"

"像极了。"

老尼姑走在最前面，轻轻敲了一下门，门里就有个老尼姑垂首合十，慢慢地走了出来。

这尼姑果然年轻多了，至少要比应门的老尼姑年轻七八岁。

应门的尼姑至少已有七八十岁。

丁喜忍不住问道："这就是最年轻的一个？"

陈准道："好像是的。"

丁喜笑了。

陈准道："我们也许会嫌她年纪太大了些，万通却绝不会挑剔。"

丁喜道："哦？"

陈准道："因为现在无论什么样的女人，对他来说，都是完全一模一样的。"

丁喜道："为什么？"

陈准道："因为……"

他没有说下去，也不必说下去，因为丁喜已看见了万通。

万通已是个死人。

（六）

　　屋子里光线很阴暗，一口棺材，摆在窗下，万通就躺在棺材里。

　　他身上穿着的，还是他平时最喜欢穿的那身蓝绸子衣服。

　　衣服上也没有血渍，他身上也没有伤口，但他却的的确确已死了，死了很久。

　　他的脸蜡黄干瘦，身子已冰冷僵硬。

　　丁喜深深吸了口气，道：“他是什么时候死的？”

　　岳麟道：“昨天晚上。”

　　丁喜道：“是怎样死的？”

　　岳麟道：“你看不出？”

　　丁喜道：“我看不出。”

　　岳麟冷笑道：“那么你就应该再仔细看看，多看几眼了。”

　　陈准道：“最好先解开他的衣襟再看。”

　　丁喜迟疑着，推开窗子。

　　七月黄昏时的夕阳从窗外照进来，照在棺材里的死人身上。

　　丁喜忽然发现他前胸有块衣襟，颜色和别的地方有显著的不同，就像是秋天的树叶一样，已渐渐开始枯黄腐烂了。

　　岳麟冷冷道：“现在你还看不出什么？”

　　丁喜摇摇头。

　　岳麟冷笑着，忽然出手，一股凌厉的掌风掠过，这片衣襟就落叶般被吹了起来，露出了他蜡黄干瘦的胸膛，也露出那致命的伤痕。

　　一块紫红色的伤痕，没有血，连皮都没有破。

　　丁喜又深深叹了口气，道：“这好像是拳头打出来的。”

岳麟冷笑道："你现在总算看出来了。"

丁喜道："一拳就已致命，这人的拳头好大力气。"

陈准道："力气大没有用，还得有特别的功夫才行。"

丁喜承认。

陈准道："你看不出这是什么功夫？"

丁喜迟疑着，道："你看呢？"

陈准道："无论哪一门、哪一派的拳法，就算能一拳打死人，伤痕也不是紫红的。"

丁喜道："不错。"

陈准道："普天之下，只有一种拳法是例外的。"

丁喜道："哪种拳法？"

陈准道："少林神拳。"

他盯着丁喜，冷冷道："其实我根本就不必说，你也一定知道。"

陈准道："你再仔细看看，万通的骨头断了没有？"

丁喜道："没有。"

陈准道："皮破了没有？"

丁喜道："没有。"

陈准道："假如有一个人一拳打死了你，你死了之后，骨头连一根都没有断，皮肉连一点都没损伤，你看这个人用的是哪种拳法？"

丁喜道："少林神拳。"

陈准道："会少林神拳的人虽然不少，能练到这种火候的人有几个？"

丁喜道："不多。"

陈准道"不多是多少？"

丁喜道："大概……大概不超过五个。"

七种武器

陈准道："少林掌门当然是其中之一。"

丁喜点点头。

陈准道："少林南宗的掌门人，当然也是其中之一了。"

丁喜又是点点头。

陈准道："嵩山寺的那两位护法长老算不算在内？"

丁喜道："算。"

陈准道："还有一个，你看是谁呢？"

丁喜不说话了。

陈准忽然笑了笑，转向邓定侯，道："这些问题我本来都不该问他的，因为你知道得一定比他清楚。"

邓定侯道："我知道什么？"

陈准道："你最少应该知道，除了我们刚才说的那四个老和尚外，还有一个是谁？"

邓定侯道："我为什么应该知道？"

陈准笑了笑道："因为你就是这个人。"

赵大秤道："除了少林四大高僧外，惟一能将少林神拳练到这种火候的人，就是'神拳小诸葛'邓定侯。"

陈准道："所以昨天晚上杀了万通的人，也一定就是邓定侯。"

岳麟冷冷地看着丁喜，冷冷道："我现在只问你，你这朋友是不是邓定侯？"

丁喜叹了口气，苦笑道："这问题你也该问他的，他比我清楚得多。"

邓定侯道："我却有件事不清楚。"

岳麟道："你说。"

邓定侯道："我为什么要杀万通？"

岳麟道："这问题我正想问你。"

邓定侯道："我想不出。"

岳麟道："我也想不出。"

邓定侯苦笑道："我自己也想不出，我也根本没理由要杀他。"

岳麟道："但你却杀了他，所以更该死。"

邓定侯道："你有没有想到过，也许根本不是我杀了他的。"

岳麟道："没有。"

邓定侯叹了口气，道："难道你真是个完全不讲理的人？"

岳麟道："我若是时常跟别人讲理的话，现在早已不知死了多少次。"

他转向丁喜，忽然问道："我是不是一直将你当做自己的兄弟？"

丁喜承认。

岳麟道："我在有酒喝的时候，是不是总会分给你一半？我在有十两银子的时候，是不是总会分给你五两的？"

丁喜点头。

岳麟盯着他，道："那么你现在准备站在哪一边？你说！"

丁喜在心里叹了口气，他早就知道岳麟一定会给他这么样一个选择。

——不是朋友，就是对头。

——不是你死，就是我死。

干他们这一行的人，就像是原野中的野兽一样，永远有他们自己简单独特的生活原则。

岳麟冷冷笑道："假如你想站在他那边，帮他杀了我，我也不会怪你，卖友求荣的人很多，而你并不是第一个。"

丁喜看看他，又看了看邓定侯，道："我们难道就这样杀了他？"

岳麟道："他既然来了，就非死不可。"

丁喜道："我们难道连一点辩白的机会都不给他？"

岳麟道："你必也该知道，我们杀人的时候，绝不给对方一点机会，任何机会都不给。"

丁喜道："因为辩白的机会，时常都会变成逃走的机会。"

岳麟道："不错。"

丁喜道："只不过我们若是杀错了人呢？"

岳麟冷冷道："我们杀错人的时候很多，这也不是第一次。"

丁喜道："所以冤枉的，死了也是活该的。"

岳麟道："不错。"

丁喜笑了笑，转向邓定侯，道："这样看来，你恐怕只有认命了。"

邓定侯苦笑。

丁喜道："你本就不该学少林神拳的，更不该叫邓定侯。"

邓定侯道："所以我错了？"

丁喜道："错得很厉害。"

邓定侯道："所以我该死？"

丁喜道："你想怎么样死？"

邓定侯道："你看呢？"

丁喜又笑了笑，道："我看你最好买块豆腐来一头撞死。"

他忽然出手，以掌缘猛砍邓定侯的咽喉。

这是致命的一击，他们的出手，也像是野兽扑人一样，凶猛、狠毒、准确、绝不容对方有一点喘息的准备机会。

先打个招呼再出手，在他们眼中看来，只不过是孩子们玩的把戏，可笑而幼稚。

——不是你死，就是我死，一个人也只能死一次。

这一击之迅速凶恶，竟使得邓定侯也不能闪避，眼看着丁喜的手掌已切上他的喉结，岳麟目中不觉露出了笑意。

这件事解决得远比他想像中还容易。

——无论什么事情，只要你处理时用的方法正确，就一定会顺利解决的。

岳麟正对自己所用的方法觉得满意时，丁喜这一击竟突然改变了方向，五指突然缩回，接着就是一个肘拳打在岳麟左肋软骨下的穴道上。

这一击更迅速准确，岳麟竟完全没有招架抵挡的余地。

他立刻就倒下去。

五虎怒吼着挥拳，提枪的火速撕裂枪袋，用力抽枪，陈准、赵大秤想夺门而出。

只可惜他们所有的动作都慢了一步。

丁喜和邓定侯已双双出手，七招之间，他们四个人全都倒了下去。

邓定侯长长吐出口气，嘴角还带着笑意，道："我们果然没有看错你。"

丁喜道："你看得出我不会真的杀你？"

邓定侯点点头。

丁喜道："你若看错了呢？"

邓定侯道："看错了就真的该死了。"

丁喜笑了笑，道："不管怎么样，你倒是真沉得住气。"

岳麟虽已倒在地上，却还是狠狠地盯着他，眼睛里充满了怨毒和仇恨。

丁喜微笑道："你也用不着生气，卖友求荣的人，我又不是第一个。"

邓定侯笑道："也绝不是最后一个。"

丁喜道："何况我这样做，只不过我知道这个人绝对没有杀死万通，昨天晚上，我一直都跟他在一起。"

邓定侯道："我虽然练过少林神拳，却没有练过分身术。"

丁喜道："只可惜你们根本不听他的解释，所以我只有请你们在这里休息休息，等我查出了真凶，我再带酒去找你们赔罪了。"

他实在不愿再去看这些人恶毒的眼睛，说完了这句话，拉着邓定侯就走。

邓定侯道："现在我们到哪里去呢？"

丁喜道："去找人。"

邓定侯道："找尼姑？"

丁喜淡淡地道："我对尼姑一向有兴趣，不管是大尼姑、小尼姑都是一样。"

刚才那两个尼姑本来还站在院子里，现在正想溜，却已迟了。

丁喜已蹿出，一只手抓住了一个。

老尼姑吓得整个人都软了，颤声道："我今年已七十三，你……你要找，就该找她。"

丁喜笑了，邓定侯大笑。

慧能本已吓白的脸，却又涨得通红，无论谁都绝不会想像到现在她心里是什么滋味？

丁喜笑道："原来尼姑也一样会出卖尼姑的。"

邓定侯笑道："尼姑也是人，而且是女人。"

他微笑着拍了拍慧能的肩，道："你用不着害怕，这个人绝不会做什么太可怕的事，最多只不过……"

丁喜好像生怕他再说下去，立刻抢着道："最多只不过问你们几句话。"

慧能终于抬起头来看了他一眼，我可以保证，绝没有任何人能看得出，她的眼色是庆幸，还是失望。

丁喜只好装着看不见，轻轻咳嗽两声，沉下脸，道："屋子里那些人是什么时候来的？"

慧能道："昨天半夜。"

丁喜道："来的几个人？"

慧能颤抖着，伸出一只手。

丁喜道："四个活人，一个死人？"

慧能道："五个活人。"

老尼姑抢着道："可是他们今天出去的时候，却已剩下四个人。"

丁喜眼睛亮了，道："还有一个人在哪里？"

老尼姑道："不知道。"

丁喜道："真的不知道？"

老尼姑道："我只知道昨天晚上他们曾经到后面的小土地庙里去过一趟。"

丁喜道："那里有什么人？"

老尼姑道："什么人都没有，只有个地窖。"

邓定侯的眼睛也亮了。

邓定侯道："你知道少了的那个人是谁？"

丁喜道："一定是小苏秦，苏小波。"

邓定侯道："他是个什么样的人呢？"

丁喜道："是个很多嘴的人，你若想要他保守秘密，惟一的法子就是……"

邓定侯道："就是杀了他？"

丁喜笑了笑，道："但若他是你的大舅子，你应该怎么办呢？"

邓定侯道："我当然不能让我妹子做寡妇。"

丁喜道："当然不能。"

邓定侯道："所以我只有把他关在地窖里。"

丁喜大笑，道："小诸葛果然不愧是小诸葛。"

邓定侯道："小诸葛并不是他大舅子。"

丁喜道："岳麟却是的。"

邓定侯叹了口气，道："假如她妹妹是跟他一样的脾气，苏小波就不如还是死了的好。"

丁喜忽然皱起了眉，道："你不是他舅子，那凶手也不是。"

邓定侯道："所以他随时随地都可能把苏小波杀了灭口。"

丁喜道："所以我们若还想从苏小波嘴里问出一点秘密，就应该赶快到土地庙去。"

天才凶手

（一）

尼姑庵的一面怎么还有个土地庙？土地庙怎么会有个地窖？

丁喜眼睛里带着种思索的表情，注视着神案下的石板，喃喃道："这个尼姑庵里面，以前一定有个花尼姑，才会特地修了个这么样的土地庙。"

邓定侯忍不住问："为什么？"

丁喜道："因为在尼姑庵里没法子跟男人幽会，这里却很方便。"

邓定侯笑了："你好像什么事都知道。"

丁喜并不谦虚："我知道的事本来就不少。"

邓定侯道："你知不知道你自己最大的毛病是什么吗？"

丁喜道："不知道。"

邓定侯道："你最大的毛病，就是太聪明了。"

他微笑着，用手拍了拍丁喜的肩，又道："所以我劝你最好学学那老乌龟，偶尔也装装傻。"

邓定侯道："那么你就会发现，这世界远比你现在看到的可爱得多了。"

地窖果然就在神案下。

他们掀起石板走进去，阴暗潮湿的空气里，带着种腐朽的臭气，刺激得他们几乎连眼睛都睁不开。

他们睁开眼，第一样看见的，就是一张床。

地窖很小，床却不小，几乎占据了整个地窖的一大半。

邓定侯心里叹了口气："看来这小子果然没有猜错。"

有两件事丁喜都没有猜错——

地窖里果然有张床，床上果然有个人，这个人就是苏小波。

他的人已像是粽子般捆了起来，闭着眼似已睡着，而且睡得很熟，有人进了地窖，他也没有张开眼。

"他睡得简直像死人一样。"

"像极了。"

丁喜的心在往下沉，一步窜了过去，伸手握住了苏小波的脉门。

苏小波忽然笑了。

丁喜长吐出口气，摇着头笑道："你是不是觉得这样子很好玩？"

苏小波笑道："我也不知道被你骗过多少次，能让你着急一下也是好的。"

丁喜道："你自己一点都不急？"

苏小波道："我知道我死不了的。"

丁喜道："因为岳麟是你大舅子？"

苏小波忽然不笑了，恨恨道："若不是因我有他这么一个大舅子，我还不会这么倒霉。"

丁喜道："是他把你关到这里来的？"

苏小波道："把我捆起来的也是他。"

丁喜笑道："是不因为你在外面偷偷的玩女人，他才替他的妹妹管教你？"

苏小波叫了起来，道："你也不是不知道，他那宝贝妹妹是个天吃星，我早就被她淘完了，哪有精力到外面来玩女人？"

丁喜道："那么他为什么要这样子修理你？"

苏小波道："鬼知道。"

丁喜眨眨眼，忽然冷笑道："我知道，一定因为你杀了万通。"

苏小波又叫起来，道："他死的时候我正在厨房里喝牛鞭汤，听见他的叫声，才赶出来的。"

丁喜道："然后呢？"

苏小波道："我已经去迟了，连那人的样子都没有看清楚。"

丁喜眼睛亮了，道："那个什么人？"

苏小波道："从万通屋里走出来的人。"

丁喜道："你虽然没有看清楚，却还是看见了他？"

苏小波道："嗯。"

丁喜道："他是个什么样身材的人？"

苏小波道："是个身材很高的人，轻功也很高，在我面前一闪，就不见了。"

丁喜目光闪动，指着邓定侯道："你看那个人身材是不是很像他？"

苏小波上上下下打量了邓定侯两眼，道："一点也不像，那个人最少比他高半个头。"

丁喜看着邓定侯，邓定侯也看了看丁喜，忽然道："姜新和百里长青都不矮。"

丁喜道："可惜这两个人一个已病得快死了，一个又远在关外。"

邓定侯的眼睛也有光芒闪动，沉吟着道："关外的人可以回来，生病的人也可能是装病。"

苏小波看着他们，忍不住问："你们究竟在谈论着什么？"

丁喜笑了笑，道："你这人怎么越来越笨了，我们说的话，你听不懂，别人对你的好处，你也看不出。"

苏小波道："谁对我有好处？"

丁喜道："你的大舅子。"

苏小波又叫了起来，道："他这么样修理我，难道我还应该感激他？"

丁喜笑道："你的确应该感谢他，因为他本应该杀了你的。"

苏小波怔了一怔，又道："为什么？"

丁喜道："你真不懂？"

苏小波道："我简直被弄得糊涂死了。"

丁喜道："那么你就该赶快问他去。"

苏小波道："他的人在哪里？"

丁喜指一指道："就在前面陪着一个死人、两个尼姑睡觉。"

（二）

黄昏。

后院里更暗，屋子里没有燃灯。

死人已不会在乎屋子里是光是亮，被点住穴道的人，就算在乎也动不了。

苏小波喃喃道："看来我那大舅子好像真的睡着了。"

丁喜微笑道："睡得简直跟死人差不多。"

说到"死人"两个字，他心里忽然一跳，忽然一个箭步蹿过去，撞开了门。

然后他自己也变得好像个死人一样，全身上下都已冰冷僵硬。

屋子里已没有活人。

那对百炼精钢打成的日月双枪，竟已被人折断了，断成了四截，一截钉在棺材上，两截飞上屋梁，还有一截，竟钉入岳麟的胸膛。

但他致命的伤口却不是枪伤，而是内伤，被少林神拳打出来的内伤。

大力金刚的伤痕也一样。

陈准、赵大秤，都是死在剑下的。

一柄很窄的剑，因为他们眉心之间的伤口只有七分宽。

江湖中人都知道，只有剑南门下弟子的佩剑最窄，却也有一寸二分。

越窄的剑越难练，江湖中几乎没有人用过这么窄的剑。

邓定侯看着岳麟和五虎的尸身，苦笑道："看来两个人又是被我杀了的。"

丁喜没有开口，眼睛一直眨也不眨地盯着陈准和赵大秤眉心间的创伤。

邓定侯道："这两个人又是被谁杀的?"

丁喜道："我。"

邓定侯怔了怔，道："你?"

丁喜笑了笑，忽然一转身，一翻手，手里就多了柄精光四射的短剑。

一尺三寸长的剑，宽仅七分。

邓定侯看了看剑锋，再看了看陈准、赵大秤的伤口，终于明白："那奸细杀了他们灭口，却想要我们来背黑锅。"

丁喜苦笑道："这些黑锅可真的不少呢。"

邓定侯道："他先杀了万通灭口，再嫁祸给我，想要你帮着他们杀了我。"

丁喜道："只可惜我偏偏就不听话。"

邓定侯道："所以他就索性一不做、二不休，把你拉下水。"

丁喜道："岳麟的嘴虽然稳，到底是比不上死人。"

邓定侯道："所以他索性把岳麟的嘴也一起封了起来。"

丁喜道："岳麟的朋友不少，弟兄更多，若是知道你杀了他，当然绝不会放过你。"

邓定侯道："他们放不过我，也少不了你。"

丁喜叹道："我们在这里狗咬狗，那位仁兄就正好等在那里看热闹、捡便宜。"

苏小波一直站在旁边发怔，此刻才忍不住问道："你们说的这位仁兄究竟是谁？"

丁喜道："是个天才。"

苏小波道："天才？"

丁喜道："他不但会模仿别人的笔迹，还能模仿别人的武功；不但用这种袖中剑，少林百步神拳也练得不错，你说他是不是天才？"

苏小波叹道："看来这个人真他妈的是个活活的大天才。"

他突然想起一个人："小马呢？"

丁喜道："我们现在正要去找他。"

苏小波道："我们？"

丁喜道："我们的意思，就是你也跟我们一起去找他。"

苏小波道："我不能去，我至少总得先把岳麟的尸首送回去，不管怎么样，他总是我大舅子。"

丁喜道："不行。"

苏小波怔了怔，道："不行？"

丁喜道："不行的意思，就是从现在起，我走到哪里，你也要跟到那里。"

他拍着苏小波的肩，微笑道："从现在起，我们变得像是一个核桃里的两个仁，分也分不开了。"

苏小波吃惊地看着他，道："你没有搞错？我既不是女人，又不是相公。"

丁喜笑道："就算你是相公，我对你也没有什么兴趣的。"

苏小波道："那么你跟我这么亲干吗？"

丁喜道："因为我要保护你。"

苏小波道："保护我？"

丁喜道："现在别的人死了都没有关系，只有你千万死不得。"

苏小波道："为什么？"

丁喜道："因为只有你一个人见过那位天才凶手，也只有你一个人可以证明，岳老大他们并不是死在我们手里的。"

苏小波盯着他看了半天，长长叹了口气，道："就算你要我跟着你，最好也离我远一点。"

丁喜道："为什么？"

苏小波眨了眨眼道："因为我老婆会吃醋的。"

（三）

到过杏花村的人，都认得老许，却没有人知道他的来历。

这个人好吃懒做，好酒贪杯，以红杏花的脾气，就算十个老许也该被她全部赶走了。

可是这个老许却偏偏没有被赶走。

他只要有了六七分酒意，就根本没有把红杏花看在眼里。

若是有了八九分酒意，他就会觉得自己是个了不起的大英雄，到这里来做伙计，只不过是为了要隐姓埋名，不再管江湖中那些闲事。

据说他真的练过武，还当过兵，所以他若有了十分酒意，就会忽然发现自己不但是个大英雄，而且还是位大将军。

现在他看起来就像是个大将军，站在他面前的丁喜，只不过是他部下的一个无名小卒而已。

丁喜已进来了半天，他只不过随随便便往旁边凳子上一指，道："坐。"

将军有令，小卒当然就只有坐下。

老许又指了指桌上的酒壶，道："喝。"

丁喜就喝。

他实在很需要喝杯酒，最好的是喝上七八十杯，否则他真怕自己要气得发疯。

他们来的时候，小马居然已走了，那张软榻只剩下一大堆白布带——本来扎在他身上的白布带。

看到这位大将军的样子，他也知道一定问不出什么来的。

但他却还是不能不问："小马呢？"

"小马？"

大将军的目光凝视着远方："马都上战场去了，大马小马都去了。"

他忽然用力一拍桌子，大声道："前方的战鼓已鸣，士卒们的白骨已堆如山，血肉已流成河，我却还坐在这里喝酒，真是可耻呀，可耻！"

邓定侯和苏小波都已看得怔住，想笑又笑不出，丁喜却已看惯了，见怪不怪。

老许忽又一拍桌，瞪着他们，厉声道："你们身受国恩，年轻力壮，不到战场上去尽忠效死，留在这里干什么？"

丁喜道："战事惨烈，兵源不足，我们是来找人的。"

老许道："找谁？"

丁喜道："找那个本来在后面养伤的伤兵，现在他的伤已痊愈，已可重赴战场了。"

老许想了想，终于点头，道："有理，男子汉只要还剩一口气在，就应该战死沙场，以马革裹尸。"

丁喜道："只可惜那伤兵已不见了。"

老许又想了想，想了很久，想得很吃力，总算想了起来："你说的是副将？"

"正是。"

"他已经走了，跟梁红玉一起走的。"

"梁红玉？"

"难道你连梁红玉都不知道？"大将军可光火了："像她那样的巾帼英雄，也不知比你们这些贪生怕死的小伙子强多少倍，你们还不惭愧？"

他越说越火，拿起杯子，就往丁喜身上掷了过去，幸好丁喜溜得快。

邓定侯和苏小波的动作也不慢，一溜出门，就忍不住大笑起来。

丁喜的脸色，却好像全世界每个人都欠他三百两银子没还一样。

苏小波笑道："马副将，小马居然变成了马副将？他以为自己是谁？是岳飞！"

丁喜板着脸，就好像全世界每个人都欠他四百两银子。

苏小波终于看出了他的脸色不对："你在生什么气？生谁的气？"

邓定侯道："梁红玉。"

苏小波道："他又不是韩世忠，就算梁红玉跟小马私奔了，他也用不着生气。"

邓定侯道："这个梁红玉并不是韩世忠的老婆。"

苏小波道："是谁？"

邓定侯道："是王大小姐的老搭档。"

苏小波诧异道："霸王枪王大小姐？"

邓定侯点点头，道："他不喜欢王大小姐，所以不喜欢这个梁红玉了。"

苏小波道："可是小马却跟着这个梁红玉私奔了。"

邓定侯道："所以他生气。"

苏小波不解道："小马喜欢的女人，为什么要他喜欢？他为什么要生气？"

邓定侯道："因为他天生就喜欢管别人的闲事。"

马车还等在外面。

赶车的小伙子叫小山东，脾气虽然坏，做事倒不马虎，居然一直守在车上，连半步都没有离开。

苏小波道："现在我们到哪里去？"

丁喜板着脸，忽然出手，一把将赶车的从上面揪了下来。

他并不是想找别人出气。

邓定侯立刻就发觉这赶车的已不是那个说话总是抬杠的小山东了。

"你是什么人？"

"我叫大郑，是个赶车的。"

"小山东呢？"

"我给了他三百两银子，他高高兴兴地到城里去找女人去了。"

丁喜冷笑道："你替他来赶车，却给他三百两银子，叫他找女人，他难道是你老子？"

大郑道："那三百两银子并不是我拿出来的。"

丁喜道："是谁拿出来的？"

大郑道："是城里状元楼的韩掌柜叫我来的，还叫我一定要把你们请到状元楼去。"

丁喜看着苏小波。

苏小波道："我不认识那个韩掌柜。"

丁喜又看着邓定侯。

邓定侯道："我只知道两个姓韩的，一个叫韩世忠，一个叫韩信。"

丁喜什么话都不再说，放开大郑，就坐上了车。

"我们到状元楼去？"

"嗯。"

七种武器

到了状元楼，丁喜脸上的表情，也像是天上忽然掉下一块肉骨头来，打着了他的鼻子。

他们实在想不到，花了一千两银子请他们客的人，竟是前两天还想用乱箭对付他们的王大小姐。

王大小姐就像是自己变了个人，已经不是那位眼睛在头顶上，把天下的男人都看成王八蛋的大小姐了，更不是那位带着一丈多长的大铁枪，到处找人拼命的女英雄。

她身上穿着的，虽然还是白衣服，却已不是那种急装劲服，而是那件曳地的长裙，料子也很轻、很柔软，衬得她修长苗条的体态更婀娜动人。

她脸上虽然还没有胭脂，却淡淡地抹了一点粉，明朗美丽的眼睛里，也不再有那种咄咄逼人的锋芒，看着人的时候，甚至还会露出一点温柔的笑意。

——女人就应该像个女人。

——聪明的女人都知道，若想征服男人，绝不能用枪的。

——只有温柔的微笑，才是女人们最好的武器。

——今天她好像已准备用出这种武器，她想征服的是谁？

邓定侯看着她，脸上带着酒意的微笑。

他忽然发现这位王大小姐非但还比他想像中更美，也还比他想像中更聪明。

所以等到她转头去看丁喜时，就好像在看着条已经快被人钓上的鱼。

丁喜的表情却像是条被人踩疼了尾巴的猫，板着脸道："是你？"

王大小姐微笑着点点头。

丁喜冷冷道："大小姐若要找我们，随便在路上挖个洞就行了，又何必这么破费？"

王大小姐柔声道："我正是为了那天的事，特地来同两位赔罪解释的。"

丁喜道："解释什么？"

王大小姐没有回答这句话，却卷起了衣袖，用一只纤柔的手，为苏小波斟了杯酒。

"这位是——"

"我姓苏，苏小波。"

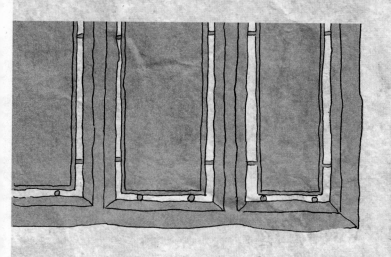

七种武器（3）

许明康 许黎黎/绘

"到了状元楼，丁喜脸上的表情，也像是天上忽然掉下一块肉骨头来，打着了他的鼻子。"

"饿虎岗上的小苏秦?"

苏小波道:"不敢。"

王大小姐道:"那天我没有到熊家大院去,实在有不得已的苦衷,还得请你们原谅。"

苏小波道:"我若是你,我也绝不会去的。"

王大小姐道:"哦?"

苏小波道:"一个像王大小姐这样的美人,又何必去跟男人舞刀弄剑,只要大小姐一笑,十个男人中已至少有九个要拜倒在裙下了。"

王大小姐嫣然道:"苏先生真会说话,果然不愧是小苏秦。"

丁喜冷冷道:"若不会说话,岳家的二小姐怎会嫁给他?"

王大小姐眼珠子转了转,道:"我早就听说岳姑娘是位有名的美人儿了。"

苏小波叹了口气,道:"也是条有名的母老虎。"

王大小姐道:"既然如此,我劝苏先生还是赶快回去的好,不要让尊夫人在家里等着着急。"

她含笑举杯,柔声道:"我敬苏先生这一杯,苏先生就该动身了。"

她笑得虽温柔,可只要不太笨的人,都应该听得出她这是在下逐客令。

苏小波不笨,一点儿也不笨。

他看了看王大小姐,又看了看丁喜,苦笑道:"其实我也早想回去了,只可惜有个人一直都不肯放我走。"

丁喜道:"这个人现在已改变了主意。"

苏小波眨了眨眼睛,道:"他怎么会忽然又改变了主意的?"

丁喜道："因为他很想听听王大小姐解释的是什么事？"

苏小波喝干了这杯酒，站起来就走。

邓定侯忽然道："我们一起走。"

苏小波道："你？……"

邓定侯笑了笑，道："我家里也有条母老虎在等着，当然也应该赶快回去才对。"

丁喜道："不对！"

邓定侯道："不好？"

丁喜道："现在我们已被一条绳子绑住了，若没有找出绳上的结，我们谁也别想走出这里。"

邓定侯已站起来，忽然大声道："杀死万通他们的那个天才凶手，究竟像不像我？"

苏小波道："一点儿也不像。"

邓定侯道："他是不是比我高得多？"

苏小波道："至少高半个头。"

邓定侯道："你有没有搞错？"

苏小波道："没有。"

邓定侯这才慢慢地坐下。

苏小波道："现在我是不是可以走了？"

邓定侯点点头，道："只不过你还是要千万小心保重。"

苏小波笑道："我明白，我只有一个脑袋，也只有一条命。"

他走出去的时候，就好像一个刚从死牢里放出来的犯人一样，显得既愉快，又轻松，一点也不担心别人会来暗算他。

丁喜看着他走出去，眼睛里忽然露出种很奇怪的表情，好像又想追出去。

只可惜这时王大小姐问出了一句他不能不留下来听的话。

"我那么着急想知道，五月十三那天你在哪里，你是不是觉得很奇怪？"

"是的。"

"你一定想不通我是为了什么？"

"我想不通。"

"那天是个很特别的日子。"王大小姐端起酒杯，又放下，明朗的眼睛里，忽然现出了一层雾。

过了很久，她才慢慢接着道："家父就是在那天死的，死得很惨，也很奇怪。"

邓定侯皱眉道："很奇怪？"

王大小姐道："长枪大戟，本是沙场上冲锋陷阵用的兵器，江湖中用枪的本不多，以枪法成名的高手更少之又少。"

邓定侯同意："江湖中以长枪成名的高手，算来最多只有十三位。"

王大小姐道："在这十三位高手中，家父的枪法排名第几？"

邓定侯想也不想，立刻道："第一。"

他说的并不是奉承话："近三十年来，江湖中用枪的人，绝没有一个人能胜过他。"

王大小姐道："但他却是死在别人枪下的。"

邓定侯怔住，过了很久，才长长吐出口气，道："死在谁的枪下？"

王大小姐道："不知道。"

她又端起酒杯，又放下，她的手已抖得连酒杯都拿不稳。

王大小姐道："那天晚上夜已很深，我已睡了，听见他老人家的惨呼才惊醒。"

邓定侯道："可是等到你赶去时，那凶手已不见了。"

七种武器

王大小姐用力咬着嘴唇，道："我只看见一条人影从他老人家书房的后窗中蹿出来。"

邓定侯立刻抢着问："那个人是不是很高？"

王大小姐迟疑着，终于点了点头，道："他的轻功很高。"

邓定侯道："所以你没有追。"

王大小姐道："我就算去追，也追不上的，何况我正着急去看他老人家的动静。"

邓定侯道："你还看见了什么可疑的事？"

王大小姐垂下头，道："我进去时，他老人家已倒在血泊中……"

鲜红的血，苍白的脸，眼睛凸出，充满了惊讶与愤怒的神色。

这老人死也不相信自己会死在别人的枪下。

王大小姐道："他的霸王枪已撒手，手里却握着半截别人的枪尖，枪尖还滴着血，他自己的血。"

邓定侯道："这半截枪尖还在不在？"

王大小姐已经从身上拿出个包扎很仔细的白布包，慢慢地解开。

枪尖是纯钢打成的，枪杆是普通的白蜡竿子，折断的地方很不整齐，显然是枪尖刺入他的致命处之后，才被他握住折断的。

邓定侯皱起了眉。

这杆枪并不好，也没有什么特别的地方，在普通的兵器店里就可以买得到。

王大小姐道："我从七八岁的时候就开始练枪，我们镖局练枪的人也不少，可是我们从这半截枪尖上，却连一点儿线索都看不出来。"

邓定侯道："所以你就带着他老人家留下来的霸王枪，来找江湖中所有枪法名家挑战，你想查出有谁的枪法能胜过他。"

王大小姐垂头叹息，道："我也知道这法子并不好，可是我实在想不出别的法子。"

邓定侯道："你看见丁喜的枪法后，就怀疑他是凶手，所以才逼着要问他，五月十三那天，他在哪里？"

王大小姐头垂得更低。

邓定侯叹了口气，道："他的枪法实在很高，我甚至可以保证，江湖中已很少有人能胜过他，但是我也可以保证，他绝不是凶手。"

王大小姐道："我现在也明白了，所以……所以……"

丁喜忽然打断了她的话，道："你父亲平时是不是睡得很迟？"

王大小姐摇摇头，道："他老人家的生活一向很有规律，起得很早，睡得也早。"

丁喜道："出事之时，夜确已很深了？"

王大小姐道："那时已过三更了。"

丁喜道："他平时睡得很早，那天晚上却还没有睡，因为他还留在书房里。"

王大小姐皱眉道："你这么一说，我才想到他老人家的确有点特别。"

丁喜道："一个早睡早起已成习惯的人，为什么要破例？"

王大小姐抬起头，眼睛里发出了光。

丁喜道："这是不是因为他早已知道那天晚上有人要来，所以才在书房里等着？"

王大小姐道："我进去的时候，桌上的确好像还摆着两副杯筷、一些酒菜。"

丁喜道："你好像看到？还是的确看到？"

王大小姐道："那时我心已经乱了，对这些事实在没有注意。"

丁喜叹了口气，拿起酒杯，慢慢啜了一口，忽又问道："那杆霸王枪，平时是不是放在书房里的？"

王大小姐道："是的。"

丁喜道："那么他就不是因为知道这个人要来，才把枪准备在手边。"

王大小姐同意。

丁喜道："可是他却准备了酒菜。"

王大小姐忽然站起来，道："现在我想起来了，那天晚上我进去的时候，的确看见桌上有两副酒杯筷。"

丁喜道："你刚才还不能确定，现在怎么又忽然想了起来？"

王大小姐道："因为我当时虽然没有注意，后来却有人勉强灌了我一杯酒，他自己也喝了两杯。"

她又解释着道："那时我已经快晕过去，所以刚才一时间也没有想起来。"

丁喜沉吟着，又问道："那书房有多大？"

王大小姐道："并不太大。"

丁喜道："就算是个很大的书房，若有人用两根长枪在里面拼命，那房里的东西，只怕也早就被打得稀烂了。"

王大小姐道："可是……"

丁喜道："可是人进去的时候，酒菜和杯筷却还是好好的摆在桌子上。"

王大小姐终于确定："不错。"

丁喜道："这半截枪尖，只不过是半截枪尖而已，枪杆可能是一丈长，也可能只有一尺长。"

王大小姐道："所以……"

丁喜道："所以杀死你父亲的凶手并不一定是用枪的名家，却一定是你父亲的朋友。"

王大小姐不说话了，只是瞪大了眼睛，看着这个年轻人。

她眼睛的表情，就好像是个第一次看见珠宝的小女孩。

丁喜道："就因为一定是朋友，所以你父亲才会准备酒菜在书房里等着他，他才有机会忽然从身上抽出杆短枪，一枪刺入你父亲的要害，就因为你父亲根本连抵抗的机会都没有，所以连桌上的杯筷都没有被撞倒。"

他又慢慢地咽了口酒，淡淡道："这只不过是我的想法而已，我想得并不一定对。"

王大小姐又盯着他看了很久，眼睛里闪耀着一种无法形容的光芒，又好像少女们第一次佩戴了珠宝一样。

邓定侯微笑道："你现在想必也明白，'聪明的丁喜'这名字是怎么来的？"

王大小姐没有说话，却慢慢地站了起来。

现在也已夜深了，窗外闪动着的星光，就像是她的眼睛。

风从远山吹来，远山一片朦胧。

她走到窗口，眺望着朦胧的远山，过了很久，才缓缓道："我说过，五月十三是个很特别的日子，并不仅是因为我父亲的死亡。"

邓定侯道："这一天还有什么特别的地方？"

王大小姐道："我父亲对自己的身体一向很保重，平时很少喝酒，可是每年到了这一天，他都会一个人喝酒喝到很晚。"

邓定侯道："你有没有问过他为什么？"

王大小姐道："我问过。"

邓定侯道："他怎么说？"

王大小姐道："我开始问他的时候，他好像很愤怒，还教训我，叫我最好不要多管长辈的事，可是后来又向我解释。"

邓定侯道："怎么解释？"

王大小姐道："他说在闽南一带的风俗，五月十三是天帝天后的诞辰，这一天家家户户都要祭祀天地，大宴宾朋，以求一年的吉利。"

邓定侯道："但他却不是闽南人。"

王大小姐道："先母却是闽南人，我父亲年轻的时候，好像也在闽南耽过很久。"

邓定侯道："我怎么从来没有听说过这件事？"

王大小姐道："这件事他从来就很少在别人面前提起过。"

邓定侯道："可是……"

王大小姐忽然打断了他的话，道："最奇怪的是，每年到了五月十三这一天，他脾气都会变得很暴躁，本来他每天早上都耍一趟枪的，这一天连枪都不练了，从早就一个人待在书房里。"

邓定侯道："你知不知道他在书房里干什么？"

王大小姐道："我去偷看过几次通常他只不过坐在那里发怔，有一次我却看见他居然画了一幅画。"

邓定侯道："画的是什么？"

王大小姐道："画完之后，他本来就好像准备把那幅画烧了的，可是看了几遍后，又好像舍不得，就把那幅画卷好，藏在书架后面腹壁中的一个秘密的铁柜里。"

邓定侯道："你当然也看过了。"

王大小姐点点头道："我虽然看过，却看不出什么特别的地方来，他画的只不过是幅普通的山水，白云青山，风景很好。"

丁喜忽然问道："这幅画还在不在？"

王大小姐道："不在了。"

丁喜失望地皱起了眉。

王大小姐道："我父亲去世的时候，我又打开了那铁柜，里面收藏的东西一样也没有少，偏偏就只有这幅不值钱的画，居然不见了。"

丁喜道："你知不知道是谁拿走的？"

王大小姐摇摇头，道："可是我已将那幅画看得很仔细，我小的时候也学过画。"

丁喜眼又亮了，道："现在你能把这幅画再一模一样的画出来看看吗？"

王大小姐道："也许我可以试试看的。"

她很快就找来笔墨和纸，很快地就画了出来——

蓝天白云，白云下一片青色的山冈，隐约露出一角红楼。

王大小姐放下了笔，又看了几遍，显得很满意："这就是了，我画的就算不完全像，也差不了多少。"

丁喜只看了一眼，就转过头来，淡淡地道："这幅画的确没有什么特别，像这样的山水，天下也不知有多少。"

王大小姐道："可是，这幅画上还有八个很特别的字。"

邓定侯道："写的是什么？"

王大小姐又提起笔。

"五月十三，远避青龙。"

七种武器

青龙！

看到这两个字，邓定侯的脸色竟像是忽然变得很可怕。

王大小姐转过头来，凝视着他，缓缓道："家父在世的时候，常说他朋友之间，见识最广的人，就是神拳小诸葛。"

邓定侯笑了笑，笑得却很勉强。

王大小姐道："我知道他老人家从来不会说谎话，所以……"

邓定侯忽然叹了口气，道："你究竟想问我什么？"

王大小姐道："你知不知道青龙会？"

她忽然问出这句话，邓定侯竟好像又吃了一惊。

青龙会！

他当然知道青龙会。

可是他每次听到这组织的时候，背上都好像有条毒蛇爬过。

王大小姐盯着他，缓缓道："我想你一定知道的，据说近三百年以来，江湖中最可怕的组织就是青龙会。"

邓定侯没有否认，也不能否认。

因为的确是事实。

没有人知道青龙会是怎么组织起来的，也没有人知道这组织的首领是谁。

可是每个人都知道，青龙会组织之严密，势力之庞大，手段之毒辣，绝没有任何帮派能比得上。

王大小姐道："据说青龙会的秘密分舵遍布天下，竟多达三百六十五处。"

邓定侯道："哦。"

王大小姐道："一年也恰巧有三百六十五天，所以青龙会就以日期来作为他们分舵的代号，'五月十三'，想必就是他们的分舵之一。"

邓定侯道："难道你认为青龙会和你父亲的死有什么关系？"

王大小姐道："他虽然已是个老人，耳目却还是很灵敏，那天我在外面偷看的时候，他也许早就发现了。"

邓定侯道："难道你认为那幅画是他故意画给你看的吗？"

王大小姐道："很可能。"

邓定侯道："他为的是什么？"

王大小姐道："也许他以前在闽南的时候，和青龙会结下了怨仇，他知道青龙会一定会派人来找他，所以就用这法子来警告我。"

邓定侯道："可是……"

王大小姐打断了他的话，道："他活着时虽然不愿意跟我说明，却又怕不明不白的遭了别人暗算，所以才故意留下这条线索，让我知道害他的人就是'五月十三'，这秘密的组织就在这么样一片青色的山冈里。"

邓定侯叹道："就算真的如此，你也该忘了下面四个字。"

远避青龙。

七种武器

王大小姐紧握着双手，眼里已有了泪光，道："我也知道青龙会的可怕，但我却还是不能不为他老人家报仇的。"

邓定侯道："你有这么大的力量？"

王大小姐道："不管怎么样，我都要试试。"

她用力擦了擦泪痕，又道："现在我只恨不知道这片青色的山冈究竟在哪里。"

邓定侯道："别的事难道你都已知道？"

王大小姐道："我至少已知道'五月十三'这分舵的老大是谁了。"

邓定侯耸然动容道："是谁？"

王大小姐没有直接回答这个问题，缓缓道："这个人的确是我父亲的朋友，那天晚上我父亲的确在等着他。"

她转过脸，凝视着丁喜，道："有些事我本来都没有想到，可是刚才你的确让我忽然想通了很多事情。"

丁喜淡淡道："我刚才也说，我的想法并不一定正确。"

王大小姐勉强笑了笑，忽又问道："你知不知道我为什么没有到熊家大院去？"

丁喜冷冷道："大小姐说去就去，说不去就不去，根本就不必要有什么理由。"

王大小姐道："我有理由。"

她好像没有听出丁喜话中的刺，居然一点也不生气，接着又道："因为那天早上，我忽然在路上看见了一个人。"

丁喜道："路上有很多人。"

王大小姐道："可是这个人却是我做梦也想不到会在这里看见的。"

丁喜道："哦。"

王大小姐道："那时候天还没有完全亮，他脸上又戴着个人皮面具，一定想不到我会认出他来，但我却还是不能不特别小心。"

丁喜道："为什么？"

王大小姐道："因为我那时就已想到，我父亲很可能就死在他手里的，他若知道我认出了他，一定也不会放过我。"

丁喜道："所以吓得你连熊家大院都不敢去。"

王大小姐眼圈又红了，咬着嘴唇道："因为我知道我自己绝不是他的对手。"

邓定侯忍不住道："他究竟是谁？"

王大小姐又避开了这问题，道："但那时我还没有把握确定。"

丁喜道："现在呢？"

王大小姐道："刚才我听了你的分析后，才忽然想到，我父亲死的那天晚上，在书房里等的人一定就是他。"

丁喜道："现在你已有把握能确定？"

王大小姐道："嗯。"

丁喜道："但你却还是不敢说出来。"

王大小姐道："因为……因为我就算说了出来，你们未必会相信的。"

丁喜道："那么，你就不必说出来了。"

他自己倒了杯酒，自斟自饮，居然好像真的不想听了。

王大小姐道："可是书房里却还留着他的药味，我一嗅就知道他曾经来过。"

现在丁喜无论怎么讽刺她，她居然能忍得住，装作听不见："昨天早上我遇见他的时候，他恰巧用过那种药，我远远的就嗅到了，所以我根本不必看清他的脸，也知道他是谁。"

她接着又道："就因为他有这种病，所以他呼吸的声音也跟别人不同，你只要仔细听过两次，就一定可以分辨出来。"

邓定侯虽然没有开口，但脸上的表情却已无疑证实了她的话。

他实在没有想到这位从小娇生惯养的大小姐，竟是个心细如发的人。

王大小姐盯着他，道："我想你如果见到他，就一定可以分辨得出。"

邓定侯只有点头。

王大小姐道："五月十三距离七月还有四十七天，这段时间已足够让他赶回关外，等着你去接他。"

邓定侯道："可是今年……"

王大小姐道："我也知道他是在两个多月前出关的，这段

七种武器

993

时间也足够让他偷偷地溜回来。"

邓定侯长长吐了口气，道："你说的并不是没有道理，但你却忘了一点。"

邓定侯道："百里长青和你父亲的交情不错，他为什么要害死你父亲？"

王大小姐道："也许因为我父亲坚决不肯参加你们的联盟，而且很不给他面子，所以他怀恨在心；也许因为他是青龙会'五月十三'的舵主，想要挟我父亲做一件事，我父亲不答应，他就下了毒手。"

邓定侯道："难道你已认定他是凶手？"

王大小姐又握紧双拳，道："我想不出别的人。"

邓定侯道："可是你的理由实在不够充足，而且根本没有证据。"

王大小姐道："所以我一定要找出证据来。"

她又补充着道："要找出证据来，就得先找到百里长青，因为他本来就是个活证据。"

邓定侯道："你知道他现在在哪里？"

王大小姐道："一定就在那片青色的山冈上。"

邓定侯道："你知道这片山冈在哪里？"

王大小姐道："我不知道。"

她黯然叹息，又道："何况，就算我能找到这地方，就算我能找到百里长青，我也绝不是他的对手，所以……"

邓定侯道："所以你一定要先找个帮手。"

王大小姐道："而且要找个有用的帮手。"

邓定侯道："你准备找我？"

王大小姐道："不是。"

她的回答简单而干脆，她实在是个很直爽的人。

邓定侯笑了，笑得却有点勉强。

这是件麻烦事，能避免最好，但也不知为了什么，他心里却又觉得有点失望。

王大小姐道："百里长青不但武功极高，而且是条老狐狸。"

邓定侯道："所以你一定要找个武功比他更高的帮手，而且还是条比老狐狸更狡猾的小狐狸。"

王大小姐点点头，眼睛已开始盯着丁喜。

丁喜在喝酒，好像根本就没听见他们说了些什么。

邓定侯瞄他一眼，微笑道："而且这个人还得会装傻。"

王大小姐忽然站起来向丁喜举杯，道："经过了那些事后，我也知道你绝不会帮我的忙的，可是为了江湖道义，我还希望你答应。"

丁喜道："答应你什么？"

王大小姐道："帮我去找百里长青，查明这件事的真相。"

丁喜看着她，忽然笑了，但却绝不是那种又亲切，又讨人喜欢的微笑。

他笑得就像是把锥子。

王大小姐还捧着酒杯，站在那里，嘴唇好像已快被咬破了。

丁喜道："你并不是个糊涂人，我希望你能明白一件事。"

王大小姐道："你说。"

丁喜道："连你自己亲眼看见的事，都未必正确，何况是用鼻子嗅出来的？就凭这一点，你就说人定是凶手，除了你自己外，只怕没有第二个人相信。"

王大小姐捧着酒杯的手已开始发抖，道："你……你也不信？"

丁喜道："我只相信自己。"

王大小姐道："那么你为什么不自己去查出真相来？"

丁喜冷冷道："因为我只有一条命，我还不想把这条命送给别人，更不想把它送给你。"

他忽然站起来，掏出锭银子，摆在桌上："我喝了七杯酒，这是酒钱，我们谁也不欠谁的。"

说完了句话，他就头也不回地走了出去。

王大小姐脸色已发青，一把抓起桌上的银子，好像想用力摔出去，最好能摔在丁喜的鼻子上。

但是她这只手又慢慢地放下，居然还把这锭银子收进怀里，脸上居然还露出微笑。

邓定侯反而怔住了，忍不住道："你不生气？"

王大小姐微笑道："我为什么要生气？"

邓定侯道："你为什么不生气？"

王大小姐道："百里长青的确是个可怕的人，青龙会更可怕，我要他做这么冒险的事，他当然应该考虑考虑。"

邓定侯道："他好像并不是考虑，而是拒绝。"

王大小姐道："就算他现在拒绝了我，以后还是会答应的。"

邓定侯道："你有把握？"

王大小姐眼睛里更发着光，道："我有把握，因为我知道他喜欢我。"

邓定侯道："你看得出？"

王大小姐道："我当然看得出，因为我是个女人，这种事只要是女人就一定能看得出的。"

邓定侯又笑了，大笑："这种事就算男人也一样看得出的。"

他大笑着走出去，追上丁喜。

丁喜道："你看出了什么事？"

邓定侯笑道："我看出前面好像又有个大洞，不管你怎么避免，迟早还是会掉下去的。"

丁喜板着脸，冷冷道："你看错了。"

邓定侯道："哦？"

丁喜道："掉下去的那个人不是我，是你！"

百里长青

（一）

马车还在外面等着，赶车的人却已不见了。

丁喜跳上前座，抽出了插在旁边的马鞭，邓定侯也只有让他坐在前面了。

他知道丁喜一定会赶马车，却想不到丁喜赶起车来，就好像孩子急着撒尿一样。

车马飞驰，直奔城外。"我们现在要到哪里去？"

"找个地方睡觉去。"

"城外有地方睡觉？"

"这辆马车里，可以睡得下两个人。"

邓定侯叹了口气，就不再说话了。有些人好像生来就有本事叫别人跟着他走，丁喜就是这种人。

假如他遇见了这种人，你也只有同他睡在马车上。

出城之后车马走得更快。丁喜板着脸，邓定侯也只有闭着眼，两个人都显得心事重重。

谁知丁喜反而先问道："你为什么不说话？"

邓定侯笑了笑，道："我在想……"

丁喜道："想什么？"

邓定侯道："据说黑道上也有很多人组织成一个联盟，为的就是要对付开花五犬旗。"

丁喜道："不错。"

邓定侯道："自从岳麟死了后，他们当然更要加紧行动了。"

丁喜道："不错。"

邓定侯道："这个黑道联盟，若是真的跟我们火拼起来，一定天下大乱。"

丁喜道："鹬蚌相争，得利的只有渔翁。"

邓定侯道："可是要做渔翁，也不是件简单的事。"

丁喜道："不错。"

邓定侯道："你认为谁够资格做这个渔翁？"

丁喜道："青龙会。"

邓定侯叹了口气，道："只有青龙会？"

丁喜目光闪动，道："你是不是想说，也只有百里长青够资格点起这场大火？"

邓定侯没有直接回答这句话，却叹息着道："看来这的确是场大火，每个人都要被烧得焦头烂额，除非……"

丁喜插嘴道："除非我们能先查出那个天才的凶手是谁？"

邓定侯点点头，道："我总认为杀死王老头的凶手，也就是杀死万通和岳麟的凶手。"

丁喜道："所以出卖你们的奸细也一定是他。"

邓定侯道："王老头的死，一定跟这件事有密切的关系，他坚决不肯参加我们的联营镖局，也一定有很特别的原因。"

丁喜道："这是你的想法，不是我的。"

邓定侯道："你怎么想？"

丁喜淡淡道："我只不过是个无名小卒而已，随便怎么样想都没有关系的。"

邓定侯道："有关系。"

丁喜道："哦？"

邓定侯盯着他，道："因为我看得出你心里一定是隐藏着很多秘密，你若不肯说出来，这件事只怕就永远不会有水落石出的一天。"

他的眼睛好像也变成了两把锥子。

丁喜笑了。

不是那种锥子般的笑，是那种亲切而讨人喜欢的笑。

——锥子碰锥子，就难免会碰出火花来。

——但是像他这种讨人喜欢的微笑，就连锥子也刺不下去。

邓定侯也笑了，忽然改变话题，道："你知不知道你自己最可爱的是什么地方？"

丁喜摇摇头。

邓定侯道："是你的眼睛。"

丁喜在揉眼睛。

邓定侯又问道："你知不知道你的眼睛为什么是最可爱的？"

丁喜道："你说为什么？"

邓定侯道："因为你的眼睛不会说谎，只要你一说谎，你的眼神就会变得很特别、很奇怪。"

丁喜道："你看见过？"

邓定侯道："我看见过三四次。"

丁喜道："哦。"

邓定侯道："只要你一提起王大小姐，你的眼睛就变成那样子。”

丁喜道："哦。"

邓定侯道："你看见她画的那片青色山冈时，眼神也是那样子的。"

丁喜道："因为我心里虽然喜欢她，嘴里却故意说讨厌；因为我明明知道那片青色山冈是什么地方，却故意说不知道。"

邓定侯道："一点儿也不错。"

丁喜又笑了。

邓定侯道："还有，你发现别人在骗你时，眼睛也会变得很奇怪。"

丁喜道："你看见过？"

邓定侯道："看见过两次。"

丁喜道："哪两次。"

邓定侯道："苏小波走的时候，你就用那种眼色来看着他。"

丁喜道："你认为我是在怀疑他了？"

邓定侯道："也许他才真正是饿虎岗的奸细，万通只不过是受了他的利用而已，所以后来才会杀了灭口，岳麟发现了他的秘密，才会把他关在那地窖里。你虽然救了他，可是当他回到饿虎岗之后，还是不会说老实话的。"

丁喜终于叹了口气，道："他说起谎来，的确可以把死人骗活，活人骗死。"

邓定侯道："所以我不懂。"

丁喜道："什么事你不懂？"

邓定侯道："你明明已经在怀疑他，为什么还要把他放走？"

丁喜道："你说呢？"

邓定侯道："是不是因为你想从他身上，找出那个天才凶手来？因为他本来就是条活线索。"

丁喜又叹了口气，道："我心里想的事，你好像比我自己还清楚。"

邓定侯笑了笑，道："还有一次我看见你那种眼色，是在杏花村，在小马养伤的屋子里。"

丁喜道："难道我当时也用那种眼色看他的？"

邓定侯点点头，道："那时候你一定就已看出他有点不对了。"

丁喜道："因为他忽然变得太老实，居然肯规规矩矩地躺在那里。"邓定侯笑道："而且他跟我们聊了半天，居然连一句'他妈的'都没有说。"

丁喜叹息道："江山易改，本性难移，一个人若是忽然变了性，多多少少总会有点毛病的。"

邓定侯道："你发现他已经跟杜若琳私奔了，虽然生气，却一点也不着急。"

丁喜板起脸，冷冷道："这是他自己心甘情愿这样的，我为什么要着急？"

邓定侯道："你看见王大小姐时，居然也没有提起这件事。"

丁喜道："她既然不提，我为什么要提？"

邓定侯道："她的确应该问问你的，你也该问问她，可是你们都没有提起这件事，这是为什么？"

丁喜忽然冷笑道："她没有问，也许只因为她根本就不必问。"

邓定侯道："因为小马就在她那里？"

丁喜道："哼。"

邓定侯道："因为他脾气虽然大，心肠却很软，王大小姐若要杜若琳去找他帮忙，他一定不会拒绝的。"

丁喜道："既然他自己愿意去做傻瓜，我又何必去管闲事。"

邓定侯笑了笑，道："总要有几个人去做傻瓜，假如天下全是聪明人，这世界岂非更无趣？"

丁喜笑道："只可惜这年头真正的傻瓜已经越来越少了。"

邓定侯笑道："至少我就不能说我自己傻。"

丁喜道："你不傻，那位王大小姐也不傻。"

邓定侯道："哦。"

丁喜道："我当然知道那片青色山冈是什么地方，你看得出我在说谎，她又何尝看不出？"

邓定侯道："但是她并没有再追问。"

丁喜道："因为她根本就不必问。"

邓定侯道："为什么？"

丁喜道："因为她早就知道那地方了。"

邓定侯微笑道："因为你虽然不告诉她，小马也一定会告诉她。"

丁喜道："哼。"

邓定侯道："就算小马真的是个傻瓜，也应该看得出那地方就是饿虎岗。"

丁喜忽然扬起手，一鞭子抽在马股上。

他实在想重重地打小马一顿屁股，竟将这匹拉车的马，当做了小马。

拉车的马也愤怒起来了，长嘶一声，窜入了道旁的疏林，再也不肯往前走。

丁喜居然就让马车在这里停了下来。

他慢吞吞地下了车，将马鞭子打了个活结，挂在树枝上，喃喃道："一个人若是已决心要去做傻瓜，你只有让他去做；一匹马若是已决心不肯往前走了，你也只有让它停下来。"

邓定侯看着他，忽又笑了笑。

邓定侯道："也许你本来就准备在这里停下来的。"

丁喜道："哦？"

邓定侯道："有些人做事总喜欢兜圈子，明明是他要做的事，他却宁愿多花几倍的力气，让别人去替他做。"

丁喜道："这人有毛病。"

邓定侯道："一点儿也没有。"

丁喜道："那么他为了什么？"

邓定侯道："只因为他做的很多事都只有傻瓜才肯做，他不愿别人认为他也是个好心的傻瓜，却宁愿别人把他当个冷酷的人。"

丁喜道："你认为我就是这一种人？"

邓定侯道："一点儿也不错。"

丁喜道："我怕你把我当傻瓜？"

邓定侯道："你也怕我问你，城里大大小小的客栈至少有七八十间，你为什么不去住，却偏偏要到这种鬼地方来受罪。"

丁喜道："你好像并没有问。"

邓定侯道："我根本不必问。"

丁喜道："哦？"

邓定侯道："因为我也知道，要到饿虎岗去，就一定得经过这里。"

丁喜道："你还知道什么？"

邓定侯道："我还知道你算准小马一定会陪王大小姐到饿虎岗去，他们都是性急的人，说不定今天晚上就会动身。"

丁喜道："所以我就在这里等着。"

邓定侯笑道："若是别人要去做傻瓜，你也许会让他去做的，但小马却不是别人，他是你的朋友，他是你的兄弟。"

他微笑着，拿起了挂在树枝上的马鞭，又道："等他来的时候，你是不是准备用这马鞭套住他的颈子？"

丁喜看着他，忽然也笑了笑，道："我只想问你一句话。"

邓定侯道："你问。"

丁喜道："你认为你自己是什么？你是我肚子里的蛔虫？"

邓定侯要笑，却没有笑出来。

风中忽然传来了一阵车轮马蹄声，声音很轻，车马还在很远。

丁喜却已蹿出了树林，伏在道旁，把一只耳朵贴在地上。

邓定侯也跟过来，压低声音道："是不是他们来了？"

丁喜道："不是。"

邓定侯忙问道："你怎么知道不是？"

丁喜道："马车是空的。车上没有人。"

邓定侯道："你听得出？"

丁喜道："嗯。"

邓定侯叹了口气，道："原来你的耳朵比王大小姐还灵。"

车声忽然已近了，已隐约可以听见鞭梢打马的声音。

既然只不过是辆空车，为什么如此急着赶路？

丁喜忽然道："车上虽然没有人，却载着样很重要的东西。"

邓定侯道："有多重？"

丁喜道："总有七八十斤。"

邓定侯道："你怎么知道那不是人？"

丁喜道："因为人不会用脑袋去撞车顶。"

他的耳朵还没有离开地面，听得出有样东西把车厢撞得不停的发响。

一样七八十斤重的东西，能够撞到车顶。

邓定侯眼睛亮了："莫非是霸王枪？"

丁喜道："很可能。"

邓定侯道："赶车的莫非就是王大小姐？"

丁喜没有开口。

他已看见了一辆黑漆大车，在夜色中飞驰而来，赶车的一身黑衣，头上还戴着顶马连坡大草帽。

假如这个人真的就是王大小姐，她这么样做，并不是没有理由的。

她的行动一定要秘密，绝不能让对方发现她的行踪，所以她虽然急着赶路，却还是没有骑马，马走得虽然比车快，却没有地方可以收藏她的霸王枪。

——小马为什么不在？

——是不是他们已约好了在前面会合？

邓定侯声音压得更低，问道："我们跟去看看怎么样？"

丁喜冷冷道："有什么好看的？"

邓定侯道："你不去我去。"

这时车马已从他们面前急驰而过，赶车的急着赶路，根本没有注意到别的事。

邓定侯一伏身，突然箭一般窜了出来。

邓定侯凌空翻了个身，一只手轻轻地搭上了马车后的横架，就像是片柏叶般挂了上去。

车马已冲出十丈外，转眼间又没入黑暗中，邓定侯好像还向丁喜挥了挥手。

丁喜目送着马车远去，忽然叹了口气，喃喃道："假如前面也有人在听着这辆马车的动静，一定会觉得奇怪，明明是一辆空车的，为什么会忽然多出一个人来？"

他翻了个身，躺在地上，静静地看着天上的星光。

星光照在他的眼睛里，他眼睛的确像是隐藏着很多秘密。

前面的黑暗中，的确也有个人像他一样，用一只耳朵贴在地上，凝神倾听。

他的脸灰白平板，仔细看着，就能看出他脸上戴着个人皮面具。

另外还有个人动也不动地伏在他身边，除了远处的车马声外，四下只能听见他们两个人的呼吸声，其中有个人的呼吸很急促。

"奇怪。"戴面具的黑衣人忽然道："明明是辆空车的，怎么会多出一个人来？"

"是不是有个人在半路上了车？"

"可是车马并没有停。"

"也许他是偷偷上车的，也许连赶车的都不知道车上已多了一个人。"

这人看着他的同伴时，神色显得畏惧而恭敬，一双灵活狡黠的眼睛，总是在不停地东张西望的，赫然竟是苏小波。

他的同伴是谁呢？

苏小波道："假如这人真的能在别人不知不觉中上了车，轻功一定不弱，说不定就是丁喜。"

戴着面具的黑衣人冷笑了一声，道："你们两个人都该死。"

苏小波怔了怔，脸色大变道："我……我们两个人？"

黑衣人冷冷道："你太多嘴，他太多事。"

苏小波立刻紧紧闭上了嘴，吓得连大气都不敢喘一口了。

黑衣人的呼吸更急促，急忙从身上拿出个玉瓶，倒出颗黑色的丸药，吞了下去。

一拔开瓶塞，风中立刻传来种奇异的药香。

——难道这个人真的就是百里长青？

——难道百里长青真的就是那杀人的凶手？

车马已近了。

黑衣人闭上眼睛，又张开，眼睛里精光四射，忽然道："你带着暗器没有？"

苏小波点点头。

黑衣人道："用你的暗器打马，我对付车上的两个人。"

苏小波又点点头。

他还是不敢开口，这黑衣人轻描淡写的一句话，竟似比沙场上的军令还有效。

黑衣人目光闪动，冷笑道："不管来的是什么人，只要来，就得死。"

——来的若不是他要找的人呢？

他不管。

就算杀错人，他也不在乎，别人的死活，他从不放在心上。

（二）

车马急行，冷风扑面。

邓定侯轻飘飘地挂在马车后，对自己的身手觉得很满意。

他成家已多年，他的妻子细腰长腿，是个需要很强烈的女人，经过多年的恩爱生活后，更能和他配合无间，他也一直对她很满意。

可是一个女人生过孩子后，情况就不同了。

所以近年来他很少睡在家里，外面的女人，总是比妻子更体贴、更年轻的。

在这方面，他一向很有名。

老天也好像对他特别照顾，过了七八年的荒唐生活，他的体力居然还很好，反应依旧灵敏，身手依旧矫健，看来还是个年轻人。

他的妻子腰肢却已粗得多了。一个女人的性生活若是不能满足，往往就会用"吃"来作发泄。

她的脾气也越来越暴躁，那是因为无论什么事都不能代替她的丈夫。她虽然吃的好、穿的好，心里还是有很多苦闷无法发泄。

想到初婚时的缠绵恩爱，他忽然对自己的妻子有了种歉疚之意。

他决定这次回去后，一定要在家里多耽几天，也许还可以多生一个儿子。

车子一阵颠动，他忽然从玄想中惊醒，忍不住笑了。

"这种时候，我怎么会想起这种事的？"

人们为什么总是会在一些奇奇怪怪的情况中，想起一些不该的事？

是什么事让他联想到他的妻子的？是不是因为他的妻子也来自闽南？……

七种武器

解不开的结

（一）

——五月十三，天帝诞辰。

他还有个朋友的生日，好像也是五月十三日，他好像在无意中听见过的。

这朋友是谁？

邓定侯的瞳孔突然收缩，突然想起了一件事。

就在这时，拉车的马忽然一声惊嘶，往道旁直冲了过去。

车马忽然翻倒。

邓定侯双臂一振，凌空拔起。

道旁的草丛中，有一道寒光射出，打在已倒下的马腹上。

还有个人也从道旁的草丛中窜了出来，身法竟似比暗器还快。

只听赶车的大呼："是你，我就知道你会来找我的。"声音尖锐，果然是王大小姐的声音。

她冲过来拉车门，想拿车厢里的霸王枪，黑衣人却已凌空向她扑下。

邓定侯本来可以乘这时候走的，这黑衣人的目标并不是他。

他没有走。

他不能看着王大小姐死在这人的掌中，他一定要撕下这人的面具来。

黑衣人凌空下击，如鹰搏兔，王大小姐竟连闪避招架的机会都没有。

一击致命，不留活口。

这黑衣人双手触及了她的头发，突听"呼"的一声，一股劲风从旁边撞了过来。

少林神拳！

据说这种拳法练到炉火纯青时，在百步外就可以致人于死。

邓定侯的神拳虽然还没有这种威力，但一拳击出，威力已十分惊人。

黑衣人只有先避开这一拳，招式虽然撤回，余力却未尽。

王大小姐还是被他的掌风扫及，"砰"的一声撞在马车上，几乎晕了过去。

幸好邓定侯挡在她面前。

黑衣人冷笑道："好一个护花使者，我就索性成全了你们，让你们死在一起。"

他的声音沙哑低沉，显然是逼着嗓子说出来的。

他是不是怕邓定侯听出他本来的声音？

邓定侯忽然笑了笑，道："我劝你最好还是不要出手。"

黑衣人道："为什么？"

邓定侯道："因为我知道你一定认得我，我也一定认得你，所以你只要一出手，五招之内，我就能看出你是谁了。"

黑衣人冷冷笑道："你看着。"

这三个字说出，他已攻出两招，邓定侯刚闪避开，还击了一招，他又攻出三招。

他的出手不但迅急狠毒，变化奇诡，出手五招，用的竟是五种不同门派的武功。

他第一招攻出时，五指弯曲如鹰爪，用的是淮南王家的"大鹰爪攻"。

这一招还未用完，他的身子忽然转开，出手已变成了武当的"七十二路小擒拿法。"

邓定侯还击一招，他双手突发，连消带打，竟是岳家散手中的杀着"烈马分鬃"，就在这同一刹那间又踢出了一着北派扫堂腿。

这一着很快又变成了"拐子鸳鸯脚"，然后忽然又沉腰坐马，近逼中宫，双拳带风，直打胸膛，竟变成了邓定侯的看家本事"少林神拳"。

这五招间的变化，实在是瑰丽奇幻，叫人看得眼花缭乱。

黑衣人冷冷道："你看出了我是谁？"

邓定侯看不出。

他只看出了一件事，一件很可怕的事——就是他实在也不是这个人的敌手。

"神拳小诸葛"纵横江湖多年，什么样的厉害角色他都见过，这还是他第一次觉得自己技不如人。

少林神拳走的是刚猛一路，全凭一口气，现在他的气已馁，拳势也弱了。

黑衣人招式一变，竟以北派劈挂掌，混合着大开碑手使出来。

这正是掌法中最刚烈最威猛的一种。

他以刚克刚，以强打强，七招之间，邓定侯已被逼入死角。

车轮还在转动，马的嘶声已停顿，王大小姐从车窗里抓出了她的枪，还没有拔出来。

突听"喀嚓"一声，转动的车轮被打得粉碎，接着又是"格"的一响，竟像是骨头折断的声音。

王大小姐转过头，才发现邓定侯的一条手臂已抬不起来。

黑衣人出手却更凶、更狠，他已决心不留下一个活口。

王大小姐脸上汗珠滚滚，还是拔不出这杆也不知被什么东西嵌住了的霸王枪。

邓定侯肘间关节被对方掌锋扫着，也已疼得汗如雨落了。

这种剧烈的痛苦，却激发了他的勇气，使得他更为清醒。

他以一只手击出的招式，竟比两只手还有效。

他的声名本就是血汗和性命去拼来的，他当然不会这样容易就倒下去。

只要还活着，就绝不能倒下去。

就在这时，黑暗中忽然有寒光一闪，像流星般飞了过来。

黑衣人一侧身，这道流星般的光芒就"夺"的钉在马车上，竟是柄短剑，一柄剑锋奇窄，精光四射的短剑。

邓定侯立刻松了一口气，他已看出黑衣人脸上起了种种面具都掩不住的变化。

他精神一振，奋力攻出三拳。

黑衣人却忽然凌空跃起，倒翻了出去。

就在这时，又是寒光一闪，王大小姐终于拔出了她的霸王枪。

邓定侯一回手，乘着她这一拔之力，将这杆枪标枪般地掷了出去。

一丈三尺长，七十三斤重的霸王枪，枪锋破空，是多大的

七种武器

威力！

只见黑衣人凌空一个翻身，忽然反手抄住了这杆枪，借力使力，向下一戳。

一声惨呼，一个人被枪锋钉在地上。

黑衣人却又借着一枪下戳的力量，弹丸般从枪杆下弹了起来，又是凌空几个翻身，竟掠出十余丈，身形在远处树梢又一弹，就看不见了。

邓定侯几乎已看得怔住。

少林门下虽然并不以轻功见长，他自己却一向喜欢轻功。

他的轻功身法别有传授，在这方面，他一向很自负，总认为江湖中已很少有人的轻功能比得上他。

可是现在他跟这个黑衣人一比，这个人若是飞鹰，他最多只不过是只麻雀。

直到这时候，他才发现自己的确应该回去多练几天了。

他花在女人身上的功夫实在太多。

就在他觉得自己以后应该离开女人之时，已有个女人走过来，扶住了他。

王大小姐的手虽然冰冷，声音却是温柔的："你伤得重不重？"

邓定侯苦笑着摇头。

有些人好像命中注定就离不开女人的，就算他不去找女人，女人也会找上他。

他在心里叹了口气，忽然问道："丁喜呢？"

王大小姐怔了怔，道："他来了？"

邓定侯已不必回答这句话，他已看见丁喜慢吞吞的从黑暗中走了出来。

王大小姐看了看他，又看了看钉在马车上的短剑："这是你的剑？"

丁喜道："嗯。"

王大小姐道："刚才那个黑衣人，好像已认得你这柄剑？"

丁喜道："哦？"

王大小姐目光闪动，盯着他道："他是不是也认得你？"

丁喜淡淡道："我也不知道他认不认得我，我只知道我不认得他。"

王大小姐道："你连他长得什么样子都没有看清楚，怎么知道不认得他？"

丁喜板起脸，冷冷地道："你怎么知道我没有看清楚？"

王大小姐眼珠子转了转，忽然笑了笑，道："也许你真的比我们看得都清楚一些，他刚才就是从你那边逃走的。"

丁喜摇头道："哼。"

王大小姐忽又沉下脸，道："他刚才既然是从你那边逃走的，你为什么不拦住他？"

丁喜冷冷道："因为你们的霸王枪，先替他开了路。"

王大小姐说不出话来了。

丁喜走过来，拔起了霸王枪，忽又冷笑道："他的确应该谢谢你们，本来他已来不及把这个人杀了灭口，你们却及时把这杆枪送给了他。"

邓定侯轻咳两声，苦笑道："他杀的这个人是谁？"

丁喜道："苏小波。"

邓定侯叹了口气，道："你果然没有看错，苏小波果然真是跟他串通的。"

'丁喜又慢慢地走过来，拔出了车上的剑。

邓定侯道："这的确是口好剑。"

他还想再仔细看看，却已看不见了。

丁喜一反手，这柄剑就忽然缩入了他的衣袖。

邓定侯道："你刚才那一剑虽然并不想伤人，却已把别人吓走了。"

丁喜道："你怎么知道我那一剑不想伤人？"

邓定侯笑了笑，道："这柄剑钉在马车上，只钉入了两寸。"

这是事实，车上的剑痕犹在。

邓定侯道："以你的腕力，再加上这柄剑的锋利，若是真的想伤人，这一剑掷出，就算打在石头上，至少也应该打进去五六寸。"

丁喜冷冷道："你也未免把我的力气估量得太高了一些。"

邓定侯笑了笑，道："不管怎么样，那个黑衣人总是被这一剑吓走的。"

丁喜道："哦？"

邓定侯道："他怕的当然不是这剑，而是你这个人。"

丁喜淡淡道："也许他把我估量得太高了。"

邓定侯道："他至少知道这是你的剑，至少知道你是个什么样的人，所以他才会走。"

丁喜看了他两眼道："你究竟想说什么？"

邓定侯叹了口气，道："有很多的话我都想说出来，只不过现在……"

丁喜道："现在怎么样？"

邓定侯道："我现在只想问你一句话。"

丁喜道："你为什么不问？"

邓定侯盯着他的眼睛。

邓定侯道："你心里究竟隐藏些什么，为什么不肯说出来？"

丁喜道："你既然知道，我又何必再说。"

邓定侯道："我怎么会知道？"

丁喜冷笑道："你既然不知道，凭什么断定我心里有事？"

邓定侯怔了怔，苦笑道："其实我心里也藏着件事，没有说出来。"

丁喜道："哦。"

邓定侯道："我知道有个人虽然是在关外成名的，但是他成长的地方，却是闽南。"

丁喜听着。

邓定侯道："闽南是个很偏僻的地方，少年人想在那里出头，很不容易，所以他们到外面来闯天下，有的人到了中原，有的人到关外。"

王大小姐道："他们？"

邓定侯道："当年他们一起闯荡江湖的，当然不止一个人。"

王大小姐脸色又发了白，道："你是说，我父亲也是他们其中之一？"

邓定侯道："我现在说的只是一个人，他在闽南闯过天下，却在关外成名，所以他跟你父亲是老朋友。"

王大小姐脸色更苍白，握紧他的手，道："你说的是百里长青？"

七种武器

邓定侯点点头道："一个人发迹之后，总不愿再提起以前那些不得意的往事，所以他和你父亲在闽南那一段经历，江湖中很少有人知道。"

王大小姐道："你怎么知道的？"

邓定侯道："因为我老婆的娘家，恰巧是闽南的武林世家，她的一个大伯，以前还跟百里长青有过来往。"

提起他的妻子，他就在有意无意间，轻轻放开了王大小姐的手。

王大小姐没有注意。

邓定侯又道："闽南的武林世家，大多数都很保守，因为他们的乡土观念很重，语言又和中原完全不同，所以他们的子弟，很少到中原来。"

王大小姐道："所以百里长青在闽南的往事，中原人很少有人知道。"

邓定侯道："可是我老婆在我面前提起过，她的大伯是辽东大侠的老友，她也觉得很有光彩，她甚至还知道百里长青的生日。"

王大小姐道："是吗？她怎么会知道的？"

邓定侯道："因为他的大伯曾经告诉过她，百里长青的生日，跟她是同一天。"

王大小姐道："哪一天？"

邓定侯道："五月十三。"

繁星在天，大地更安静，暖风吹过树梢，柔软如情人的呼吸。

丁喜忽然道："你们为什么不说话了？"

没有反应。

丁喜道："不说话的意思，是不是你们都已认定了百里长青就是那该死的天才凶手？"

王大小姐恨恨道："看来他还是个该死的奸细。"

邓定侯道："我们的联营镖局若是组织成功，青龙会的势力就难免要受到影响，所以他就把我们的秘密出卖给了你。"

丁喜道："有理。"

邓定侯道："他这样做，不但破坏了开花五犬大旗的威信，而且还可以坐收渔利。"

丁喜道："有理。"

邓定侯道："但他却想不到聪明的丁喜也有失手的时候，这一次的计划既然已注定失败，他就只有再发动第二次。"

丁喜道："有理。"

邓定侯道："幸好他早已将青龙会的势力，渗透入饿虎岗，饿虎岗恰巧又发起了一个黑道联盟，他就决心要把这组织收买了，让黑道上的朋友和开花五犬旗火拼。"

丁喜道："有理。"

邓定侯道："只可惜饿虎岗上的兄弟们，还有些不听话的，他既然无法收买到这些人，于是就索性把他们杀了灭口。"

丁喜道："有理。"

邓定侯道："然后他再让我们来替他顶这个黑锅，叫你也回不了饿虎岗，因为他对聪明的丁喜多少还有些顾忌。"

丁喜道："有理。"

邓定侯道："大王镖局坚决不肯加入开花五犬旗，也许就因为王老爷子早已知道了他的阴谋，他们早年在闽南时，本是很亲密的朋友。"

丁喜道："有理。"

邓定侯道："据说青龙会的发祥地，本来也在闽南，王老爷子早年时，说不定也会加入过他们的组织。"

丁喜道："有理。"

邓定侯道："等到青龙会要把势力扩展到中原镖局时，当然就会要王老爷子为他们效力，但这时王老爷子已看透了他们的真面目，虽然被他们威逼利诱，也不为所动，所以才会惨死在他们手下。"

丁喜道："有理。"

邓定侯笑了笑，道："你已经说了九句有理，一定是真的认为我有理了?"

丁喜也笑了笑，道："我承认你说的每句话都有道理，只可惜我连一点证据都没有看见。"

邓定侯道："你要什么样的证据?"

丁喜道："随便什么样的证据都行。"

邓定侯道："假如没有证据，我们就不能把百里长青当作凶手?"

丁喜道："不能。"

邓定侯叹了口气，道："他是王老爷子的朋友，早年也曾经在闽南鬼混过，我们走镖的路线和秘密，只有他完全清楚，他不但武功极高，而且还练过百步神拳，甚至连你用的兵器都知道。"

他叹息着，又道："所有的条件，只有他一个人完全符合，这难道还不够?"

丁喜道："还不够。"

邓定侯道："为什么?"

丁喜道："因为符合这条件的人，并不是只有他一个。"

邓定侯道："除了他还有谁?"

丁喜又笑了笑，道："至少还有你。"

邓定侯道："我?"

丁喜道："你也是王老爷子的朋友，你的妻子既然是闽南人，你当然也到闽南去过，你们镖局的秘密，你当然也知道。"

邓定侯苦笑道："而且我当然也练过百步神拳，而且练得不错。"

丁喜微笑道："我当然也知道你绝不会是凶手，我只不过提醒你，符合这些条件的人，并不一定就是凶手。"

邓定侯看看他，忽然也笑了笑，道："你只忘了一点。"

丁喜道："哦？"

邓定侯道："这些条件，我并不能完全符合，因为我直到昨天晚上为止，还不知道你用的什么兵器。"

丁喜不能否认。

邓定侯道："近来你的名气虽然也已不小，可是江湖中的人见过你的兵器的却不多。"

丁喜也不能否认。

他的确一向很少出手，要解决困难时，他使用的是他的智慧，不是他的剑。

邓定侯一直都在盯着他，又笑了笑，道："其实我当然知道，你绝不会和那凶手串通的，只不过……"

丁喜道："只不过怎么样？"

邓定侯道："我总觉得你应该认得百里长青。"

丁喜道："为什么？"

邓定侯道："因为他对你的事，好像很了解，你对他的事，好像也很关心。"

王大小姐忽然冷笑着道："不但关心，而且一直都在为他辩白，难道……"

丁喜也在冷笑，道："难道你们认为我是他的儿子？"

王大小姐道："不管你是他什么人，你既然要为他辩白，也应该拿出证据来。"

丁喜道："所以我就应该跟你们到饿虎岗去？"

王大小姐道："不管'五月十三'是不是百里长青，现在都已回到了饿虎岗。"

丁喜道："所以我现在就应该跟你们去？"

王大小姐终于承认："我就是要你现在就去。"

丁喜道："哈哈。"

王大小姐道："哈哈是什么意思？"

丁喜道："哈哈的意思，就是不管你说什么，我不去就是不去。"

王大小姐怔住。她看看邓定侯，邓定侯也只有看看她。

丁喜悠然道："两位还有什么高论？"

王大小姐真的着急了，连眼圈都已急红了，忽然大声道："你为什么不问问我小马的下落？"

丁喜道："我为什么要问？"

他冷冷地接着道："他又不是个小孩子，难道还要人一天到晚地跟着他，喂他吃奶？"

王大小姐脸也红了，终于忍不住道："可是……可是他们也已经去了饿虎岗，你难道——难道就一点也不着急？"

邓定侯已经先着了急，抢着问道："他们是几时去的？"

王大小姐道："我到酒楼去跟你们见面的时候，本来是叫他们在客栈里等我的，谁知道……"

邓定侯道："谁知道你……等你回去时，他们两人已经走了？"

王大小姐咬着嘴唇，点了点头，道："小琳告诉我，小马这个人天不怕、地不怕，就只怕他的丁大哥。"

邓定侯道："他知道你去找丁喜，当然不敢再等在那里挨骂。"

丁喜沉着脸道："我惟一要骂的人，就是我自己。"

邓定侯道："不管怎么样，小马总是你的好兄弟，现在饿虎岗虽然是把你当做叛徒，当然也不会放过他。"

丁喜道："哼。"

王大小姐道："他们临走的时候，还交代过客栈的账房，说他们要先到饿虎岗去看看，不管结果怎么样，他们都会有话给老山东的。"

邓定侯道："现在他到饿虎岗去，简直就等于是送羊入虎口，所以……"

王大小姐抢着道："所以不管怎么样，我们都应该尽快赶去。"

丁喜道："哼哼。"

王大小姐道："哼哼又是什么意思?"

丁喜冷冷道："哼哼的意思就是，不管你们到哪里去，我都要去睡觉了。"

（二）

驾车的马，本来不会是好马，但归东景的马，却没有一匹不是好马。

丁喜刚才临走的时候，已将这匹马系在树上，他看来虽然是个粗枝大叶的人，其实做事一向很仔细，因为他从小就得自己照顾自己。

他也不管别人是不是在后面跟着，一个人走回来，从车厢里找出半坛酒，一口气喝下去，就跳上车顶，舒舒服服地躺下，放松了四肢。

能有这样一个地方，他已经觉得很满意。

邓定侯和王大小姐当然也只有跟着他来了。

他们找了些枯枝，生了一堆火。

——这里虽然不会有虎狼，蛇虫却一定会有的，生个火总是安全些。

邓定侯也是个做事仔细的人，所以他们才活到现在。

"你手臂的伤怎么样了？"

"还好。"

"我带着有金创药，我替你看看。"王大小姐忽然显露了她女性的温柔。

她轻轻撕开了邓定侯的衣袖，用一点儿烧酒为他洗净伤口，倒了一点儿药在上面，再撕开自己一条内裙，替他包扎了起来。

她的动作温柔而体贴，只可惜丁喜完全没有看见。

他脱下了自己的衣服，卷起来作枕头，睡得好舒服。

王大小姐好像也没有看见他，却又偏偏忍不住道："你看看这个人，在这种地方他居然也能睡得着。"

邓定侯笑了笑，道："据说他从小就在江湖中流浪了。像他这种人，有时连站着都能睡觉的。"

王大小姐咬着嘴唇，沉默了很久，又忍不住道："他难道一直都没有家？"

邓定侯道："好像没有。"

王大小姐仿佛在叹息，却还是板着脸，冷冷道："据说没有家的人，总是对朋友特别够义气的，他却好像是个例外。"

邓定侯道："你认为他对小马不够义气？"

王大小姐道："哼。"

邓定侯道："也许他只不过因为吃的苦太多，所以做事就比别人小心些。"

王大小姐冷笑道："一个真正的男子汉，不管吃了多少苦，都不像他这样怕死。"

邓定侯看着她，微笑道："你好像对他很不满意？"

王大小姐道："哼哼。"

邓定侯微笑道："难道你认为他不喜欢你了？"

王大小姐道："我……"

邓定侯打断了她的话，道："有些人心里虽然喜欢一个人，嘴里却绝不会说出来的；有时他心里越热情，表面上反而越冷淡。"

王大小姐道："为什么？"

邓定侯道："因为他们的身世孤苦，生活又不安全，而且随时随地都可能死在别人的刀剑下，所以他们若是真喜欢一个人时，反而要尽量疏远她。"

王大小姐道："因为他不愿连累了他喜欢的这个女孩子？"

邓定侯道："不错。"

王大小姐道："你认为丁喜是这种人？"

邓定侯道："他是的。"

他叹息着，又道："他表面看来虽然很洒脱，很开朗，其实心里却一定有很多解不开的结。"

王大小姐凝视着他，柔声道："你好像总是在替别人着想，总是尽可能了解别人。"

邓定侯笑了笑，道："这也许是因为我已经老了，老头子总是比较容易谅解年轻人的。"

王大小姐嫣然一笑，道："像你这样的老头子，世界上只怕还没有几个。"

这时一阵仲夏之夜的柔风，正吹过青青的草地。

星光满天，火光闪动，映红了她的脸，风中充满了绿草的芬芳，绿草柔软如毡。

她笑得又那么温柔。

邓定侯忽然发觉自己的心在跳，跳得很快。

他并不是那种一见了美丽的女人就会心跳的男人，可是这

七种武器

个女孩子……

他绝不能让这种情况再发展下去，勉强笑了笑，道："看样子我们没有什么地方可去了，不如也将就在这里睡一夜，有什么话，等到明天再说。"

王大小姐点点头，道："现在并不太热，我们就睡在火旁边好不好？"

邓定侯好像吓了一跳："我们？"

王大小姐道："你流了很多血，一定会觉得冷的，当然应该睡在火光旁边。"

邓定侯道："可是你……"

王大小姐道："我当然也睡在这里，我怕蛇。"

邓定侯道："你……你可以睡到车上去。"

王大小姐道："蛇难道不会爬到车上去？"

她嫣然一笑，又道："假如你怕我，我可以睡得离你远一点儿，我的睡象很好，绝不会滚到你身边去的。"

她的睡象并不好，年轻的女孩子，睡象都不会太好，何况，一个像她这么样娇生惯养的大小姐，睡在这种草地上，当然睡不安稳。

睡梦中，她忽然翻了身，一只手竟压到邓定侯胸口上了。

她的手柔软而纤美。

邓定侯连动也不敢动。

他也不是那种坐怀不乱的君子，对年轻美丽的女孩子，他一向很有兴趣。

可是这个女孩子……

他叹了口气，禁止自己想下去。

他开始想丁喜——

这个年轻人的确有很多长处，他喜欢他，就好像喜欢自己的亲兄弟一样。

他又想到了他的妻子——

这几年来，他的确太冷落她了，她却一直是个好妻子。

他需要时，她就算已沉睡，还是从来也没有拒绝过他。

想起了他们初婚时那些恩爱缠绵的晚上，想起了她的温柔与体贴，想起了她柔软的腰肢，想起了丰满修长的双腿……

他又禁止自己再想下去。

又是一阵柔风吹过，他轻抚着臂上的伤口，忽然觉得很疲倦，非常疲倦……

他睡着了。

（三）

丁喜却还没有睡得着，他们刚才说的话，每一句都听得清清楚楚。

"就算他心里喜欢你，嘴上也绝不会说出来的……"

"他心里一定有很多解不开的结……"

邓定侯的确很了解他，却还了解得不够深。

他疏远她、冷淡她，并不是因为他怕连累了她，而是因为他不敢。

他不敢，因为他总觉得自己配不上她，一种别人永远无法解释的自卑，已在他心里打起了结，生下了根。

根已很深了。

饥饿、恐惧、寒冷，像野狗般伏在街头，为了一块冷饼被人像野狗般毒打。

只要一想起这些往事，他身上的衣服就会被汗水湿透，就会不停地打冷战。

他的童年，实在比噩梦还可怕。

现在这些悲惨的往事虽然早已过去，他身上的创伤也早已平复。

可是他心里的创伤，却是永远也没法消除的。

"你好像总是替别人着想，好像总是这么样了解别人……"

他又想到：邓定侯的确是个好朋友、好汉子，他已经欠他太多，几乎很难还清。

丁喜知道他也很喜欢她。

虽然他已有了家，有了妻子，可是这些事对丁喜说来都不重要。

重要的是，他是绝不能对不起朋友的。

"一个从来没有家的人，对朋友总是特别够义气。"

"你认为他对小马不够义气？"

丁喜在心里叹了口气，小马不但是他的朋友，也是他的兄弟，他的手足。

小马这一去，的确是送羊入虎口的。

难道他真的就这样看着？

他闭上眼睛，决心要小睡片刻，明天还有很多很多的事要做。

繁星满天，夜风温柔。

明天一定是好天气。

（四）

旭日东升。

第一线朝阳冲破晨雾，照射在大地上时，邓定侯醒了。

他醒来的时候，阳光照在王大小姐柔软乌黑的头发上。

她的睫毛也很长，她的双颊嫣红，柔发上带着种醉人的幽香。

她就睡在他身旁，睡得就像是个孩子。

邓定侯大醉后醒来时，常常会在自己身旁发现一个陌生而年轻的女人，他通常都要想很久，才能想起这个女人是怎么到他床上来的。

可是这一次……

他没有想下来，悄悄地站起来，深深地呼吸了一口清晨郊外的清新空气。

然后他就忽然怔住。

睡在车顶上的丁喜已不见了，系在树上的那匹马也不见了。

清晨郊外的空气很新鲜。

邓定侯见到马车还停在原来之处，不过那匹马和丁喜去了哪里？

良驹是不会自己走脱的，一定有人把马匹解开。

这是丁喜所做的吗？

他再深深地吸了口清新的空气，但似乎还没有把醉后的酒意消除，脑子有点模糊。

他想着：丁喜走了，为什么不说一句话？

魔　索

（一）

"丁喜真的走了！"

他是真的走了，不但带走了那匹马，还带走了一坛酒，却在车上留下两个字："再见！"

再见的意思，有时候是永远不再见。

"他为什么不辞而别？是不是我们逼他上饿虎岗？"王大小姐用力咬着嘴唇："我怎样也想不到他居然是个这么怕死的懦夫。"

"他绝不是。"邓定侯说得肯定："他不辞而别，一定有原因。"

"什么原因？"

"我也不知道。"

邓定侯叹了气，苦笑道："我本来认为我已经很了解他。"

王大小姐道："可是你想错了。"

邓定侯叹道："他实在是个很难了解的人，谁也猜不透他的心事。"

王大小姐道："我想他一定认得百里长青，说不定跟百里长青有什么关系。"

邓定侯道："看来的确好像有一点，其实却绝对的没有。"

王大小姐道："你知道？"

邓定侯点点头道："他们的年纪相差太多，也绝不可能有交朋友的机会。"

王大小姐道："也许他们不是朋友，也许他真的就是百里长青的儿子。"

邓定侯笑了。

王大小姐道："你认为不可能？"

邓定侯道："百里长青是个怪人，非但从来没有妻子，我甚至从来也没看见他跟女人说过一句话。"

王大小姐道："他讨厌女人？"

邓定侯点点头，苦笑道："也许就因为这原因，所以他才能成功。"

他也知道这句话说也有点语病，立刻又接着道："说不定丁喜也是到饿虎岗的。"

王大小姐道："为什么不跟我们一起去？"

邓定侯道："因为我受了伤，你……"

王大小姐板着脸道："我的武功又太差，他怕连累我们，所以宁愿自己一个人去。"

邓定侯道："不错。"

王大小姐冷笑道："你真的认为他是这么够义气的人？"

邓定侯道："你认为不是？"

王大小姐道："可是他总该知道，他就算先走了，我们还是一定会跟着去的。"

邓定侯道："我们？"

王大小姐盯着他，道："难道你也要我一个人去？"

七种武器

邓定侯笑了，又是苦笑。

他这一生中，接触过的女人也不知道有多少，却从来也不懂应该怎么拒绝女人的要求。

——也许就因为如此，所以女人很少能拒绝他。

"你到底去不去？"

"我当然去。"邓定侯苦笑着，看着自己脚上已快磨穿了的靴子："我最近肚子好像已渐渐大了，正应该走点路。"

"你走不动时，我可以背着你。"

"你的意思是不是说，当你走不动时，也要我背着你？"

"我们是不是先去找老山东？"

"嗯。"

"你知道老山东是谁？"

"不知道。"

我只希望这个老山东还不太老，我一向不喜欢和老头子打交道。"

"你难道看不出我就是个老头子？"

"你若是老头子，我就是老太婆了。"

两个人若是有很多话说，结伴同行，就算很远的路，也不会觉得远。

所以他们很快就到了饿虎岗。

他们并没有直接上山，邓定侯的伤还没有好，王大小姐也不是那种不顾死活的莽汉。

山下有个小镇，镇上有个馒头店。

"老山东，大馒头。"

（二）

"老山东馒头店"资格的确已很老，外面的招牌，里面的桌椅，都已被烟熏得发黑了。

店里的老板、跑堂、厨子，都是同一个人，这个人叫做老山东。

这个人倒还不太老，却也被烟垂黑了，只有笑起来的时候，才会露出一口雪白的牙齿。

除了做馒头，他还会做山东烧鸡。

馒头很大，烧鸡的味道很好，所以这家店的生意不错。

只有在大家都吃过晚饭，馒头店已打了烊时，老山东才有空歇下来，吃两个馒头，吃几只鸡爪，喝上十来杯老酒。

老山东正在喝酒。

一个人好不容易空下来喝杯酒，却偏偏还有人来打扰，心里总是不愉快的。

老山东现在就很不愉快。

馒头店虽然已打烊了，却还开着扇小门通风，所以邓定侯、王大小姐就走了进来。

老山东板着脸，瞪着他们，把这两个人当做两个怪物。

王大小姐也在瞪着他，也把这个人当做个怪物——有主顾上门，居然是吹胡子瞪眼睛的人，不是怪物是什么？

邓定侯道："还有没有馒头？我要几个热的。"

老山东道："没有热的。"

邓定侯道："冷的也行。"

老山东道："冷的也没有。"

王大小姐忍不住叫了起来："馒头店里怎么会没有馒头？"

七种武器

老山东翻着白眼，道："馒头店里当然有馒头，打了烊的馒头店，就没有馒头了，冷的热的都没有，连半个都没有。"

王大小姐又要跳起来，邓定侯却拉住了她，道："若是小马跟丁喜来买，你有没有？"

老山东道："丁喜？"

邓定侯道："就是那个讨人喜欢的丁喜。"

老山东道："你是他的朋友？"

邓定侯道："我也是小马的朋友，就是他们要我来的。"

老山东又瞪着他看了半天，忽然笑了："馒头店当然有馒头，冷的热的全都有。"

邓定侯也笑了："是不是还有烧鸡？"

老山东道："当然有，你要多少都有。"

烧鸡的味道实在不错，尤其是那碗鸡卤，用来蘸馒头吃，简直可以把人的鼻子都吃歪。

老山东吃着鸡爪，看着他们大吃大喝，好像很得意，又好像很神秘。

邓定侯笑道："再来条鸡腿怎么样？"

老山东摇摇头，忽然叹口气，道："鸡腿是你们吃的，卖烧鸡的人，自己只有吃鸡爪的命。"

王大小姐道："你为什么不吃？"

老山东又摇头道："我舍不得。"

王大小姐道："那么你现在一定是个很有钱的人。"

老山东反问："我像个有钱人？"

他不像。

从头到尾都不像。

王大小姐道："你赚的钱呢？"

老山东道："都输光了，至少有一半是输给丁喜那小子的。"

王大小姐也笑了。

老山东又翻了翻白眼，道："我知道你们一定把我看成个怪物，其实……"

王大小姐笑道："其实你根本就是个怪物了。"

老山东大笑，道："若不是怪物，怎么会跟丁喜那小子交朋友？"

他上上下下地打量着王大小姐，又道："现在我才真的相信你们都是他的朋友，尤其是你。"

王大小姐道："因为我也是个怪物？"

老山东喝了杯酒，微笑道："老实说，你已经怪得有资格做那小子的老婆了。"

王大小姐脸上泛起红霞，却又忍不住问道："我哪点怪？"

老山东道："你发起火来脾气比谁都大，说起话来比谁都凶，吃起鸡来像个大男人，喝起酒来像两个大男人，可是我随便怎样看，我上看下看，左看右看，还是觉得你连一点男人味都没有，还是个十足的不折不扣的女人。"

他叹了口气，又道："像你这样的女人若是不怪，要什么样的女人才奇怪？"

王大小姐红着脸笑了。

她忽然觉得这个又脏又臭的老头子，实在有很多可爱之处。

老山东又喝了杯酒，道："前天跟小马来的小姑娘，长得虽然也不错，而且又温柔、又体贴，可是要我来挑，我还是会挑你做老婆。"

邓定侯生怕他扯下去，抢着问道："小马来过？"

老山东道："不但来过，还吃了两只烧鸡、十来个大馒头。"

邓定侯道："现在他们的人呢？"

老山东道："上山去了。"

邓定侯道："他有什么话交代给你？"

老山东道："他要我一看见你们来，就尽快通知他，丁喜那小子为什么没有来？"

王大小姐开始咬起嘴唇——认得她的人，有很多都在奇怪：一生气她就咬嘴唇，为什么直到现在还没把嘴唇咬掉？

邓定侯立刻抢着道："现在我们来了，你究竟怎样通知他？"

老山东道："这些日子来，山上面的情况虽然已经有点变了，但是他却还是有几个朋友，愿意为他传讯的。"

邓定侯道："这种朋友他还有几个？"

老山东叹了口气，道："老实说，好像也只有一个。"

邓定侯道："这位朋友是谁？"

老山东道："拼命胡刚。"

邓定侯道："胡老五？"

老山东道："就是他。"

王大小姐忍不住插口道："这个胡老五是个什么样的人？"

邓定侯道："这人剽悍勇猛，昔日和铁胆孙毅并称为'河西双雄'，可以说是黑道上的好汉。"

老山东插嘴道："他每天晚上都要到这里来的。"

邓定侯道："来干什么？"

老山东道："来买烧鸡。"

王大小姐笑了，道："这位黑道上的好汉，天天自己来买烧鸡？"

老山东眯着眼笑了笑，笑得有点奇怪："他自己虽然天天来买烧鸡，自己却也只有吃鸡腿的命。"

王大小姐笑道："烧鸡是买给他老婆吃的吗?"

老山东道："不是老婆，是老朋友。"

王大小姐道："铁胆孙毅?"

老山东道："对了。"

王大小姐道："看来这个人非但是条好汉，而且还是个好朋友。"

现在，夜已很深，静寂的街道上，忽然传来"笃、笃、笃"一连串声音。

老山东道："来了。"

王大小姐道："谁来了?"

老山东道："拼命胡老五。"

王大小姐道："他又不是马，走起路来怎么会'笃、笃、笃'的响?"

老山东没有回答，外面的响声已越来越近，一个人弯着腰走了进来。

他弯着腰，并不是在躬身行礼，而是因为他的腰已直不起来。

其实他的年纪并不大，看起来却已像是个七八十岁的老头子，满头的白发，满脸的刀疤，左眼上蒙着块黑布，右手拄着根拐杖，一走进门，就不停地喘息、不停地咳嗽。

这个人就是那剽悍勇猛的拼命胡老五?就是那黑道上有名的好汉?

王大小姐怔住。

胡老五用拐杖点着地，"笃、笃、笃"，一拐一拐地走了过来，连看都没有往王大小姐和邓定侯这边看一眼。

老山东居然也没说什么，从柜台后面拿出了一个早已准备好的油纸包，又拿出根绳子，把纸包扎起来，还打了两个结。

胡老五接过来，转过身用拐杖点着地，"笃、笃、笃"，又一拐一拐地走了。

他们连一句话都没有说。

王大小姐不住问道："这个人就是那拼命胡老五？"

老山东道："是的。"

王大小姐道："小马就是要他传讯的？"

老山东道："不错。"

王大小姐道："可是你们连一句话也没有说。"

老山东道："我们用不着说话。"

邓定侯道："小马看见那油纸包上绳子打的结，就知道我们来了，来的是两个人。"

老山东道："原来你也不笨。"

王大小姐道："可是小马在山上打听出什么事，也该想法子告诉我们呀。"

老山东道："他在山上暂时还不会出什么事，因为孙毅跟他的交情也不错，等到他有消息时，胡老五也会带来的。"

王大小姐点点头，忽又叹了口气，道："我实在想不通，拼命胡老五怎么会是这样的人。"

老山东喝下了最后一杯酒，慢慢地站起来，眼睛里忽然露出种说不出的悲伤，过了很久，才缓缓道："就因为他是拼命胡老五，所以才会变为这样子。"

（三）

寂静的街道，黯淡的上弦月。邓定侯慢慢地往前走，王大小姐慢慢地在后面跟着，月光把他们的影子拖得很长。

老山东已睡了，用两张桌子一并，就是他的床。

"转过这条街，就是一个客栈，五分银子就可以睡上一宿了。"

这种小客栈当然很杂乱。

"到饿虎岗上的人，常常到那里去找姑娘，你们最好留神些。"

王大小姐并没有带着她的霸王枪，她并不想做箭靶子。

邓定侯忽然叹了口气，道："做强盗的确也不容易，不拼命，就成不了名，拼了命又是什么下场呢？那一身的内伤，一脸的刀疤，换来的又是什么？"

王大小姐道："做保镖的岂非也一样？"

邓定侯勉强笑了笑，道："只要是在江湖中混的人，差不多都一样，除了几个运气特别好的，到老来不是替别人买烧鸡，就是自己卖烧鸡。"

王大小姐道："你看那老山东以前也是在江湖中混的？"

邓定侯道："一定是的，所以直到今天，他还是改不了江湖人的老毛病。"

王大小姐道："什么老毛病？"

邓定侯道："今朝有酒今朝醉，明天的事，管他娘。"

王大小姐笑了，笑得不免有些辛酸："所以丁喜毕竟还是个聪明人，从来也不肯为别人拼命。"

邓定侯皱眉道："这的确是件怪事，他居然真的没来。"

王大小姐冷冷道："这一点儿也不奇怪，我早就算准他不会来的。"

邓定侯沉思着，又道："还有件事也很奇怪。"

王大小姐道："什么事？"

邓定侯道："饿虎岗那些人明明知道小马是丁喜的死党，

居然一点儿也没有难为他，难道他们想用小马来钓丁喜这条大鱼？"

王大小姐道："只可惜丁喜不是鱼，却是条狐狸。"

一阵风吹过，远处隐约传来一声马嘶，仿佛还有一阵阵清悦的铃声。

他们听见马嘶时，声音还在很远，又走出几步，铃声就近了。

这匹马来得好快。

王大小姐刚转过街角，就看见灯笼下"安住客栈"的破木板招牌。

邓定侯忽然一把拉住了她，把她拉进了一条死巷子里。

她被拉得连站都站不稳了，整个人都倒在邓定侯身上。

她的胸膛温暖而柔软。

邓定侯的心在跳，跳得很快。

——这是什么意思？

王大小姐忍不住要叫了，可是刚张开嘴，又被邓定侯掩住。

他的手虽然受了伤，力气还是不小。

王大小姐的心也在跳得快了起来，她早已听说江湖中这些大亨的毛病。

他们通常只有一个毛病——

女人。

难道这才是他的真面目？就在这种时候，这种地方……

王大小姐忽然弯起腿，用膝盖重重地往邓定侯两腿之间一撞。

这并不是她的家传武功，这是女人们天生就会的自卫防身本能。

邓定侯疼得冷汗冒了出来，却居然没有叫出来，反而压低了声音，细声道："别出声，千万不要被这个人看见。"

王大小姐松了口气，终于发现前面已有两匹快马急驰而来，其中一匹的颈子上，还系着对金铃，"叮叮当当"不停地响。

也就在这时，"砰"的一声，客栈的一排房间，忽然有一扇窗户被震开，一张凳子先打出来，一个人跟着蹿出。

这人的轻功不弱，伸手一搭屋檐，就翻上了屋顶。

马上系着金铃的骑士仿佛冷笑了一声，忽然扬手，一条长索飞出，去势竟比弩箭还急。

屋顶上的人翻身闪避，本来应该是躲得开的。

可是这条飞索却好像又变成了条毒蛇，紧紧地盯着他，忽然绕了两绕，就已将这人紧紧缠住。

马上的骑士手一抖，长索便飞回，这个人也跟着飞了回去。

后面一匹马上的骑士，早已准备好一只麻袋，用两只手张开。

长索再一抖，这个人就像块石头一样掉进麻袋里。

两匹马片刻不停，又急驰而去，眨眼间就转入另一条街道，没入黑暗中，只剩下那清悦而可怕的金铃声，还在风中"叮叮当当"地响着。

然后就连铃声都听不见了。

两匹马忽然来去，就仿佛是来自地狱的骑士，来缉拿逃魂。

王大小姐已看得怔住。

这样的身手，这样的方法，实在是骇人听闻、不可思议的。

又过了片刻，邓定侯才放开了她，长长吐出口气道："好厉害。"

王大小姐才长长吐出口气，道："他刚才甩的究竟是绳子？还是魔法？"

用飞索套人，并不是什么高深特别的武功，塞外的牧人们，大多都会这一手。

可是那骑士刚才甩出的飞索，却实在太快、太可怕，简直就像是条魔索。

邓定侯沉吟着，缓缓道："像这样的手法，你以前从来没有见过？"

王大小姐眼睛亮了。

她见过一次。

丁喜从枪阵中救出小马时，用的手法好像差不多。

邓定侯见过两次。

他的开花五犬旗也是被一条毒蛇般的飞索夺走的。

王大小姐道："难道这个人是丁喜？"

邓定侯道："不是。"

王大小姐道："你知道他是谁？"

邓定侯道："这个人叫'管杀管埋'包送终。"

王大小姐勉强笑了笑，道："好奇怪的名字，好可怕的名字。"

邓定侯道："这个人也很可怕。"

王大小姐道："江湖中人用的外号，虽然大多数都很奇怪、很可怕，可是这么样一个名字，我只要听见一次，就绝不会忘记。"

邓定侯道："你没有听见过？"

王大小姐道："没有。"

邓定侯道："关内江湖中的人，听见过这名字的确实不多。"

王大小姐道："这个人是不是一直在关外？"

邓定侯点头道："他的名字虽然凶恶，却并不是个恶徒。"

王大小姐道："哦？"

邓定侯道："他杀的才是恶徒，若有人做了什么罪大恶极的事，却还逍遥法外，他就会忽然出现。"

邓定侯道："他便会用飞索把这个人一套，用麻袋装起就走，这个人通常就会永远失踪了。"

王大小姐目光闪动，道："也许他并没有真的把这个人杀死，只不过带回去做他的党羽了。"

邓定侯居然同意："很可能。"

王大小姐道："那些恶徒本就是什么坏事都做得出的，为了感谢他的不杀之恩，再被他的武功所胁，当然就不惜替他卖命。"

邓定侯也同意。

王大小姐道："他在暗中收买了这些无恶不作的党羽，在外面却博得了一个除奸去恶的侠名，岂非一举两得？"

邓定侯冷笑。

他显然也想到了这一点。

王大小姐道："那天才凶手做的事，岂非也总是一举两得的？"

邓定侯道："不错。"

王大小姐眼睛更亮，道："你有没有想到过，这位'管杀管埋'包送终，很可能也是青龙会的人？"

邓定侯道："嗯。"

王大小姐道："只要是正常的人，绝不会起'包送终'这种名字的，所以……"

邓定侯道："所以你认为这一定是个假名字。"

王大小姐叹了口气，道："老实说，我也早就怀疑他是百里长青了。"

王大小姐眨了眨眼睛，故意问道："除奸去恶，本是大快人心的事，为什么要用假名字去干？"

邓定侯道："因为他是个镖客，身份跟一般江湖豪侠不同，难免有很多顾忌。"

五大小姐道："还有呢？"

邓定侯道："因为他做的全就是见不得人的事，所以难免做贼心虚。"

王大小姐道："他生怕这秘密被揭穿，所以先留下条退路。"

邓定侯道："他本就是个思虑周密、小心谨慎的人。"

王大小姐道："所以他的长青镖局，才会是所有镖局中经营得最成功的一个。"

邓定侯道："他本身就是一个很成功的人，无论做什么事，都从来未失手过一次。"

王大小姐叹了口气，道："这么样看来，我们的想法好像是完全一样的。"

邓定侯道："这么样看来，百里长青果然已到了饿虎岗了。"

王大小姐冷笑道："管杀管埋的行踪一向在关外，百里长青没有到这里来，他怎么会到这里来？"

邓定侯道："由这一点就可以证明，这两个人，就是一个人。"

王大小姐道："他刚才杀的，想必也是饿虎岗上的好汉，不肯受他的挟制，想脱离他的掌握，想不到还是死在他手里。"

邓定侯道："老山东刚才说过，这里时常有饿虎岗的兄弟走动，但愿让兄弟们发现他手段的。"

王大小姐道："借刀杀人，栽赃嫁祸，本就是他的拿手本事。"

邓定侯接着又道："他最可怕的还不是这一点。"

王大小姐道："哦？"

邓定侯沉吟着，道："世上的武功门派虽多，招式虽然各处不相同，但基本上的道理，却完全是一样的，就好像……"

王大小姐道："就好像写字一样。"

邓定侯点头道："不错，的确就好像写字一样。"

世上的书法流派也很多，有的人学柳公权，有的人学颜鲁公，有的人学汉隶，有的人学魏碑，有的人专攻小篆，有的人偏爱钟鼎文，有的人喜欢黄庭小楷，有的人喜欢张旭狂草。

这些书法虽然各有它的特殊笔法结构，巧妙各不相同，但在基本的道理上，也全都是一样的，"一"字就是"一"字，你绝不会变成"二"，"十"字在"口"字里面，才是"田"。你如果把它写在口字上面，就变成"古"了

邓定侯道："一个人若是已悟透了武功中基本的道理，那么他无论学哪一门、哪一派的武功，一定都能举一反三，事半功倍，就正如……"

王大小姐道："就正如一个已学会了走路的人，再去学爬，当然很容易。"

邓定侯笑着点头，目中充满赞许，她实在是个很聪明的女孩子。

王大小姐道："这道理我已经明白了，所以我也明白，为

七种武器

1045

什么丁喜第一次看见霸王枪，就能用我的枪法击败我。"

邓定侯闭上了嘴。

他好像一直都在避免着谈论到丁喜。

王大小姐又叹了口气，道："我也知道你不愿怀疑他，因为他是你的朋友，可是你自己刚才也说过，他用的飞索，手法也跟百里长青一样。"

邓定侯不能否认。

王大小姐道："所以我们无论怎么样看，都可以看出丁喜和百里长青之间，一定有某种很奇怪、很特别的关系存在的。"

邓定侯道："只不过……"

王大小姐打断了他的话，道："我知道他绝不可能是百里长青的儿子，但是他有没有可能是百里长青的徒弟呢？"

邓定侯叹息着，苦笑道："我不清楚，也不能随便下判断，但我却可以确定一件事。"

王大小姐道："什么事？"

邓定侯道："不管丁喜跟百里长青有什么关系，我都可以确定，他绝不是百里长青的帮凶。"

王大小姐凝视着他，美丽的眼睛里也充满了赞许的仰慕。

够义气的男子汉，女人总是会欣赏的。

黑暗的长空，朦胧的星光。

她的眼波如此温柔。

邓定侯忽然发觉自己的心又在跳，立刻大步走出去："我们还是快找个地方睡一下，明天一早我们就起来等小马的消息。"

小马是不是会有消息？

现在他是不是还平安无恙？是不是已查出了"五月十三"的真相。

"五月十三"是不是百里长青？

这些问题，现在还没有人能明确回答，幸好今天已快过去了，还有明天。

明天总是充满希望的。

"我们不如回到老山东那里去，相信他那里还有桌子。"

"可是前面就已经是客栈了。"

"我看见，但客栈里太脏，太乱，耳目又多，我们还是谨慎些好。"

王大小姐忽然笑了："你是不是很怕跟我单独相处在一起？"

邓定侯也笑了："我的确有点怕，你刚才那一脚踢得实在不轻。"

王大小姐脸红了。

"其实你本来用不着害怕。"她忽然又说。

"哦？"

"因为……"她抬起头，鼓起勇气："因为我本来只不过想利用你气气丁喜，我还是喜欢他的。"

邓定侯很惊奇，却不感到意外。

这本是他意料中的事，令他惊奇的，只不过因为连他都想不到王大小姐居然会有勇气说出来。

他只是苦笑："你实在是个很坦白的女孩子。"

王大小姐有点儿不好意思了，红着脸道："后来我虽然发现你是个很了不起的人，可是……可是你已经有了家，我只能把你当作我的大哥。"

邓定侯道："你是在安慰我？"

王大小姐脸更红，过了很久，才轻轻道："假如我没有遇

七种武器

见他，假如你……"

邓定侯打断了她的话，微笑道："你的意思我明白，能够做你的大哥，我已经感到很开心了。"

王大小姐轻轻吐出口气，就像是忽然打开一个结："就因为我喜欢他，所以我才生怕他会做出见不得人的事。"

"他不会的。"

"我也希望他不会。"

两个人相视一笑，心里都觉得轻松多了。

然后他们就微笑着走进暗巷，这时夜色已很深，他们都没有发觉，远处黑暗中，正有一双发亮的眼睛在看着他们。

那是谁的眼睛？

大宝塔

（一）

命运是什么？

命运岂非正像是条魔索，有时它岂非也会像条毒蛇般紧紧地把一个人缠住，让你空有满腹雄心，满身气力，却连一点儿也施展不出。

有时它又会忽然飞出来，夺走你生命中最珍贵的东西，就像是丁喜夺走那开花五犬旗。有时它还会突然把两个本来毫无关系的人，紧紧地缠在一起，让他们分也分不开，甩也甩不脱。

（二）

这小镇上最高的一栋屋子就是万寿楼。

丁喜正躺在万寿楼的屋脊上。

他静静地躺着，静静地仰视着满天星光。

他没有动。

命运已像条魔索般，将他整个人都捆住了，他连动都不能

七种武器

动。

他心里也有条绳子，还打了千千万万个结。

什么结能解得开？

只有自己打的结，自己才能解开。

他心里的结，却都不是他自己打成的。

噩梦般的童年，凄凉的身世，艰辛的奋斗，痛苦的挣扎，无法对人倾说的往事。

每一件事，都是一个结。

何况还有那永无终止的寂寞。

好可怕的寂寞。

寂寞的意思，不仅是孤独，刚才看见邓定侯和王大小姐依偎在暗巷中，又微笑着走出来的时候，他的寂寞更深。

他忽然有了种被人遗忘了的感觉，这种感觉无疑也是寂寞的一种，而且是最难忍受的一种。

只不过这是他自找的，他先拒绝了别人，别人才会遗忘了他。

所以他并不埋怨，却在祝福，祝福他的朋友们永远和好。

他的祝福诚恳而真挚，却也是痛苦的。

——假如你知道他的痛苦有多么深，你就会了解"误会"是件多么可怕的事了。

风从山边吹过来时，传来了敲更声。

已是三更。

他忽然跳了起来，用最快的速度，掠向远山。

远山一片黑暗，那青色的山冈，已完全被无边的黑暗笼罩。

七种武器（3）

许明康　许黎黎／绘

"丁喜正躺在万寿楼的屋脊上。"

黑暗永远不会太久长的。

青色的山冈又浸浴在阳光下，阳光灿烂。

灿烂的阳光，从窗外照进来，这破旧的馒头店，也显得有了生气。

王大小姐正在吃她的早点，用馒头蘸着烧鸡卤吃。

馒头是刚出笼的，热得烫手，烧鸡卤却冰冷，吃起来别有一番风味。

比邓定侯拳头还大的馒头，她已经吃了两个。

虽然这两天都没有睡好，可是一清早起来，躲在房里偷偷地冲了个冷水澡后，她的精神却特别振奋，胃口也特别好。

她毕竟还年轻。

邓定侯的胃口就差多了，老山东更不行，他宿酒未醒，又没有睡好，正在喃喃嘀咕着："放着好好的客栈不去睡，却偏偏要睡我的破桌子，你们这些年轻人，我真不知道你们有什么毛病。"

王大小姐嫣然道："不是我有毛病，是他。"

老山东道："是他？"

王大小姐道："他怕我，因为我不是……"

她没有说下去，她的脸已红了。

老山东眯着眼笑道："因为你不是他的情人，是丁喜的。"

王大小姐没有否认。

没有否认的意思，通常就是承认。

老山东大笑，道："丁喜这小子，果然有两手，果然有眼光。"

他站起来找酒："这是好消息，我们一定要喝两杯庆祝。"

七种武器

喜欢喝酒的人，总是能找出个理由喝两杯的。

邓定侯也笑了。

老山东已找出个大碗，倒了三碗酒，倒得满满的。

邓定侯道："我们少喝点行不行？"

老山东用眼角瞄着他，道："你是不是想喝醋？"

邓定侯苦笑道："就算我要吃醋，吃的也是干醋。"

老山东道："那么你就快喝酒。"

邓定侯道："可是今天……"

老山东道："你放心，胡老五一定要到晚上才会来，因为他的孙大哥一定要等到晚上宵夜时才吃烧鸡，而且要吃新鲜的。"

邓定侯叹了口气，道："要我们坐在这里等一天，滋味倒真不好受。"

老山东道："你也可以放心，我不会让你们干等的，我的酒足够把你们两个人都泡得完全湿透。"

他又举起了他的碗。

王大小姐忽然道："现在我们就喝酒来庆祝，未免还太早了些。"

老山东皱着眉道："为什么？"

王大小姐也叹了口气，道："因为……因为我虽然对他好，可是……"

老山东道："可是那小子却总是对你冷冰冰的，有时还故意要气你。"

王大小姐咬起了嘴唇，道："他就是这样子。"

老山东又大笑，道："这你就不懂了，就因为他喜欢你，所以才会故意作出这样子来。我早就说过，这小子是个怪物。"

王大小姐眼里立刻发出了光，立刻用两只手捧起酒碗，好像准备一口气喝下去。

邓定侯并没有阻止。

他知道王大小姐要喝酒时，谁也拦不住的。

就在这时，突然门外"笃"的一响。

门还没有开，门外已贴上了一张红纸。

"老板有病，休业三天。"

可是"笃"的一声响过了之后，又是"砰"的一响，一个人撞开了门，跟跟跄跄地冲了进来，撞翻了一张桌子，桌子又撞翻了王大小姐手里的碗。

王大小姐居然没有发脾气，因为这个人竟是胡老五。

老山东皱眉道："难道你已经喝醉了？"

胡老五扶着桌子，弯着腰，不停地喘气，并不像喝醉酒的样子。

老山东又问道："是不是孙毅急着要吃烧鸡？"

胡老五摇摇头，忽然又跟跟跄跄地冲了出去。

王大小姐看看邓定侯，邓定侯看看老山东："这是怎么回事？"

老山东苦笑道："天知道这是怎么回事，他本来就是个怪物，现在……"

他没有说下去。

他忽然看见桌缝里多了个小小的纸卷，邓定侯当然也看见了。

胡老五刚才就是扶着这张桌子的。

他特地赶来，一定就为了送个小纸卷。

孙毅并没有要下山买烧鸡，他却非急着送来不可，所以只有偷偷地赶来。

他已是个残废人，走这段路并不容易，简直也等于是在拼命。

邓定侯叹了口气，道："果然不愧是拼命胡老五，为了朋友，他也肯这么拼命。"

王大小姐道："他既然这么拼命，这纸卷上一定有很重要的消息。"

三个人的手一起去拿纸卷，手伸得最快的当然是邓定侯了。

展开纸卷，上面只写了七个字："今夜子时，大宝塔。"

粗糙的纸，字迹很是歪斜潦草。

王大小姐道："这是什么意思？"

邓定侯道："这意思就是说，今夜子时，要我们到大宝塔去。"

王大小姐道："因为那里一定有很重要的事要发生。"

邓定侯道："那件事说不定就是揭破这秘密的关键。"

王大小姐道："大宝塔是个地名？"

老山东道："大宝塔是座宝塔。"

王大小姐道："在什么地方？"

老山东道："就在山神庙后面。"

王大小姐道："山神庙在哪里？"

老山东道："就在大宝塔前面。"

王大小姐道："你能不能说清楚点？"

老山东道："不能。"

王大小姐道："为什么？"

老山东把碗里的酒一口气喝了下去后，才叹了口气，道："因为那地方是个去不得的地方。"

他的表情忽然变得很严肃，慢慢地接着道："据说到那里去的人，从来也没有一个人还能活着回来的。"

王大小姐笑了，笑得却有些勉强，道："那地方难道有鬼？"

老山东道："不知道。"

王大小姐道："你没有去过？"

老山东道："就因为我没有去过，所以我现在还活着。"

他说得很认真，并不像是开玩笑。

王大小姐看着邓定侯。

邓定侯沉思着，道："这么样看来，大宝塔本身一定就有很多秘密，所以……"

王大小姐道："所以我们更非去不可。"

邓定侯也笑了笑，笑得也很勉强，他想得比王大小姐更多。

——说不定这件事根本就是一个圈套，要他们去自投罗网。

但他们还是非去不可。

邓定侯道："既然有大宝塔这样一个地方，我们总能找得到的。"

王大小姐跳起来，道："我们现在就找。"

邓定侯道："现在不能去。"

王大小姐不解道："为什么？"

邓定侯道："我们现在就去，若是被饿虎岗的人发现了，岂非打草惊蛇。"

老山东立刻道："说得有道理。"

王大小姐道："难道我们就这么干坐着，等天黑？"

老山东笑道："我也绝不会让你们干坐着的。"

天已黑了。

邓定侯臂上的伤口，已被重新包扎了起来，他正默默地用一块干布，在擦着一袋铁莲子。

他擦得很慢，很仔细，每一颗铁莲子，都被他擦得发出了亮光。

他成名的武器，就是他的双拳，江湖中几乎已没有人知道他还会暗器。

这袋铁莲子，他的确已有很久很久都没有动过了。

有一次他的铁莲子击出，非但没有打倒他要打的人，却从对方的刀锋上反弹出去，误伤了一个在旁边观战的朋友。

自从那次之后，他就不愿再用暗器。

可是现在他却不得不用。

——一个人为什么总是被环境逼迫，做一些他本来不愿做的事？

邓定侯叹了口气，把最后一颗铁莲子放入他的革囊里，把革囊盘在腰畔。

王大小姐一直在默默地看着他，这时才问道："现在我们是不是该走了？"

邓定侯点点头，又喝了口酒。

酒虽然会令人反应迟钝、判断错误，却可以给人勇气。

世界上的事，本就大多是这样子的，有好的一面，必定也有坏的一面。

你若能常常往好的一面去想，你才能活得愉快些。

王大小姐也喝了口酒，站起来，对老山东笑了笑，道："谢谢你的酒，也谢谢你的烧鸡和馒头。"

老山东抬起头，瞪着眼睛，看了她很久，忽然道："你决心要去？"

王大小姐道："我是非去不可。"

老山东道："就算明知道去了回不来，你也是非去不可吗？"

王大小姐又笑了笑，道："能不能回来并不重要，重要的是，我们能不能去，该不该去？"

老山东长长叹了口气，道："说得好，好极了。"

他转过头，盯着邓定侯，道："看样子你一定也是非去不可的了？"

邓定侯笑笑。

老山东道："只要你觉得应该去做的事，你就非去不可？"

邓定侯又笑笑，道："其实我并不是很想去，因为我也怕死，怕得很厉害，可是假如不去，以后的日子一定比死还可怕。"

老山东道："好，说得好。"

他忽然站起来，道："我们走吧。"

邓定侯怔了怔，道："我们？"

老山东也笑了笑，道："我若不带路，你们怎么去？"

王大小姐道："你难道不能告诉我们路，让我们自己去？"

老山东道："不能。"

王大小姐道："为什么不能？"

老山东道："因为我想去。"

王大小姐道："你自己刚才还说过，去了就很难活着回来。"

老山东道："我说过之后，你们还是要去，你们能去，我为什么不能去？"

王大小姐道："我们去是有理由的。"

老山东道："我也是有理由，我想去看热闹。"

王大小姐苦笑道："这理由不够好。"

老山东道："对我来说，却已足够了。"

他微笑着，又道："你们还年轻，一个正是花一样的年华，前程如锦；一个又正在得意的时候，不但名满天下，而且有钱有势。我呢？我有什么？"

王大小姐道："你……你……"

老山东不让她说话，抢着又道："我已是个老头子，半截已入了土，我既没有妻子儿女，也没有田地财产，每天晚上都喝得半死不活的，活着又跟死了有什么区别？你们能为朋友去拼命，为江湖道义出力，我为什么不能？"

他越说越激动，连颈子都粗了。

老山东道："你们就算没有拿我当朋友，可是我喜欢你们，喜欢小马，喜欢丁喜，所以我也非去不可。"

王大小姐看看邓定侯。

邓定侯又喝了口酒，道："我们走吧。"

王大小姐道："我们？"

邓定侯道："我们的意思，就是我们三个人。"

风从远山吹过来，远山又已被黑暗笼罩。

他们三个人走出去，老山东挺着胸膛，走在最前面。

他走出去后，就没有再回头。

王大小姐道："你不把门锁上？"

老山东大笑，道："你们连死活都不在乎，我还在乎这么样一个破馒头店？"

（四）

远山在黑暗中看来更遥远，但是他们毕竟已走到了，在山峦的怀抱里，风的声音由尖锐变为低沉，就像是风也学会了叹息。

为谁叹息？

是不是为了人类的残酷和愚昧？

人与人之间，为什么总是要互相欺骗，互相陷害，互相杀戮呢？

镇上寥落的灯光，现在看起来甚至已比刚才黑暗中的远山更遥远。

甚至比星光更远。

淡淡的星光下，已隐约可以看见山坡上有座小小的庙宇。

邓定侯压低了声音，问道："那就是山神庙？"

老山东道："嗯。"

邓定侯道："大宝塔就在山神庙后面？"

老山东道："嗯。"

王大小姐抢着道："可是我怎么连宝塔的影子都看不见？"

老山东道："那也许只因为你的眼睛不大好。"

王大小姐道："你的眼睛好，你看见了？"

老山东道："嗯。"

王大小姐又问道："在哪里？"

老山东随随便便地伸手往前面一指。

他指着的是个黑黢黢的影子，比山神庙高些，从下面看过去，还有一截露在山神庙的屋脊上，平平的、方方的一截，看来就像是一块很大的山崖，又像是座很高的平台。

你无论说这黑影像什么都行，但它却绝不像是一座大宝塔。

王大小姐道："你说这就是大宝塔？"

老山东道："嗯。"

王大小姐道："大大小小的宝塔我倒也见过几座，可是这么样一座宝塔……"

　　老山东忽然打断了她的话，道："我并没有说这是一座宝塔。"

　　王大小姐道："你没有说过？"

　　老山东道："这根本不是一座宝塔。"

　　老山东说话好像已变得有点颠三倒四，就连邓定侯都忍不住问道："这究竟是什么？"

　　老山东道："是半座宝塔。"

　　邓定侯怔了怔，道："怎么？宝塔也有半座的？"

　　老山东道："烧鸡有半只的，馒头有半个的，宝塔为什么不能有半座的？"

　　王大小姐又抢着道："烧鸡馒头都有一个的，那只因另外的一半已被人吃下肚子里。"

　　老山东道："不错。"

　　王大小姐道："另外的一半宝塔呢？"

　　老山东道："倒了。"

　　王大小姐道："怎么会倒的？"

　　老山东道："因为它太高。"

　　他的眼睛在黑暗中发着光，又道："宝塔跟人一样，人爬得太高，岂非也一样比较容易倒下去？"

　　邓定侯没有再问，心里却在叹息，这句话中的深意，也许没有人能比他了解得更多。

　　了解得越多，话也就说得越少了。

　　老山东道："这宝塔本来有十三层的，听说花了七八年的功夫才盖好。"

　　王大小姐道："现在呢？"

他目光闪动着，忽又接着道："上面七层宝塔倒下来的时候，下面正有很多人在拜祭的。"

王大小姐动容道："那么宝塔倒下，岂非压死了很多人？"

老山东道："据说也不太多，只有十三个。"

王大小姐的手已冰冷。

老山东淡淡道："一个人若是死得很冤枉，阴魂总是不散的，所以这十三个人，就是十三条鬼魂。"

一阵风吹过，王大小姐忍不住打了个寒噤。

王大小姐道："你能不能不要再说了。"

老山东道："能。"

这个字说出来，断塔上忽然亮起了一点灯光，阴森森的灯光，就像是鬼火。

王大小姐屏住了气，问老山东道："那上面怎么会忽然有人了？"

老山东道："你怎么知道那一定是人？"

王大小姐瞪着他，道："你答应我不再说的了。"

老山东笑了笑，道："我说了什么？"

王大小姐咬住嘴唇，顿了顿脚，道："不管那是人是鬼，我都要上去看看。"

她已经准备冲上去，邓定侯却一把拉住了她，道："你用不着去看，我保证那一定是人，只不过，人有时候比鬼还可怕。"

想到那个人的阴狠恶毒，王大小姐又忍不住打了个寒噤。

她实在也有点害怕："但是我们若连看都不敢看，又何必来呢？"

邓定侯道："我们当然要去看看的。"

王大小姐道："我们三个人一起去？"

七种武器

邓定侯摇摇头，道："我一个人过去看，你们两个人在这里看。"

王大小姐几乎要叫出来了，道："这里有什么好看的？"

邓定侯解释道："你们可以在这里替我把风，假如我失了手，你们至少还可以做我的接应。"

王大小姐道："可是我……"

邓定侯打断她的话，道："三个人的目标是不是比一个人大？"

王大小姐只有承认。

邓定侯道："你总不至于希望我们三个人同时被发现，一起栽在这里吧？"

王大小姐只有闭上了嘴，闭上嘴的时候，她当然又开始在咬唇。

老山东道："山神庙后面有棵银杏树，这树离宝塔已不远，我们可以躲在那里替你把风。"

王大小姐这时忽然又开了口，道："却不知树上有杏子没有？"

老山东道："你现在想吃杏子？"

王大小姐道："我不想吃，我只不过想用它来塞住你的嘴。"

（五）

宝塔虽然已只剩下六层，却还是很高，走得越近，越觉得它高。

有很多人也是这样子的，你一定要接近他，才能知道他的伟大。

他若是站在宝塔往下面看，是什么都看不见的，甚至连一点儿灯光都看不见了。

巨大的山峦阴影，正投落在这里，除了这一点灯光外，四面一片黑暗。

风声更低沉。

除了这低沉如叹息的风声外，四面也完全没有别的声音了。

邓定侯的动作很轻，他相信就算是一只狸猫，行动时也未必能比他更轻巧。

黑暗又掩住了他的身形，他也相信塔上的不管是人是鬼，都不会发现他的。

但是偏偏就在这时候，塔上已有个人在冷冷道："很好，你居然准时来了。"

邓定侯一惊，还拿不准这人究竟是在跟谁说话。

这人却又接着道："你既然已来了，为什么还不上来？"

邓定侯叹了口气，这次他总算已弄清楚，这人说话的对象就是他。

看来他的动作虽然比狸猫更轻，这人的感觉却比猎狗还灵。

他挺起了胸膛，握紧了拳头，尽量使自己的声音镇定："我既然已来了，当然要上去的。"

每一层塔外，都有飞檐斜出，以邓定侯的轻功，要一层层的飞跃上去并不难。

但是他却宁可走楼梯。他不愿在向上飞跃时，忽然看见一把刀从黑暗中伸出来。

他也不想被人凌空一脚踢下，像是条土狗一样摔死在这里。

他宁可走楼梯。

不管塔里的楼梯有多窄，多么黑暗，他还是宁可走楼梯的。

就算塔里面也有埋伏，他也宁可走楼梯。

只要能让自己的脚踏在地上，他心里总是踏实些。

他一步步地走，宁可走得慢些，这也总比永远到不了的好。

塔里面既没有埋伏，也没有人。

四面窗户上糊着的纸已残破了，被风吹得"叹落，叹落"的响。

越走到上面，风越大，声音越响，邓定侯的心也跳得越快。

塔里面没有埋伏，是不是因为所有的力量都已集中塔顶上？

既然明知他一上到塔顶，就已再也下不来，又何必多费事？

邓定侯的手很冷，手心捏着把冷汗，甚至连鼻尖都冒出了汗。

这倒并不是完全因为害怕，而是因为紧张。

凶手究竟是谁？

奸细究竟是谁？

这谜底立刻就要揭晓了，到了这种时候，有谁能不紧张？

塔顶上当然有人，有灯也有人。

一盏灯，两个人。

断塔断魂

（一）

一盏黄油纸灯笼，用竹竿斜斜挑起，竹竿插在断墙里，灯笼不停地摇晃。

灯下有一个人，一个衰老伛偻的残废人，阴暗丑陋的脸上，满是刀疤。

胡老五，"拼命"胡老五，此刻他当然不是在拼命，他正在倒酒。

酒杯在桌上，桌子在灯下，他正在替一个很高大的人倒酒。桌子两旁，面对面摆着两张椅子，一张椅子上已有个人坐着，一个很高大的黑衣人，他是背对着楼梯口的。

邓定侯从楼梯走上来，只能看到他的背影，虽然坐着，还是显得很高大，他当然听见了邓定侯走上来的脚步声，却没有回头，只不过伸手往对面椅子上指了指，道："坐。"

邓定侯就走过去坐下，坐下去之后他才抬起头，面对着这个人，凝视着这个人的眼睛。

两个人的目光相遇，就好像是刀与刀相击，剑与剑交锋。两个人的脸都同样凝重严肃。

七种武器

邓定侯当然见过这个人的脸，见过很多次，他第一次见到这个人的脸是在关外……

在那神秘富饶的大平原，雄伟巍峨的长白山，威名远播的长青镖局里。

从那次之后，他每次见过这个人，心里都会充满了敬重和欢愉。因为他敬重这个人，也喜欢这个人。可是这一次，他见到他面前的这张脸时，心里却只有痛苦和愤怒。

——百里长青，果然是你，你……你为什么竟然要做这种事？

他虽然在心里大声呐喊，嘴里却只淡淡地说了句："你好。"

百里长青沉着脸，冷冷道："我不好，很不好。"

邓定侯道："你想不到我会来？"

百里长青道："哼。"

邓定侯叹了口气，道："但是我却早已想到你……"

他没有说下去，因为他看见百里长青皱起了眉，他要说的话，百里长青显然很不愿听。

他一向不喜欢说别人不愿听的话，何况，现在所有的秘密都已不再是秘密，互相尊重的朋友已变得势不两立了，再说那些话岂非已是多余的。

无论多周密的阴谋，都一定会有破绽；无论多雄伟的山峦，都一定会有缺口。

风也不知从哪一处缺口吹过来，风在高处，总是会令人觉得分外尖锐强劲，人在高处，总是会觉得分外孤独寒冷。这种时候，总是会令人想到酒的。胡老五也为他斟满了一杯。邓定侯并没有拒绝，不管怎么样，他都相信百里长青绝不是那种会在酒中下毒的人。

他举杯——

他还是向百里长青举杯，这也许已是他最后一次向这个人表示尊敬。

百里长青看见他，目中仿佛充满了痛苦和矛盾，那些事或许也不是他真心愿意去做的。

但是他做出来了。邓定侯一口喝干了杯中的酒，只觉得满嘴苦涩。

百里长青也举杯一饮而尽，忽然道："我们本来是朋友，是吗？"

邓定侯点头承认。

百里长青道："我们做的事，本来并没有错。"

邓定侯也承认。

百里长青道："只可惜我们有些地方的做法，并不完全正确，所以才会造成今天这样的结果。"

邓定侯长长叹息，道："这实在是很可惜，也很不幸。"

百里长青摇头道："最不幸的，现在我已来了，你也来了。"

邓定侯道："你认为我不该来？"

百里长青道："我们两个人之中，总有一个是不该来的。"

邓定侯道："为什么？"

百里长青道："因为我本不想亲手杀你。"

邓定侯道："现在呢？"

百里长青道："现在我们两个人之中，已势必只有一个能活着回去。"

他的声音平静镇定，充满自信。

邓定侯忽然笑了。

对于百里长青这个人，他本来的确有几分畏惧，但是现

七种武器

在，一种最原始的愤怒，却激发了他生命中所有的潜力和勇气。

——反抗欺压，本就是人类最原始的愤怒之一。

——就因为人类能由这种愤怒中产生力量，所以人类才能永存！

邓定侯微笑道："你相信能活着回去的那个人一定是你？"

百里长青并不否认。

邓定侯忽然笑着站起来，又喝干了杯中的酒。

这一次他已不再向百里长青举杯，只淡淡说了一个字："请！"

百里长青凝视着他放下酒杯的这只手，道："你的手有伤？"

邓定侯道："无妨。"

百里长青道："你所用的武器，就是你的手。"

邓定侯道："但是我自己也知道，我绝对无法用这只手击败你。"

百里长青道："那你用什么？"

邓定侯道："我用的是另一种力量，只有用这种力量，我才能击败你。"

百里长青冷笑。

他没有问那是什么力量，邓定侯也没有说，但却在心里告诉自己："邪不胜正，公道、正义、真理，是永远都不会被消灭的。"

风更强劲，已由低沉变成尖锐，由叹息变为嘶喊。

风也在为人助威？

为谁？

邓定侯撕下了一块衣襟，再撕成四条，慢慢地扎紧了衣袖和裤管。

胡老五在旁边看着他，眼神显得很奇怪，仿佛带些怜悯，又仿佛带着讥嘲不屑。

邓定侯并不在乎。

他并不想别人叫他"拼命的邓定侯"，他很了解自己，也很了解他的对手。

江湖中几乎很难再找到这么可怕的对手。

他并不怕胡老五把他看成懦夫，真正的勇气有很多面，谨慎和忍耐也是其中的一面。

这一点胡老五也许不懂，百里长青却很了解。

他虽然只不过随随便便地站在那里，可是眼睛里并没有露出讥笑之意，反而带着三分警惕、三分尊重。

无论谁都有保护自己生命的权力。

为了维护这种权利，一个人无论做什么都应该受到尊重。

邓定侯终于挺起胸，面对着他。

百里长青忽然道："这几个月来，你武功好像又有精进。"

邓定侯道："哦？"

百里长青道："至少你已真正学会了两招，若想克敌制胜，这两招必不可缺。"

邓定侯道："你说的是哪两招？"

百里长青道："忍耐，镇定。"

邓定侯看着他，目中又不禁对他露出尊敬之意。

他虽然已不再是个值得尊重的朋友，却还是个值得尊敬的仇敌。

百里长青凝视着他，忽然道："你还有没有什么放不下的事？"

邓定侯沉吟着，道："我还有些产业，我的妻子衣食必可

七种武器

无缺，我很放心。"

百里长青道："很好。"

邓定侯道："我若战死，只希望你能替我做一件事。"

百里长青道："你说。"

邓定侯道："放过王盛兰和丁喜，让他们生几个儿子，挑一个最笨的过继给我，也好让我们邓家有个后代。"

百里长青眼睛里又露出了那种痛苦和矛盾，过了很久，才问道："为什么要挑最笨的？"

邓定侯笑了笑，道："傻人多福，我希望他能活得长久些。"

淡淡的微笑，淡淡的请求，却已触及了人类最深沉的悲哀。

是他自己的悲哀，也是百里长青的悲哀。

因为百里长青居然也在向他请求："我若战死，希望你能替我去找一个叫江云馨的女人，把我所有的产业都全交给她。"

邓定侯忍不住问道："为什么？"

百里长青道："因为……因为我知道她有了我的后代。"

两个人都不再说话，只是静静的互相凝视，心里都明白对方一定会替自己做到这件事。

也正因为他们心里都还有这一点信任和尊重，所以他们才会向对方提出这最后的请求。

然后他们就已出手，同时出手。

邓定侯的出手凌厉而威猛。

他知道这一战无论是胜是败，都一定是段很痛苦的经历。

他只希望这痛苦赶快结束，所以每一招都几乎已使出全力。

少林神拳走的本就是刚烈威猛一路，拳势一施展开，风生虎虎，如虎出山冈。

塔顶的地方并不大，百里长青有几次都已几乎被他逼了下去。

但是每次到了那间不容发的最后一刹那，他的身子忽然又从容站稳了。

四十招过后，邓定侯的心已在往下沉。

他忽然想起三十年前，在那古老的禅寺中，他的师傅说过的几句话……

——柔能克刚，弱能胜强。

——钢刀虽强，却连一线流水也刺不断；微风虽弱，却能平息最汹涌的海浪。

——你一定要记住这一点，因为你看来虽随和，其实却倔强；看来虽谦虚，其实却骄傲。

——我相信你将来必可成名，因为你这种脾气，必可将少林拳的长处发挥，但是你若忘了这一点，遇见真正的对手时，就必败无疑了。

阴郁的古树，幽深的禅院，白眉的僧人坐在树下，向一个少年谆谆告诫——此情此景，在这一瞬间忽然又重现在他眼前。

这些千锤百炼、颠扑不破的金石良言，也仿佛响在他耳边。

只可惜他已将这些话忘记了很久，现在再想起，已太迟了。

他忽然发现自己全身都已被一种柔和却断不绝的力量缚束着，就像是虎豹沉入了深水，蝇蛾投入了蛛网。……

然后百里长青的手掌，就像是那山峦的巨大阴影一样，向

他压了下来。

他已躲不开。

——死是什么滋味？

他闭上眼。

温柔绮丽的洞房花烛夜，他妻子丰满圆润的双腿。

在这一瞬间，他为什么还会想到这点？

——我的妻子衣食必可无缺，我很放心。

他真的能放心？

——邪不胜正，正义终必得胜！

他为什么会败？

他虽然败了，正义却没有败。

因为就在这最后的一刹那间，忽然又有股力量从旁边击来，化解了百里长青这一掌，就像是阳光驱走了山的阴影。

这股力量也正像是阳光，虽然温和，却绝不可抵御。

百里长青退出三步，吃惊地看着这个人。

邓定侯睁开眼看到这个人，更吃惊。

出手救他的这一掌，竟是那个衰老佝偻的残废胡老五。

只不过现在他看来已不再衰老，身子也挺直了，甚至连眼睛都已变得年轻。

"你不是胡老五。"

"我不是"。

"那么你是谁？"

花白的乱发和脸上的面具同时被掀起，露出了一张讨人喜欢的脸。

丁喜！

邓定侯终于忍不住叫了出来！

"丁喜？"百里长青盯着他："你就是那个聪明的丁喜？"

丁喜点点头，眼睛里的表情很奇怪。

百里长青道："你刚才用的是什么功夫？"

丁喜道："功夫就是功夫，功夫只有一种，杀人的是这一种，救人的也是这一种。"

百里长青的眼里发出光，他想不到这年轻人居然能说得出这种道理。

——在基本上，所有的武功都是一样的。

这道理虽明显，但是能够真正懂得这道理的人却不多。

事实上，能懂得这道理的人，世上根本就没有几个。

这年轻人是什么来历？

百里长青盯着他，忽又出手。

这一次他的出手更慢，更柔和，就像是可以平息海浪的那种微风，又像是从山巅流下、但永远也不会断的那一线流水。

可是这一次他遇见的既不是钢刀，也不是海浪，所以他用出的力量就完全失去意义。

百里长青更惊讶，拳势一变，由柔和变成强韧，由缓慢变成迅速。

丁喜的反应也变了。

邓定侯忽然发现他们的武功和反应，竟几乎是完全一样的。

除此之外，他们两个人之间，竟仿佛还有种很微妙的相同之处。

百里长青显然也发现了这一点，一拳击出，突然退后。

丁喜并没有进逼。

百里长青盯着他，忽然问道："你的功夫是谁教你的？"

丁喜道："没有人教我。"

百里长青道："那么你的功夫是从哪里学来的？"

七种武器

丁喜道："你不知道？真的不知道？"

他的表情很奇怪，声音也很奇怪，仿佛充满了痛苦和悲哀。

百里长青的表情却变得更奇怪，就像是忽然有根看不见的尖针，笔直刺入了他的心。

他的身子突然开始颤抖，精神和力量都突然溃散，连声音都已发不出。

他本已百炼成钢，他的力量和意志本已无法摧毁，本不该变成这样子的。

邓定侯看着他，看了很久，再看着丁喜，忽然也觉得手脚冰冷。

就在这时，灯笼忽然灭了，黑暗中仿佛有一阵尖锐的风声划过。

风声极尖锐，却轻得听不见。

只有最歹毒可怕的暗器发出时，才会有这种风声。

暗器是击向谁的？

风声一响，邓定侯的人已全力拔起，他并没有看见过这些暗器，也不知道这些暗器是打谁，但是他却一定要全力闪避。

因为他毕竟也是经过千锤百炼的高手，他已听见了这种别人听不见的风声。

百里长青和丁喜呢？

在那种情绪激动的时刻，他们是不是还能像平时一样警觉？

黑暗。

天地间一片黑暗，无边无际的黑暗。

邓定侯身子掠起，却反而有种向下沉的感觉，因为他整个人都已被黑暗吞没。

他虽然在凌空翻身的那一瞬间，乘机往下面看了一眼
可是他什么也没有看见。

他来的时候，附近没有人，塔下没有人，塔里面也没有
人。

他一直都在保持着警觉，百里长青和丁喜想必也一样。

若是有人来了，他们三个人之间，至少有一个人会发现。

既然没有人来，这暗器却是从哪里来的？

他也想不通。

这时他的真气已无法再往上提，身子已真的开始往下沉。

下面已变成什么情况？是不是还有那种致命的暗器在等着
他？

（二）

宝塔虽然已只剩下六层，却还是很高，走得越近，越觉得
高，人就在塔上，更觉得它高，无论谁也不敢一跃而下。

邓定侯咬了咬牙，用出最后一分力，再次翻身，然后就让
自己往下堕，坠下三四丈后，到了宝塔的第三层，突又伸手，
搭住了风檐。

他终于换了一口气。

这一次他再往下落时，身子已轻如落叶。

他的脚终于接触到坚实可靠的土地，在这一瞬间的感觉，
几乎就像是婴儿又投入了母亲的怀抱。

对人类来说，也许只有土地才是永远值得信赖的。

但地上也是一片黑暗。

黑暗中看不见任何动静，也听不见任何声音。

塔顶上已发生过什么事？

丁喜是不是已遭了毒手？

邓定侯握紧双拳，心里忽然又有了种负罪的感觉，觉得自己本不该就这么样抛下刚才还救了他性命的朋友。

塔里更黑暗，到处都可能有致命的埋伏，但是现在无论多么大的危险，都已吓不走他了。

他决心要闯进去。

可是在他还没有闯进去之前，断塔里已经有个人先窜了出来。

他的人已扑起，真气立刻回转，使出内家千金坠，双足落地，气力再次运行，吐气开声，一拳向这人打了过去。

这正是威震武林达三百年不改的少林百步神拳，这一拳他使出全力，莫说真的打在人身上，拳风所及处，也极令人肝胆俱碎的威力。

谁知这种不可思议的力量打在这人身上后，却完全没有反应。就像是刺人的坚冰在阳光下消失无形。

邓定侯长长吐了口气，道：“小丁？”

人影落下，果然是丁喜。

邓定侯苦笑。

平时他出手一向很慎重，可是今天他却好像变成了个又紧张、又冲动的年轻小伙子。

——先下手为强，这句话并不一定是正确的，以逸待劳，以静制动，后发也可以先至，这才是武功的至理。

——少林寺的武功能够令人尊敬，并不是因为它的刚猛之力，而是因为我们能使这种力量与精深博大的佛学融为一体。

邓定侯叹了口气，忽然发现成功和荣耀有时非但不能使人成长，反而可以使人衰退，无论谁在盛名之下，都一定会忘记很多事。

但现在却不是哀伤与悔恨的时候，他立刻打起精神，道："你也听见了那暗器的风声？"

丁喜道："嗯。"

邓定侯道："是谁在暗算我们？"

丁喜道："不知道。"

邓定侯道："暗器好像是从第五层打上去的。"

丁喜道："很可能。"

邓定侯道："我并没有看见任何人从里面出来。"

丁喜道："我也没有。"

邓定侯道："那么这个人一定还是躲在塔里。"

丁喜道："不在。"

邓定侯道："是你找不到？还是人不在？"

丁喜道："只要有人在，我就能找到。"

邓定侯道："无论什么样的暗器，都绝不可能是凭空飞出来的。"

丁喜道："很不可能。"

邓定侯道："有暗器射出，就一定有人。"

丁喜道："一定有。"

邓定侯道："无论什么样的人，都绝不可能凭空无影消失的。"

丁喜道："不错。"

邓定侯道："那么这个人呢？难道他不是人，是鬼？"

丁喜道："据说这座断塔里本来就有鬼。"

邓定侯苦笑道："你真的相信？"

丁喜道："我不信。"

邓定侯盯着他，缓缓道："其实你当然早就知道这个人是

七种武器

谁了，也知道他是怎么来的？怎么走的？却偏偏不肯说出出来。"

丁喜居然没有否认。

邓定侯道："你为什么不肯说来？"

丁喜沉吟着，终于长长叹息，道："因为就算说出来，你也不会相信。"

邓定侯道："为什么？"

丁喜道："因为有很多事都凑巧。"

邓定侯道："什么事？"

丁喜道："这件事的计划本来很周密，但你们却偏偏总是能凑巧找出很多破绽，每一个破绽，凑巧都可以引出条很有力的线索，所有的线索，又凑巧都只有百里长青一个人能完全符合。"

——五月十三日的午夜访客。

——时间的巧合。

——渊博高深的武功。

——急促的气喘声。

——用罂粟配成的药。

——绝没有人知道的镖局秘密。

邓定侯叹了口气，道："仔细想一想，这些事的确都太凑巧了些。"

丁喜道："但却还不是最凑巧的。"

邓定侯道："最凑巧的一点是什么？"

丁喜的声音忽然又变得很苦涩，缓缓道："我凑巧正好是百里长青的儿子。"

邓定侯又长长吐出口气，道："你的母亲一定就是他刚才要我去找的江夫人。"

丁喜看着他，道："你早已知道？"

邓定侯摇摇头。

丁喜道："可是你并没有觉得很意外。"

邓定侯叹息道："我以前的确想到过这一点，但你若没有亲口说出来，我还是不敢确定。"

丁喜冷冷道："你能确定什么？确定百里长青是奸细？是凶手？"

邓定侯道："我本来的确几乎已确定了，所以……"

丁喜打断了他的话，道："所以你一见到他，不问青红皂白就要跟他拼命。"

邓定侯又道："我该问什么？"

丁喜道："你至少应该问问他，他是怎么会到这里来的？在这里等的是谁？"

邓定侯道："这约会不是他订的？"

丁喜道："不是。"

邓定侯道："那么，他等的是谁？"

丁喜道："他跟你一样，也是被人骗来的，他等的也正是你要找的人。"

邓定侯动容道："他等的也是那凶手？"

丁喜道："你不信？"

邓定侯道："他看见我来了，难道认为我就是凶手？"

丁喜道："你看见他在这里，岂非也同样认为他是凶手？"

邓定侯怔住了。

丁喜叹了口气，道："看来伍先生的确是个聪明人，对你们的看法一点也没有错。"

邓定侯抢着问道："伍先生是谁？"

丁喜正容道："伍先生就是青龙会五月十三分舵的头领，

也就是这整个计划的主持人。"

邓定侯又怔住。

丁喜冷笑道："他早已准备了你们一见面就准备出手了，因为你们都是了不起的大英雄，都觉得自己的想法绝不会错，又何必再说废话，先拼个你死我活岂非痛快得多。"

邓定侯只有听着，心里也不能不承认他说得有理。

魂飞天外

（一）

丁喜道："在他的计划中，你们现在本该已经都死在塔内的，只可惜……"

邓定侯忽又笑了笑，道："只可惜你凑巧是百里长青的儿子，凑巧是我的朋友，又凑巧正好是聪明的丁喜。"

丁喜看着他，眼睛里也有了笑意。

就在这时，第三层塔上忽然传出一声暴喝，接着又是"轰"的一碰，一大片砖石落了下来，这层塔的墙壁已被打出个大洞。

洞里面更黑暗，什么都看不见。

邓定侯动容道："百里长青呢？你出来的时候，有没有看见他。"

丁喜摇摇头。

邓定侯又问道："他现在是不是已经跟那伍先生交上了手？"

丁喜又摇摇头，脸色也很沉重。

邓定侯道："我们总不能在这里看着，是不是他……"

一句话还没有说完，塔上又传来一声低叱，一声暴喝，已到了第二层。

接着又是"轰"的一声响，一大片砖石落了下来，几乎碰在他们身上。

他们虽然看不见上面的情况，可是上面交手的那两个人武功之高，力量之强，战况之激烈，不用看也可想像得到。

百里长青的武功虽然不是天下第一，他的声名地位，虽然也不是全凭武功得来的，江湖中甚至有很多人认为，就算在他们的联营镖局中，他的武功都不能算是第一把高手。

可是真正了解他的人都知道，他精气内敛，深藏不露，其实无论内力外功，都几乎已炼到巅峰，对武林中各种门派武学的涉猎和研究，更很少人能比得上。

这一点邓定侯当然了解得更清楚，他刚才还和百里长青交过手。

此刻在塔上跟他交手的人，武功竟似绝不在他之下，所以才会打得这么激烈。

假如这个人真的就是伍先生，那么这伍先生却又是谁呢？

有谁的武功能和百里长青较一时之短长？

假如这伍先生就是出卖联营镖局的奸细，杀害王老爷子的凶手，那么他不是归东景，就是姜新，不是姜新，就是西门胜。

他们三个人本来岂非已毫无嫌疑？

这些复杂的问题，在邓定侯心里一闪而过，他当然来不及思索。

就在他准备冲上塔去的时候，忽然间，又是"轰"的一声大震。

本来已剩下一半的大宝塔，竟完全倒塌了下来！

在塔上决战的那两个人，是不是已必将葬身在这断塔之下？

尘土、碎木、瓦砾、砖石，就像是一片黑云，带着惊雷和暴雨，忽然间凌空压下来。

邓定侯刚想退的时候，丁喜已拉住了他的手，往后面倒窜而出。

在他很年轻的时候，在那庄严古老的少林寺里，有很多高僧们曾经夸奖过他。

——你虽然性情有些浮躁，武功很难练到登峰造极，可是你跟别人交手时，就算武功比你高的人，也未必是你的敌手，因为你的反应快。

无论谁，对别人的赞美和夸奖，都一定比较容易记在心里。

这些话邓定侯从来就没有忘记，可是现在，他才发现他的反应并不如自己想像中那么快。

丁喜就比他快，而且快得多。

——一个人年纪渐渐老了，是不是连反应都会变得迟钝呢？

——老，难道真是这么悲哀的事？

邓定侯退出三五丈，痴痴地站在那里，沙石尘土山崩般落在他面前，他竟似完全没有感觉。

每个人都会把自己看得高些的，所以当一个人发现自己真正的价值时，总是会觉得若有所失。

这本就是人类不可避免的悲哀之一。

忽然间，动乱已平静，天地间已变得一片静寂，这静寂反而让邓定侯惊醒了。

前面仍然是一片黑塔，那巍峨高矗的大宝塔，却已变为平地。

就在一瞬前，它还像巨人般矗立在那里，藐视着它足下的草木尘土。

可是现在他自己也倒下去，就倒在它所藐视的草木尘土间。

——宝塔也跟人一样，人爬得太高，也一样比较容易倒下去。

邓定侯又不禁叹了口气。

——百里长青和那位伍先生岂非都是已经爬到高处的人？

想到百里长青，邓定侯才完全惊醒，失声道："他们的人出来没有？"

丁喜道："没有。"

人既然还没有出来，难道真的已葬身在断塔下了？

邓定侯脸色变了，立刻冲过去，黑暗中，只见断塔的基层一片砖石瓦砾山积，看来就正像是一座坟墓。

无论谁被埋葬在这坟墓里，都再也休想活着出来了。邓定侯手足已冰冷。

百里长青并不是他很好的朋友，可是现在他心里却很悲痛。

因为他自觉对这个人有所歉疚。

丁喜也已赶过来，正在看着他，仿佛已看透了他的心事了。

他对百里长青的误会和怀疑，显然都已消释了。

丁喜眼睛里不禁露出了欣慰之意，这一点本是他衷心盼望的。

邓定侯回过头，看到他的表情，愤然道："百里长青究竟是不是你的父亲?"

丁喜道:"是。"

邓定侯板着脸道:"可是现在他已葬身在断塔下,你非但一点儿也不难受,反而好像很高兴。"

丁喜没有回答这句话,反问道:"你知不知道这座宝塔为什么特别容易倒塌?"

邓定侯道:"因为它太高。"

丁喜摇摇头道:"世上还有很多更高的塔,都没有倒塌。"

邓定侯道:"难道这其中还有什么特别的原因?"

丁喜道:"这座塔是空的。"

邓定侯道:"宝塔中间本来就是空的。"

丁喜道:"但它墙壁间也是空的,甚至连地基下都是空的。"

邓定侯恍然道:"难道这座塔里有复壁地道?"

丁喜道:"每一层都有。"

邓定侯皱眉道:"宝塔本是佛家的浮屠,里面怎会有复壁地道?"

丁喜道:"这座宝塔并不是由佛家弟子盖的。"

邓定侯道:"是什么人盖的?"

丁喜道:"强盗。"

宝塔后这一片青色的山冈,多年前就已是群盗啸聚出没之地。

丁喜道:"他们为了逃避官家的追踪,才盖了这座宝塔,作为藏身的退路,所以宝塔下还有条地道,直通上面的山寨。"

邓定侯终于完全明白了:"刚才暗算我们的人,就是从复壁地道中出来的。"

丁喜道:"不错。"

邓定侯道："山下的人都认为塔里有鬼，想必也正是因为这缘故。"

丁喜叹道："所以有很多人到这里来了之后，往往会凭空失踪。"

邓定侯道："因为这是你们的秘密，若有人在无意间发现这秘密，就得被杀人灭口。"

丁喜笑了笑，笑容又变得很苦涩，道："不错，也是我们强盗的秘密，你们镖客本来就绝不会知道。"

邓定侯也只有苦笑。

他说出"你们"两个字的时候，就已经知道自己说错话了。

——这是不是因为在他心底深处，就认定了终生都要被人看作强盗？

——难道他无论怎么改变，都改变不了别人对他的看法么？

邓定侯立刻在心里立下个誓愿。

他发誓以后不但要改变自己的想法和看法，还要去改变别人的。

丁喜仿佛又看出了他的心事，微笑道："不管怎么样，我总是在山上长大的人，所以我也知道这秘密。"

邓定侯叹了口气，道："就因为你知道这秘密，所以我们还活着。"

现在总算也已明白了"伍先生"的计划了。

"他要我们先交手，等我们打到精疲力竭时，再突然从复壁地道中下毒手，让别人认为我们是同归于尽的，他就可以永远逍遥法外了。"

丁喜也叹了口气，苦笑道："只不过你就算死了，也是比较幸运的一个。"

邓定侯道："为什么？"

丁喜道："因为别人会认为你是为了要替你们的联营镖局除奸，替王老爷子复仇，才不惜和元凶同归于尽，你死了之后，说不定比活着时更受人尊敬，可是……"

——可是百里长青死了后，冤名就永远也洗不清了。

丁喜道："等你们死了后，他不但可以永远逍遥法外，而且还可以重回你们的联营镖局，进一步掌握大权，从此以后，中原江湖中的黑白两道，就全都在他掌握中了。"

想到这计划的周密和恶毒，就连他现在都不禁毛骨悚然了。

邓定侯勉强笑了笑，道："幸好我们还没有死，因为……"

丁喜微笑道："因为他没有想到这计划中会忽然多出个聪明的丁喜。"

邓定侯笑道："他更想不到这个聪明的丁喜非但是百里长青的儿子，还是邓定侯的朋友。"

七种武器

他的笑容已不再勉强，因为他已发现，无论多恶毒周密的计划，都终必会失败的，因为人世间还有一种更强大的力量存在。

那这是人类的信心和爱心了。

就因为丁喜对他的父亲和小马有这种爱心，所以才不惜冒险。

一个冷血的凶手，当然不会了解这种感情。

就因为他忽略了这一点，所以他的计划无论多周密，都终必要失败。

瓦砾下没有人，活人死人都没有。

本来在塔里的人，现在显然已都从地道中走了，地道却已被瓦砾封死。

邓定侯道："刚才在塔上和百里长青交手的人，会不会就是你说的那位伍先生？"

丁喜道："很可能。"

邓定侯道："伍先生当然不是他的真名实姓？"

丁喜道："不是。"

邓定侯道："他当然也不会以真面目见人的。"

丁喜道："他脸上戴的那面具，不但真是用人皮做的，而且做得极精巧，用法也极方便，像这样的人皮面具他至少有七八张，所以在一瞬间就可以变换七八种面具。"

邓定侯道："他身上穿的当然是黑衣服的了。"

丁喜道："通常都是的。"

邓定侯道："百里长青忽然看到一个戴着面具的黑衣人，当然不肯放过。"

丁喜道："尤其是在这种时候。"

邓定侯道："所以他若想从地道中逃走，无论他逃到哪里，百里长青都一定会跟着去追他的。"

丁喜道："所以现在他们两个人都不在了。"

邓定侯道："这地道是不是直通上面山寨？"

丁喜道："是。"

邓定侯道："伍先生想必已逃回了上面的山寨。"

丁喜道："一进了地道，就根本没有别的路可以走。"

邓定侯道："所以百里长青现在也一定到了上面的山寨了。"

丁喜点点头。

邓定侯道："你说过，那地方现在已变成了龙潭虎穴，无论谁闯了进去，都很难再活着出来。"

丁喜道："我说过。"

邓定侯凝视着他，沉下脸道："他是你的父亲，现在他已入了龙潭虎穴，你准备怎么办？"

丁喜道："你要我怎么办？"

邓定侯冷冷道："你自己应该知道的。"

丁喜道："你的意思是不是说，我们现在应该先花两个时辰把这地道里的瓦砖砾石挖出来，再从地道跑上山去送死？"

邓定侯道："为什么一定会是去送死？"

丁喜道："因为那时天已经快亮了，我们一定已累得满身臭汗，而且……"

邓定侯打断了他的话，道："我们并不一定要走地道，这附近一定还有别的路上山。"

丁喜道："当然有。"

邓定侯道："在哪里？"

丁喜道："就在我不愿意去的那条路上。"

邓定侯道："你为什么不愿意去？"

丁喜道："因为我知道他一定能照顾自己，也因为我还不想死。"

邓定侯道："可是你已经上去过。"

丁喜道："那时候情况不同。"

邓定侯道："有什么不同？"

丁喜道："那时我可以找到个很好的掩护。"

邓定侯道："拼命胡老五。"

丁喜点点头道："上山的人早已把他当做废物，从来也没有人正眼看过他，他一个人住在后面的小屋里，从来也没有人

问过他的死活。"

邓定侯道："你知道你若扮成他，一定可以瞒过别人的耳目。"

丁喜笑了笑，道："我连你们都瞒过了，何况别人？"

邓定侯道："两次到老山东店里去送信的都是你？"

丁喜道："两次都是我。"

他淡淡地接着道："我也知道你们对胡老五这个人虽然会很好奇，却还是不会看得太仔细的，因为他实在不好看。"

邓定侯道："现在这秘密当然已被揭穿了，你再上山去，当然就会有危险。"

丁喜道："所以……"

邓定侯又打断了他的话，道："所以你就算明知道百里长青和小马都要死在山上，也绝不会再上去，因为你的命比别人值钱。"

丁喜道："我的命并不值钱，假如我有两条命，你就算把我其中一条拿去喂狗，我也会不在乎的。"

邓定侯道："可惜你只有一条命。"

丁喜叹了口气，道："实在可惜得很。"

邓定侯盯着他，道："你真是一点儿也不替他担心？"

丁喜也沉下了脸，冷冷道："我还没有生下来，他就已走了，我母亲是个一点儿武功也不会的女人，而且还有病，我三岁的时候就会捧着破碗上街去要饭，六岁的时候就学会了做扒手，这十几年来，从来也没有人为我担心，我又何必去关心别人？"

他的声音冰冷，脸上也全无表情，可是他的手却在发抖。

邓定侯又盯着他看了很久，忽然长长叹了口气，道："幸好我是你朋友，幸好我已很了解你，否则我一定也会把你当做个无情无义的人。"

丁喜冷冷道:"我本来就是个无情无义的人。"

邓定侯道:"你既然真的无情无义,为什么要冒险到这里来?为什么要救我们?为什么要想法子洗脱他的罪名?"

丁喜闭上了嘴。

邓定侯道:"其实我也知道你心里一定早已有打算,只不过不肯说出来而已。"

丁喜还是闭着嘴既不承认,也没有否认。

邓定侯道:"你为什么不肯说?"

丁喜终于叹了口气,道:"我就算有话要说,也不是说给你一个人听的。"

邓定侯眼睛亮了,道:"当然,我们当然不能撇开那位大小姐。"

丁喜道:"她的人呢?"

邓定侯道:"就在那边土地庙里的一棵大银杏树上。"

丁喜淡淡的笑,道:"想不到她现在居然变得这么老实,居然肯一个人呆在树上。"

邓定侯道:"她不是一个人。"

丁喜道:"还有谁?"

邓定侯道:"老山东。"

丁喜本来已跟着他往前走,忽然又停下了脚步。

邓定侯道:"你为什么停下来?"

丁喜沉默着,过了很久,才缓缓道:"我们已不必去了。"

邓定侯道:"为什么?"

丁喜道:"因为那树上现在一定已没有人了。"

他的声音还是很冷,脸上还是完全没有表情,可是他的手又开始在发抖。

七种武器

邓定侯也发觉不对了，动容道："老山东难道不是你的朋友。"

丁喜缓缓道："老山东当然是我的朋友，只不过你们看见的老山东，已不是老山东。"

邓定侯脸色也变了。

他现在才明白，为什么丁喜两次送信去，都没有以真面目和他们相见，为什么他明知那大宝塔的约会是个陷阱，却连一点暗示警告都没有给他们。

因为他绝不能让这个"老山东"怀疑他，他一定要让邓定侯和百里长青相见，才能将计就计，揭穿伍先生的阴谋和秘密。

现在邓定侯当然也已明白，为什么这个"老山东"一定要跟着他们来，而且急得连门都没有拴。

一个卖了几十年烧鸡，自己动连一条鸡腿都舍不得吃的人，本不该那么大方的。

现在他什么事都明白了，只可惜现在已太迟。

（二）

树上果然已没有人，只留下一块被撕破的衣襟。

王大小姐的衣襟。

现在她当然也已被抢上了山寨——无论谁到了那里，都很难活着回来。

她当然更难。

树下的风，邓定侯站在这里夜的凉风中，冷汗却已湿透了衣裳。

自从他出道以来，在江湖人的心目中，他一直是个很有才能的人，无论什么样的难题，到了他手里，大多数都能迎刃而解。

所以他自己也渐渐认为自己的确很有才能，对自己充满了信心。

可是现在他却忽然发现自己原来只不过是个呆子。

一个只会自作聪明、自我陶醉的呆子。

丁喜忽然拍了拍他的肩，道："你用不着太难受，我们还有希望。"

邓定侯道："还有什么希望？"

丁喜道："还有希望能找到那位王大小姐的。"

邓定侯道："到哪里去找？"

丁喜道："老山东的馒头店。"

邓定侯苦笑道："难道这个不是老山东的老山东，还会带她回馒头店去？"

丁喜道："就因为他不是老山东，所以才会把她带回馒头店。"

邓定侯道："为什么？"

丁喜道："因为馒头店里不但可以做馒头，还可以做一些别的事。"

邓定侯更不懂："可以做什么事？"

丁喜叹了口气，道："你真的不懂？"

邓定侯摇摇头。

丁喜苦笑道："假如你认为这个不是老山东的老山东，你就会懂了。"

邓定侯道："你认得他？"

丁喜点点头。

邓定侯道："他究竟是什么人？"

丁喜道："他是一个老色鬼。"

（三）

云淡星稀，夜更深了。

老山东馒头店里，却还有灯光露出。

看见这灯光，邓定侯不知应该松口气还是应该更担心？

现在，王大小姐就算没有被掳入虎穴，却已必定落入虎口，落在虎穴和落在虎口的情形几乎没有多大的差别，总之是在极短的时间，便面临令人不想再看下去的景象便是。

——猎物会被毫无人性的老虎吃下去。

他现在看不见丁喜脸上的表情。

他一直落在丁喜的后面，眼中虽然尽了全力，还是看不出丁喜的表情。

丁喜就是这样的人，他不论碰上什么，如果从表情上看，他不会透露出什么来。

不过他嘴边常常挂着逗人喜欢的笑容，或者可能心情轻松得多。

但这时他连嘴边的微笑也没有了，他心里正在替谁担心？或许是王大小姐，或许是自己。

对这点他不再惊异，也不再难受，他已承认自己在很多方面都不如丁喜。

一个人若是真的已认输了，反而会觉得心平气和，可是丁喜至少应该停下来跟他商量商量，用什么方法进入这馒头店？用什么法子才能安全救出王大小姐？

每次行动之前，他都要计划考虑很久，若没有万无一失的把握，他绝不出手。

就在他开始考虑的时候，丁喜已一脚踢破了那破旧的木门，冲了进去。

这是最简单；最直接的一种法子，这法子实在太轻率、太鲁莽。

丁喜竟完全没有经过考虑，就选择了这种法子。

——年轻人做事总是难免冲动些的。

邓定侯在心里叹了口气，正准备冲进去接应。

可是等他冲进去的时候，王大小姐已坐起来，老山东已倒了下去，他们这次行动已完全结束，而且完全成功。

邓定侯笑了，苦笑。

他忽然发现年轻人做事的方式并不是完全错的，他忽然觉得自己的思想好像已有点落伍了。

——就因为他能这样想，所以他永远是邓定侯，永远能存在。

——只可惜像他这种身份的人能够这样想一想的并不多。

七种武器

王大小姐看看他，看看丁喜，再看看地上的老山东，心里虽然有无数疑问，却连一句话都没有问。

因为她根本不知道应该从哪里问起。

丁喜也没有说。

反正她迟早总会知道的，又何必急着要在此时说。

这次行动已圆满结束，下一次行动呢？

邓定侯也同样漫无头绪，忍不住问道："现在我们坐下来吃馒头？还是躺下去睡一觉？"

丁喜道："现在我们就上山。"

邓定侯怔了怔道："你好像刚才还说过，你不能上去的。"

丁喜道："我不能上去，老山东能上去，尤其是带着两个俘虏的时候，更应该赶快上去。"

邓定侯终于明白："两个俘虏就是我和王大小姐。"

丁喜点头。

邓定侯道："老山东就是你！"

丁喜笑道："这老色鬼能扮成老山东，小色鬼当然也可以。"

邓定侯道："你能瞒得过山上那么多双眼睛？"

丁喜道："每个人都有他自己的特征，所以别人才能辨认他。"

他又详细地解释道："最重要的一点，当然是容貌上的，其次是身材、神气、举动和味道。"

邓定侯道："味道？"

丁喜道："每个人都有他自己的味道，有些人天生就很香，有些人天生就臭。"

邓定侯道："这点倒不难，老山东整个人嗅起来就像是只烧鸡。"

丁喜道："我若穿上这身衣服，嗅起来一定也差不多。"

邓定侯道："你的身材跟他也很像，只要在肚子上多绑几条布带，再驼起背就行了。"

丁喜道："我从小就常在这里偷馒头吃，他的神气举动，我有把握可以学得很像。"

王大小姐忽然道："你本来就有这方面的天才，若是改行去唱戏，一定更出名。"

丁喜淡淡道："我本来就打算要改行了，在台上唱戏至少总比在台下唱安全些。"

王大小姐道："你在台下唱？"

丁喜道："人生岂非本就是一台戏？我们岂非都在这里唱戏？"

王大小姐闭上了嘴。

丁喜说出来的话，好像总是很快就能叫她闭上嘴的。

邓定侯道："可是你的脸……"

丁喜道："容貌不同，可以易容，我的易容术虽然并不高明，幸好老山东这副尊容也没有什么人会注意，你就真要人多看两眼，也绝对没有人会愿意。"

他笑了笑，又道："何况，我还带着三样很重的礼物上去，送礼的人，总是比较受欢迎的。"

邓定侯点点头道："我和王大小姐当然都是你要带去的礼物了。"

丁喜道："你们算两样。"

邓定侯道："还有一样是什么？"

丁喜道："烧鸡。"

（四）

房屋是用巨大的树木盖成的，虽然粗糙简陋，却带着种原始的粗犷淳朴，看来别有一种令人慑服的雄壮气势。

这里的人也一样，野蛮、剽悍、勇猛，就像是洪荒时的野兽。

只有一个人是例外。

这个人穿着身黑衣服，阴森森的脸上全无无情，一双炯炯有光的眼睛里表情却很多。

这个人看来既不野蛮，也不凶猛，却还比别的人更可怕。

——别人若是野兽，他就是猎人，别人若是棍子，他就是枪锋。

这个人当然就是伍先生。

百里长青就站在这大厅里，面对着这些野兽，面对着这枝枪锋。

他是人，只是一个人。

但他绝不比野兽柔顺，绝不比枪锋软弱。

伍先生盯着他，忽然长长叹了口气，道："你不该来的，实在不该来的。"

百里长青冷笑。

伍先生道："你本该已是个死人，连尸体都已冰冷，你和邓定侯若是全都死了，现在岂非就已经天下太平。"

百里长青道："我们死了，还有丁喜。"

伍先生道："丁喜是不足惧的。"

百里长青道："哦？"

伍先生道："他武功也许不比你差，甚至比你更聪明，但是他不足惧。"

百里长青道："为什么？"

伍先生道："因为你是位大侠客，他却是个小强盗。"

百里长青道："只可惜大侠有时也会变成小强盗。"

伍先生道："你是在说我了。"

百里长青不否认。

伍先生道："你已知道我是谁？"

百里长青道："你是霸王枪的多年老友，你对联营镖局的一切事都了如指掌，对我的事也很熟悉，你的成功一向深藏不露，因为你有个能干的总镖头挡在你前面，你自己根本用不着出手。"

他盯着伍先生道："像你这样的，江湖中能找得出几个？"

伍先生道："只有我一个？"

百里长青道："我只想到你一个。"

伍先生叹了口气，道："看来你好像真是已知道我是谁了，所以……"

百里长青道："所以今日不是你死，就是我死。"

他脸上全无表情，眼睛里却在笑："因为你们整天在为江湖中大大小小的事奔波劳碌，我却可以专心躲在家里练武，有时我甚至还有余暇去模仿别人的笔迹，打听别人的隐私。"

百里长青道："你故意将镖局的机密泄露给丁喜，就因为你早已知道他是我儿子？"

伍先生微笑道："我也知道你跟王老头早年在闽南做的那些见不得人的事。"

百里长青道："因为你已入了青龙会。"

伍先生道："青龙会想利用我，我也正好利用他们，大家互相利用，谁也不吃亏。"

百里长青道："我只奇怪一点。"

伍先生道："你说。"

百里长青道："以你的声名地位和财富，为什么还要做这种事？"

伍先生道："我说过，有两样事我是从来不会嫌多的。"

百里长青道："钱财和女人。"

伍先生道："对了。"

突听大厅外有人笑道："现在你的钱财又多了一份，女人也多了一个。"

百里长青回转头，就看见了用绳子绑着的邓定侯和王大小姐，也看见丁喜。可是他完全认不出这个满身油腻的糟老头就是丁喜，没有人能认出。

伍先生大笑道："你错了，现在我女人只多了一个，钱财却多出四份。"

丁喜道："四份？"

伍先生道："邓定侯的一份，王大小姐的一份，再加上百里长青的一份，再加上联营镖局的盈利，岂非正是四份？"

丁喜笑道："也许还不止四份。"

伍先生道："哦？"

丁喜道："姜新多病，西门胜本就受你指使，现在他们都到了你掌握之中，放眼天下，还有谁敢与你争一日之短长，江湖中的钱财，岂非迟早都是你的？"

伍先生又大笑，道："莫忘记我本来就一向有福星高照。"

他走过来，拍了拍这个老山东的肩，道："我当然也不会忘记你们这些兄弟。"

丁喜道："我知道你不会忘的，只不过你吃的是肉，我们却只能吃些骨头。"

说到"肉"字，本来被绳子绑着的邓定侯和王大小姐已扑上来，丁喜也已出手，说到"骨头"两个字时，伍先生的骨头已断了十三根。

就在这一瞬间，永远有福星高照的归东景，已变成霉星照命。变得真快，天有不测风云，人有旦夕祸福，人生就是这样子的，只不过变化实在来得太快，本来占尽上风的人，忽然间就跌得爬不起来，这变化甚至连百里长青和邓定侯都不能适应。

现在他们已退出去，带着小马和小琳一起退出去，擒贼先擒王，归东景一倒下，别的人根本不敢出手，就算出手，也不足惧。

邓定侯忍不住道："你一直说这是件很困难，很危险的事，为什么解决得如此容易？"

丁喜淡淡道："就是因为这件事太困难，太危险，所以归东景想不到有人敢冒险。"

邓定侯道："就是因为他想不到，所以我们才能得手。"

丁喜笑了笑，道："非但他想不到，就连我自己都想不到。"

可是他们现在已知道，一个人只要有勇气去冒险，天下就绝没有不能解决的事。班超、张骞，他们敢孤身涉险，就正是因为他们有勇气。古往今来的英雄豪杰，能够立大功成大事，也都是因为这"勇气"两个字。但勇气并不是凭空而来，是因为爱，父子间的亲情，朋友间的友情，男女间的感情，对人类的同情，对生命的珍惜，对国家的忠心，这些都是爱。若没有爱，谁知道这个世界会变成个什么样的世界，谁知道这故事会变成个什么样的结局？

拳

头

愤怒的小马

（一）

九月十一。重阳后二日。

晴。

今天并不能算是个很特别的日子，但却是小马最走运的一天。至少是最近三个月来最走运的一天。

因为今天他只打了三场架。只挨了一刀。而且居然直到现在还没有喝醉。

现在夜已深，他居然还能用自己的两条腿稳稳当当地走在路上，这已经是奇迹。

大多数人喝了他这么多酒，挨了这么样一刀之后，惟一能做的事，就是躺在地上等死了。

这一刀的分量也不能算太重，可是一刀砍下来，要想把一根碗口粗细的石柱子砍成两截，并不是什么太困难的事。这一刀的速度也不能算太快，可是要想将一只满屋子飞来飞去的苍蝇砍成两半，也容易得很。

若是三个月后，这样的刀就算有三五把同时往他身上砍下

七种武器

来，他至少可以夺下其中一两把，踢飞其中一两把，再将剩下来的一下子拗成两段。

今天他挨了这一刀，并不是因为他躲不开，也不是因为他醉了。

他挨这一刀，只因为他想挨这一刀，想尝尝彭老虎的五虎断门刀砍在身上时，究竟是什么滋味。

这种滋味当然不好受，直到现在，他的伤口还在流血。

一把四十三斤重的纯钢刀，无论砍在谁身上，这个人都不会觉得太愉快。

因为彭老虎现在早已躺在地上连动都不能动了。因为刀砍在他身上的时候，他总算暂时忘记了心里的痛苦。

他一直在拼命折磨自己，虐待自己。就因为他拼命想忘记这种痛苦。

他不怕死，不怕穷，天塌下来压在他头上，他也不在乎。

可是这种痛苦，却实在让他受不了。

月色皎洁，照着寂静的长街。灯已灭了，人已睡了，除了他之外，街上几乎连个鬼影都没有，却忽然有辆大车急驰而来。

健马，华车，簇新的车厢比镜子还亮，六条黑衣大汉跨着车辕，赶车的手里一条乌梢长鞭，在夜风中打得劈啪的响。

他居然好像完全没有看见，也没听见。

谁知车马却骤然在他身旁停下，六条黑衣大汉立刻一拥而上，一个个横眉怒目、行动快捷，瞪着他问："你就是那个专爱找人打架的小马？"

小马点点头，道："所以你们只是想找人打架，就找错人了。"

"现在夜已深，他居然还能用自己的两条腿稳稳当当地走在路上，这已经是奇迹。"

大汉们冷笑，显然并没有把这条醉猫看在眼里："只可惜我们并不是来找你打架的。"

小马道："不是？"

大汉道："我们只不过来请你跟我们去走一趟。"

小马叹了口气，好像觉得很失望。

大汉们好像也觉得很失望，有人从身下拿出一块黑布，道："你也该看得出我们不是怕打架的人，只可惜我们的老板想见见你。一定要我们把你活生生的整个带回去，若是少了条胳膊断了条腿，他会不高兴的。"

小马道："你们的老板是谁？"

大汉道："等你看见他，自然就会知道了。"

小马道："这块黑布是干什么的？"

大汉道："黑布用来蒙眼睛最好，保证什么都看不见。"

小马道："蒙谁的眼睛？"

大汉道："你的。"

小马道："因为你们不想让我看见路？"

大汉道："这次你总算变得聪明了一点！"

小马道："我若不去呢？"

大汉冷笑，其中一个人忽然翻身一拳，打在路旁一根系马的石桩子上。"格"一声，一根比拳头还粗的石柱，立刻被打成两段。

小马失声道："好厉害，真厉害。"

大汉轻抚着自己的拳头，傲然道："你看得出厉害，最好就乖乖地跟我们走。"

小马道："你的手不疼？"

他好像显得很开心，大汉更得意，另一条大汉也不甘示弱，忽然伏身，一个扫腿，埋在地下足足有两尺的石桩子，立刻就被连根拔了起来。"

小马更吃惊，道："你的腿也不疼？"

大汉道："可是你若不跟我们走，你就要疼了，全身上下都疼得要命。"

小马："很好。"

大汉道："很好是什么意思？"

小马道："很好的意思，就是现在我又可以找人打架了。"

这句话刚说完，他已出手。一拳打碎了一个人的鼻子，一巴掌打聋了一个人的耳朵，反手一个对拳打断了五根肋骨，一脚将一个人踢得球一般滚出去，另一人裤裆挨了一下，已疼得弯下腰，眼泪、鼻涕、冷汗、口水、大小便同时往外流。

只剩下最后一条大汉还站在他对面，全身上下也已湿透了。

小马看着他，道："现在你还想不想再逼我跟你们走？"

大汉立刻摇头，拼命摇头。

小马道："很好。"

大汉不敢开言。

小马道："这次你为什么不问我'很好'是什么意思了？"

大汉道："我……小人……"

小马道："你不敢问？"

大汉立刻点头，拼命点头。

小马忽然板起脸，瞪眼道："不敢也不行，不问就要挨揍！"

大汉只有硬着头皮，结结巴巴地问道："很好的意思……很好是什么意思？"小马笑了，道："很好的意思，就是现在我已准备跟你们走。"

他居然真的拉起车门，准备上车，忽又回头，道："拿来!"

大汉又吃了一惊，道："……拿……拿什么？"

小马道："拿黑布，就是你手上的这块黑布，拿来蒙上眼睛。"

大汉立刻用黑布蒙自己的眼睛。

小马道："拿黑布不是蒙你的眼睛，是蒙我的。"

大汉吃惊地看着他。也不知道这人究竟是个疯子，还是已醉得神志不清。

小马已夺过他手里的黑布，真的蒙上了自己的眼睛，然后舒舒服服地往车上一坐，叹道："用黑布来蒙眼睛，真是再好也没有的了。"

小马并不疯，也没有醉。

只不过别人要想勉强他去做一件事，就算把他身上戳出十七八个透明窟窿来，他也不。

他这一辈子中做的事，都是他自己愿意做的、喜欢做的。

他坐上这辆马车，只因为觉得这件事不但很神秘，而且很有趣。

所以现在就算别人不要他去也不行了。

马车往前走时，他居然已呼呼大睡，睡得像条死猪，"地方到了再叫醒我，若有人半路把我吵醒，我就打破他的头。"

七种武器

（二）

没有人敢吵醒他，所以他醒的时候，马车已停在一个很大很大的园子里。

小马并不是没有见过世面的人，但是他这一生中，也从来

没有见过这么华贵美丽的地方，他几乎认为自己还在做梦。

可是大汉们已拉开车门，恭恭敬敬地请他下车。

小马道："还要不要我把这块黑布蒙上？"

大汉们你看我，我看你，谁也不敢开口。

小马居然自己又将黑布蒙上了眼睛，因为他觉得这么样更神秘、更有趣。

他本来就是个喜欢刺激、喜欢冒险的人，而且充满了幻想。

传说中岂非有很多美丽浪漫的公主嫔妃，喜欢在深夜中将一些年轻力壮的美男子，掳到她们秘密的香闺中，去尽一夕之狂欢。也许他并不能算是个美男子，可是他至少年轻力壮，而且绝不丑。

有人已伸过条木杖，让他拉着，他就跟他们走。高高低低、曲曲折折地走了很多路。走入了一间充满香气的屋子里。

他也分不出那究竟是什么香气，只觉得这里的香气也是他生平从未嗅到过的。

他只希望拉开眼睛上这块黑布时，能看见一个他平生未见的美人。

就在他想得最开心时，已有两道风声，一前一后向他刺了过来。速度之快，也是他平生未遇过的。

小马自小就喜欢打架，尤其这三个月来，他打架几乎已比别人一辈子打的架加起来还多三百倍。

他喝酒并没有什么选择。茅台也好，竹叶青也好，大曲也好，就算三文钱一两的烧刀子，他也照喝不误。

他打架也一样。

只要心里不舒服，只要有人要找他打架，什么人他都不在乎。

就算对方是天王老子，他也先打了再说，就算他打不过别人，他也要去拼命。

所以他打架经验之丰富，遇见过的高手之多，江湖中已很少有人能比得上。

所以他一听见这风声，已知道暗算他的这两个人，都是江湖中的一流高手，所用的招式不但迅速准确，而且狠毒。

虽然他痛苦，痛苦得要命，痛苦得恨不得每天打自己三百个耳光。

但是他还不想死，他还想活着再见那个令他痛苦、令他永远无法忘怀的人。

那个又美丽、又冷酷、又多情、又心狠的女人。

——男人为什么总是要为了女人而痛苦？

急锐的兵刃破空声，已到了他后心和腰。致命的招式，致命的武器。

小马突然狂吼，就像是愤怒的雄狮般狂吼，吼声发出时，他已跃起。

他并没有避过后面的那件武器，冰冷的利锋，已刺入他的右胯。

这不是要害，他不在乎。

因为他已避开了前面的一击，一拳打在对方的面上。他看不见自己打中的是什么地方，他根本来不及拉下眼睛上的黑布。

可是他耳朵并没有被塞住，他已经听见了对方骨头碎裂的声音。

这种声音虽然并不令人愉快，可是他很愉快。

他痛恨这种在暗地偷袭的小人。

他的右胯上还带着对方的剑锋，剑锋几乎刺在他的骨头上，痛得要命。

可是他不在乎。

他已转身，反手一拳打在后面的这个人的脸上，打得更重。

出手的两个人当然也都是身经百战的武林高手，却也被吓呆了。

不是被打晕了，是被吓呆了。

像这种拼命的打法，他们非但没看过，连听都没有听过，就算听见也不相信。

所以等到小马第二次狂吼，两个人早已逃了出去，逃得比两条中了箭的狐狸还快。

小马听见他们蹿出去的衣裤带风声，可是他并没有去追。

他在笑，大笑。

他身上又受了一处伤，胯下挨了一剑，但是人却笑得开心极了。

他眼睛上的黑布还没有拿下来，也不知屋子里是不是还有人躲着暗算他，这种事他真的不在乎，一点都不在乎。

他想笑的时候就笑。

——一个人若想笑的时候都不能笑，活着才真是没意思得很。

这当然是间很华丽的屋子，他眼睛上带着黑布的时候，连想像都不能想像这屋子有多华丽。

现在他总算已将这块要命的黑布拿了下来。

他没有看见人。

最美的人和最丑的人都没有看见。这屋子根本连半个人都没有。

窗子是开着的，晚风中充满了芬芳的花香。

暗算他的两个人，已从窗子上出去，窗外夜色深沉，也听不见人声。

他坐了下来。

他既不想出去追那两个人，也不想逃走，却选了张最舒服的椅子坐了下来。

——那些黑衣大汉的老板究竟是谁？为什么要用这种法子找他来？为什么要暗算他？这一次出手不中，是不是还有第二次？

——第二次他们会用什么法子？

这些事他也没有想。

他有个好朋友常说他太喜欢动拳头，太不喜欢动脑筋。

不管那位大老板还有什么举动，迟早总要施展出来的。

既然他迟早总会知道，现在为什么要多花脑筋去想？舒舒服服地坐下来休息休息，岂非更愉快得多。

惟一遗憾的是，椅子虽舒服，他的屁股却不太舒服。事实上，他一坐下就痛得要命。

刚才那把剑，刺得真不轻。

他正想找找看屋子里有没有酒，就听见门外有了说话的声音。

屋子里有两扇门，一扇在前，一扇在后，声音是从后面一扇门里传出来的。

是女人的声音，很年轻的女人，声音很好听。

"屋角那个小柜子里有酒，各式各样的酒都有，可是你最好不要喝。"

"为什么?"小马当然忍不住要问。"因为每瓶酒里面都有可能下了毒,各式各样的毒都可能有一点儿。"

小马什么话都不再说,站起来,打开柜子,随便拿出酒瓶,拔出塞子就往嘴里倒,倒得很快,几乎连气都没有喘。一瓶酒就空了,非但没有尝出酒里是不是有毒,连酒的滋味都没有尝出来。

门后的人在叹气道:"这样好的酒,被你这么样喝,真是王八吃大麦,糟蹋了粮食。"

"不是王八吃大麦,是乌龟吃大麦。"小马在纠正她的用字。

她却笑了,笑声如银铃:"原来你不是王八,是乌龟。"

小马也笑了,他实在也分不清王八和乌龟究竟有什么分别。

他忽然觉得这女人很有趣。遇见有趣的女人不喝点酒,就像是自己和自己下棋一样无趣了。

于是他又拿出酒瓶,这次总算喝得慢些。

门后的女人又道:"这门上有个洞,我正在里面洗澡,你若喝醉了,可千万不能来偷看。"

小马立刻放下了酒瓶,很快就找到了门上面的那个洞。

听到有女孩子在屋里洗澡,门上又正好有个洞,大多数男人都不会找不到的。就算找不到,也要想法子打出个洞来,就算要用脑袋去撞,也要撞出个洞来。

他用一只眼睛偷看,只看一眼,一颗心就几乎跳出腔子。

屋子里并没有一个女人洗澡,屋里至少有七八个女人在洗澡。七八个年轻的女人,年轻的胴体结实,胸脯饱满而坚挺。

青春,本就是女孩子们最大的诱惑力,何况她们本来就很美,尤其是那一双双修长结实的腿。

她们浸浴在一个很大的水池里，池水清澈，无论你想看什么地方，都可以看得很清楚。

只有一个女人例外。

这女人也许并不比别的女孩子更美，可是小马却偏偏最想看看她，哪怕只能看到一条腿也好。

只可惜他偏偏看不见，什么地方都看不见。

这女人洗澡的时候，居然还穿着件很长很厚的黑缎长袍，只露出一段晶莹雪白的脖子。

小马的眼睛就瞧着她的脖子上。

越看不见，越觉得神秘，越神秘就越想看。天下的男人有几个不是这样的？

穿衣服洗澡的女人又在叹气道："既然你一定要来偷看，我也没法子，但是你千万不能闯进来，这扇门又没有拴上，只要用力一推就开了。"

小马没有用力去推门，他整个人都往门上撞了过去。

门果然开了，"扑通"一声，小马也跳进了水池。

其实他倒也并不是故意想跳下去的，可是既然已跳了下去，他也不想出来了。

跟七八个赤裸着的女孩子泡在一个水池里，这种事毕竟不是每个人都能遇到的。

女孩子虽然惊呼娇笑，却没有十分生气害怕的样子。

对她们来说，这种事反而好像不是第一次。

其中当然有人难免要抗议："你这人又脏又臭，到这里来干什么？"

小马口才并不坏："就因为我又脏又臭，所以才想来洗个澡。你们能在这里洗澡，我当然也能在这里洗澡。"

"既然是洗澡，为什么不脱衣服？"

七种武器

"她能够穿衣服洗澡，我为什么不能？"他居然答得理直气壮。

穿衣服洗澡的女人摇着头，叹着气道："看来你的确也要洗个澡了，可是你至少也该先把鞋子脱下来。"

小马道："脱鞋子干什么？连鞋子一起洗干净，岂非更方便！"

穿衣服洗澡的女人看着他，苦笑道："别人要你做的事，你偏偏不做；不要你做的事，你反而偏偏要做。你这人是不是有点毛病？"

小马笑道："没有，连一点儿毛病都没有，我这人的毛病至少有三千七百八十三点。"

穿衣服洗澡的女人眨了眨眼道："不管你有多少点毛病，我们的洗澡水，你可千万不能喝下去。"

小马道："好，我绝不喝下去。"

穿衣服洗澡的女人笑了，吃吃地笑道："原来你这人还不太笨，还不算是条笨驴。"

小马道："我本来就不是笨驴，我是条色狼，不折不扣的大色狼！"

他果然就立刻作出色狼的样子。穿衣服洗澡的女人立刻就显得很害怕的样子，躲到一个女孩子的背后，道："你看她怎么样？"

小马道："很好。"

这女孩子的确很好，"很好"这两个字包括了很多种意思——迷人的甜笑、青春的胴体、笔直的腿。

穿衣服洗澡的女人松了口气，道："她叫香香，你若要她，我可以叫她陪你。"

小马道："我不要。"

穿衣服洗澡的女人道："她今年才十六岁，她真的很香。"

小马道："我知道。"

穿衣服洗澡的女人道："你还是不要？"

小马道："不要。"

穿衣服洗澡的女人笑道："原来你并不是个真的色狼。"

小马道："我是的。"

穿衣服洗澡的女人又开始有点紧张了，道："你是不是想要别人？"

小马道："是。"

穿衣服洗澡的女人道："你是要谁？这里的女孩子你可以随便选一个。"

小马道："我一个都不要。"

穿衣服洗澡的女人道："你想要两个、三个也行。"

小马道："她们完全都不要。"

穿衣服洗澡的女人完全紧张了，道："你……你想要谁？"

小马道："我要你。"这句话说完，他已跳起来，扑过去。

穿衣服洗澡的女人也跳起来，把香香往他怀抱里一推，自己却已跳出了水池。

一个冰冷柔滑的胴体骤然倒入自己的怀抱里，很少有人能不动心的。

小马却不动心。

他一下子就推开了香香，也跳出水池。

穿衣服洗澡的女人绕着水池跑，喘着气道："她们都是小姑娘，我却已是个老太婆了，你为什么偏偏要我？"

小马道："因为我偏偏喜欢老太婆，尤其是你这样的老太婆。"

她当然不是老太婆。也许她的年纪要比别的女孩子大一

七
种
武
器

些，却显得更成熟、更诱人。

最诱人的一点，也许是她穿着衣服。

她在前面跑，小马就在后面追。她跑得很快，他追得却不急。

因为他知道，她跑不了的。

她果然跑不了。

后面另外还有一扇门，她刚进去，就一把被小马抓住。

后面刚好有张床，好大好大的一张床，她一倒下去，就刚好倒在床上。

小马刚好压住了她。

她喘息着，呼吸好像随时都可能停顿，用力抓住小马的手，道："你等一等，先等一等。"

小马故意露出牙齿狞笑，道："还等什么？"

他的手在动，她用力在推。

"就算你真的要想，我们至少也先说说话，聊聊天。"

"现在我不想聊天。"

"难道你也不想知道我为什么找你来？"

"现在不想。"

她虽然用力在推，可惜他的手却令人很难抗拒。

她忽然不再推了。

她忽然全身都已酥软，连一点力气都没有。

她洗澡的时候就好像出门做客一样，穿着很整齐的衣服，现在却好像洗澡一样。

小马用鼻抵着她的鼻，眼睛瞪着她的眼睛，道："你投不投降？"

她喘息着，用力咬着嘴唇道："不投降！"

小马道："你投降我就饶了你！"

她拼命摇头："我偏不投降，看你能把我怎么样？"

一个男人在这种情况下，能够把女人怎么样？

你猜呢？

有许多事既不能猜，也不能想，否则不但心会跳、脸会红，身子也会发烫的。

可是有很多事根本用不着猜，也用不着想，大家一样会知道——小马是个男人，年轻力壮的男人。

她是个女人，鲜花般盛开的女人。

小马并不笨，既不是太监，也不是圣人。

就算是笨蛋，也看得出她在勾引他。所以……

所以现在小马也不动了，全身也好像连一点力气都没有了。

她的呼吸也停顿了很久。现在才开始能喘息，立刻就喘息着说："原来你真的不是个好人。"

"我本来就不是，尤其是在遇见你这种人的时候。"

"你知道我是什么人？"

"不知道。"

"完全不知道？"

"我只知道你非但也不是个好人，而且比我更坏，坏一百倍。"

她笑了，吃吃地笑道："但我却知道你。"

"完全知道？"

"你叫小马，别人都叫你愤怒的小马，因为你的脾气比谁都大。"

"对。"

"你有个好朋友叫丁喜，聪明的丁喜。"

"对。"

"本来你们两个人总是形影不离的，可是现在他已有了老婆，人家恩爱夫妻，你当然不好意思再夹在人家中间了。"

小马没有回答，眼睛却已露出痛苦之色。

她接着又道："本来你也有个女人，你认为她一定会嫁给你的，她本来也准备嫁你的，只可惜你的脾气太大，竟把她气跑了。你找了三个月，却连她的影子都找不到。"

小马闭着嘴。

他只能闭着嘴，因为他怕。

他怕自己会大哭、大叫，他怕自己会跳起来，一头撞到墙上去。

"我姓蓝。"她忽然说出了自己的名字："我叫蓝兰。"

小马道："我并没有问你尊姓大名。"

他的心情不好，说出来的话当然也不太好听。

蓝兰却一点也不生气，又道："我的父母都死了，却留给我很大一笔钱。"

小马道："我既不想打听你的家世，也不想娶个有钱的老婆。"

蓝兰道："可是我现在已经说了出来，你已经听见了。"

小马道："我不是个聋子。"

蓝兰道："所以现在你已知道我是个什么样的人，我也知道你是个什么样的人。"

小马道："哼。"

蓝兰道："所以现在你已经可以走了。"

小马站起来，披上衣服就走。

蓝兰没有挽留他，连一点儿挽留他的意思都没有。

可是小马走到门口，又忍不住回过头，问道："你就是这里的老板？"

蓝兰道："嗯。"

小马道："叫人把我找到这里来的就是你？"

蓝兰道："嗯。"

小马道："我揍了你们五个人，喝了你们两瓶酒，又跟你……"

蓝兰没有让他说下去，道："你做的事我都知道，又何必再说？"

小马道："你费了那么多功夫，神秘兮兮地把我找到这里来，为的就是要我来喝酒，揍人？"

蓝兰道："不是。"

小马道："你本来想找我干什么的？"

蓝兰道："我本来当然还有一点别的事。"

小马道："现在呢？"

蓝兰道："现在我已不想找你做了。"

小马道："为什么？"

蓝兰道："因为现在我已有点喜欢你，所以不忍再要你去送死。"

小马道："送死？到哪里去送死？"

蓝兰道："狼山。"

据说狼山有很多狼。

据说天下大大小小、公公母母、各式各样的狼，都是从狼山来的，等到它们将死的时候，也都要回狼山去死。

这当然只不过是传说。

世上本来就有很多接近神话的传说，有的美丽，有的神秘，有的可怕。

谁也不知道这些传说究竟有几分真实性。

大家只知道一件事——现在狼山上几乎连一只狼都没有了。

狼山上的狼，都已被狼山上的人杀光了。

所以狼山的人当然比狼更可怕得多。事实上，现在狼山上的人还比世上所有的毒蛇猛兽都可怕得多。

他们不但杀狼，也杀人。

他们杀的人也许比他们杀的狼多得多。

江湖中替他们取了个很可怕的名字，叫"狼人"，他们自己也好像是很喜欢这名字。

因为他们喜欢别人怕他们。

听到"狼山"两个字，小马又不走了，回到床头，看着蓝兰。

蓝兰道："你知道狼山这地方？"

小马道："但我却不知道我为什么要到狼山上去送死。"

蓝兰道："因为你要保护我们去。"

小马道："你们？"

蓝兰道："我们就是我跟我弟弟。"

小马道："你们要到狼山去？"

蓝兰道："非去不可！"

小马道："什么时候去？"

蓝兰道："一早就去。"

小马坐下来，又瞧着她看了半天，道："据说钱太多的人，都有点毛病。"

蓝兰道："我的钱不少，可是我没有毛病。"

小马道："没有毛病的人，为什么一定要到那鬼地方去？"

蓝兰道："因为那条路是近路。"

小马道："近路？"

蓝兰道："越过狼山到西城，至少可以少走六七天路。"

小马道："你们急着要到西城？"

蓝兰道："我弟弟有病，可能一辈子都医不好，如果不能在三天之内赶到西城，也许他就死定了。"

小马道："如果从狼山走，可能一辈子也到不了西城。"

蓝兰道："我知道。"

小马道："可是你还要赌一赌？"

蓝兰道："我想不出别的法子。"

小马道："西城有人能治你弟弟的疾病？"

蓝兰道："只有他一个人。"

小马站起来，又坐下。他显然也想不出别的法子。

蓝兰道："我们本来可以去请些有名的镖客，可是这件事太急，我们只请到一个人。"

小马道："谁？"

蓝兰叹了口气，道："只可惜那个人现在已不能算是一个完整的人了。"

小马道："为什么？"

蓝兰道："因为他已被你打得七零八碎，想站起来都很难。"

小马道："彭老虎？"

蓝兰苦笑道："我们本以为他的五虎断门刀很有两下子，谁知道他一遇见你，老虎就变成了病猫。"

小马道："所以你就想到来找我。"

蓝兰道："可惜我也知道你这人是天生的牛脾气。若是好好地请你做一件事，你绝不会答应的，何况，你最近心情又不好。"

小马又站起来，瞪着她，冷冷道："我只希望你记住一点。"

蓝兰在听。

小马道："我心情好不好，是我的事，跟你一点关系都没有。"

蓝兰道："我记住了。"

小马道："很好。"

蓝兰道："这次你说很好是什么意思？"

小马道："就是你现在已经找到一个保镖的意思。"

蓝兰跳起来，看着他，又惊又喜，道："你真的肯答应？"

小马道："我为什么不肯答应？"

蓝兰道："你不怕那些狼人？"

小马道："有些怕。"

蓝兰道："你不怕死？"

小马道："谁不怕死？只有白痴才不怕死。"

蓝兰道："那你为什么还肯去？"

小马道："因为我这个人有毛病。"

蓝兰嫣然道："我知道，你的毛病有三千七百八十三点。"

小马道："是三千七百八十四点。"

蓝兰道："现在又加了一点？"

小马道："加了最要命的一点。"

蓝兰道："哪一点？"

小马忽然一把抱起她，道："就是这一点。"

（三）

凌晨。

淡淡的晨光从窗外照进来，她的皮肤柔软光滑如丝缎。

她在看着他。

他很沉默。安静而沉默。

像他这种人，只有在真正痛苦时，才会如此安静沉默。

她忍不住问："你是不是又想起了她？想起了那个被你气走了的女孩子？"

"……"

"你答应这件事，是不是因为我可以让你暂时忘记她？"

小马忽然翻身，压住了她，扼住了她的咽喉。

她几乎连呼吸都停顿，挣扎着道："我就算说错了话，你也不必这么生气的！"

小马瞧着她，目中的痛苦之色更深，手却放松了。大声道："你若说错了，我最多当你放屁，我为什么要生气？"

他生气，只因为她的确说中了他的心事。

这种刻骨铭心、无可奈何的痛苦，本就很难忘记，所以只要能忘记片刻，也是好的。

他狂歌当哭，烂醉如泥，也只不过为了要寻求这片刻的麻木和逃避。

虽然他明知无法逃避，虽然他明知清醒时只有更痛苦，他也别无选择的余地。

她正看着他时，眼波已更柔和，充满了一种母性的怜惜和同情。

她已渐渐了解他。

他倔强、骄傲，全身都充满了叛逆性，但他却只不过是个孩子。

她忍不住又想去拥抱他，可是天已亮了，阳光已照上了窗户。

"我们一早就要走。"

她坐起来，道："这里有二三十个家人，都练过几年功夫，你可以选几个带去。"

小马道："现在我已选中了一个。"

蓝兰道："谁？"

小马道："香香。"

蓝兰道："为什么要带她去？"

小马道："因为她很香，真的很香。"

蓝兰道："香人有什么作用？"

小马道："香人总比臭人好。"

阳光灿烂。

二十七条大汉站在阳光下，赤膊、秃顶，古铜色的皮肤上好像擦了油一样。

"我叫崔桐。"第一个大汉道："我练的是大洪拳。"

大洪拳虽然是江湖中最普通的拳法，可是他拉起架势，练了一趟，倒也虎虎生威。

蓝兰道："怎么样？"

小马道："很好。"

蓝兰道："这次你……"

小马打断了她的话，道："这次我说很好的意思，就是说他可以在家里好好休养。"

第二个人叫王平。居然是少林弟子，居然会伏虎罗汉拳。

小马道："很好。"

他不等别人再问，自己就解释道："这次我的意思，就是希望他打我一拳。"

王平并不是虚伪的人，而且早就看小马不顺眼。

小马就真要他打十拳八拳，他也绝不会客气。

他说打就打，一拳击出，用的正是少林罗汉拳的重手，"砰"的一声，打在小马胸膛上。

拳头击下，一个人大叫起来。

叫的人不是小马，叫的是王平。

挨揍的人没有叫，揍人的反而大叫，只因为他这一拳就好像打在石头上。

无论谁一拳打在石头上，自己的拳头都会有点受不了的。

这世上拳头比石头硬的人毕竟不多。

小马看看蓝兰，道："怎么样？"

蓝兰苦笑道："看来他也可以陪崔桐一起在家休养休养了。"

小马道："他们二十七位都可以在家休养休养。"

蓝兰道："你一个人都不带？"

小马道："我不想带去送死。"

蓝兰道："你想带谁去？"

小马道："带今天没有来的两个人。"

蓝兰道："今天没有来的？"

小马道："今天虽然没有来，昨天晚上却来了，一个还给了我一剑。"

蓝兰道："你也一给了他们一拳，难道还嫌不够？还要找他们来出气？"

小马道："我本来的确不喜欢这种背地暗算的人，可是要对付狼人，他们这种人正合适。"

蓝兰叹了口气，道："为什么你选来选去，选中的都是女孩子？"

小马有点意外："她们是孩子？"

蓝兰道："不但是女孩子，而且都香得很。"

小马大笑，道："很好，好极了，这次我的意思，就是真的好极了。"

蓝兰道："只有一点不好。"

小马道："哪一点？"

蓝兰道："现在她们的脸，都被你打肿了，人虽然还香，看起来都有点像猪八戒。"

她们并不像猪八戒。

一个十六七岁的漂亮女孩子，不管脸被打得多肿，都绝不会像猪八戒的。

令人想不到的是，出手那么毒、剑法那么锋利的人，竟是十六七岁的小姑娘。

她们是姐妹。

姐姐叫曾珍，妹妹叫曾珠，两个人的眼睛都像珍珠般明亮。

看见她们，小马就觉得很后悔，后悔自己那一拳实在打得太重了。

曾珍看见他的时候，眼睛里也有点儿气愤怀恨的样子。

妹妹却不在乎，脸虽被打肿了，却还是一直在不停地笑，笑得还很甜。

等她们走了后，小马才问："这姐妹两人你是怎么找来的？"

蓝兰笑道："连你我都能找得来，何况她们。"

小马道："她们是哪一派的弟子？"

蓝兰道："她们没有问过你是哪一派门下的弟子？"

小马道："没有。"

蓝兰道："那么你又何必问她们？"

小马看着她，忽然发觉这个女人越来越神秘，比他见过的任何女人都神秘得多。

　　蓝兰又问道："除了她们姐妹和香香外，你还想带什么人去？"

　　小马道："第一，我要找个耳朵很灵的人。"

　　蓝兰道："到哪里去找？"

　　小马道："我知道城里有个人，别人就算在二三十丈外悄悄说话，他都能听见。"

　　蓝兰道："这人是谁？"

　　小马道："这人叫张聋子，就是在城门口补鞋的张聋子。"

　　蓝兰忽然好像觉得自己的耳朵有了毛病，道："你说这人叫什么？"

　　小马道："叫张聋子。"

　　蓝兰道："他当然不是真的聋子。"

　　小马道："他是的。"

　　蓝兰几乎叫了出来："你说耳朵最灵的人是个真的聋子？"

　　小马道："不错。"

　　蓝兰道："一个真的聋子，能够听见别人在二十丈外悄悄说话？"

　　小马道："我保证他每个字都听得见。"

　　蓝兰叹了口气，道："看来你这人不但有毛病，而且还有点疯。"

　　小马笑了笑，笑得很神秘，道："你若不信，为什么不找他来试试？"

　　张聋子又叫张皮匠。

　　皮匠通常都是补鞋的。有人要找皮匠来补鞋，皮匠通常都来得很快。

张聋子也来得很快。

他进门的时候，门后躲着六个人，每个人都拿着面大铜锣，等他一脚跨进来，六个人手里的木棒就一起敲了下去。

六面铜锣一起敲响，那声音几乎已可以把一个不是失聪的人耳朵震聋。

可是张聋子连眼睛都没有眨。

他是个真的聋子。完完全全、彻底的聋子。

大厅很宽，很长。

蓝兰坐在最远的一个角落，距离门口至少有二十丈。

张聋子一走进门，就站住。

蓝兰看着他道："你会补鞋？"

张聋子立刻点点头。

蓝兰道："你姓什么？是什么地方人？家里还有些什么人？"

张聋子道："我姓张，河南人，老婆死了，女儿嫁了，现在家里只剩下我一个。"

蓝兰怔住。

她说话声音很轻，她距离这人至少有二十丈开外。

可是她说话的声音，这个大聋子居然能听得见，每个字都听得见。

小马在门后问道："怎么样？"

蓝兰叹了口气，道："很好，好极了。"

小马大笑着走出来。道："聋兄，你好。"

一看见小马，张聋子的面色就变了，就好像看见个活鬼一样，掉头就走。

他走不了。

六条拿着铜锣的大汉，已将门堵住。

张聋子只有看着小马叹气，苦笑道："我不好，很不好。"

小马道："怎么会不好？"

张聋子道："遇见了你这个倒霉鬼，我怎能会好得起来？"

小马大笑，走过去搂住他的肩，看起来他们不但是老朋友，还是好朋友。

一个好像小马似的浪子，怎会跟一个补鞋的皮匠是老朋友？

这皮匠的来历，无疑很可疑。

蓝兰并不想追问他的来历，她惟一想做的事，就是尽快过山，平安过山。

狼山。

她忍不住问："你为什么不问问他，肯不肯跟我们一起走？"

小马道："他一定肯。"

蓝兰道："你怎么知道？"

小马道："他既然已遇见了我，还有什么别的路好走？"

张聋子的面色越来越难看，试探着问道："你们总不会是想要我跟你们过狼山吧？"

小马道："'不是'下面还要加两个字。"

张聋子道："两个什么字？"

小马道："不是才怪。"

张聋子的面色已经变成了一张无字的白纸，忽然闭上眼，往地上一坐。

这意思就是表示，他非但不走，连听都不听了，不管他们再说什么，他都绝不听了。

蓝兰看着小马。小马笑笑，拉起张聋子的手，在他手心画了画，就好像画了道符。

这道符还真灵。

张聋子一下子就跳了起来，瞪着小马，道："这一趟你真的非走不可？"

小马点点头。

张聋子的脸上一阵青一阵白，终于叹了口气，道："好，我去，可是我有个条件！"

小马道："你说。"

张聋子道："你去把老皮也找来，要下水，大家一起下水。"

小马眼睛里立刻发出了光。道："老皮也在城里？"

张聋子道："他刚来，正在我家厨房里喝酒。"

小马眼睛更亮，就好像忽然从垃圾堆里找到了个宝贝，活生生的大宝贝。

蓝兰又忍不住问："老皮是什么人？"

小马道："老皮也是个皮匠。"

蓝兰道："他有什么本事？"

小马道："一点儿本事都没有。"

蓝兰道："有几点儿？"

小马道："半点儿都没有。"

蓝兰道："他完全没有本事？"

小马点点头。

蓝兰道："没有本事的人，请他来干什么？"

小马道："真正连一点儿本事都没有的人，你见过几个？"

蓝兰想了想，道："好像连一个都没见过。"

小马道："所以他这种人才真正难得。"

蓝兰不懂。

小马道："完全没有本事，就是他最大的本事，这种人找遍天下，也找不出几个。"

蓝兰好像有点懂了，又好像还不太懂。

在男人面前，她永远不会懂得一件事，就连一加一是二，她好像都不懂。

可是你认为她真的不懂，你就错了，错得很厉害。

小马没有犯这种错。所以也不再解释。

他在问张聋子："你厨房里还有多少酒？"

张聋子道："三四斤。"

小马叹了口气，道："那么他现在早就走了，喝了三斤酒之后，他绝不会再耽在别人的厨房里。"

张聋子同意，蓝兰却问道："喝了三斤酒之后，他会去干什么？"

小马苦笑道："天知道他会去干什么？喝了酒之后，他做的事只怕连神仙都猜不到。"

他看着张聋子，希望张聋子能证实他的话。

张聋子却根本没有注意他在说什么，眼睛看着门外，脸上带着种奇怪的表情。

男人们通常只有在看见一个真正使他动心的美女时才会露出这种表情。

他看见的是香香。

香香正穿过院子，匆匆走进来，美丽的脸已因兴奋而发红，还没有走进门，就大声道："我刚才听见了个好消息。"

蓝兰等着她说下去。张聋子也在等。看见香香，他好像忽然年轻了二十岁。

只可惜香香连眼角都没有往他瞄一眼，接着道："今天城里又来了一个了不起的人，我们如果能请到他，什么问题都没有了。"

蓝兰道："这个了不起的人是谁？"

香香道："邓定侯。"

蓝兰道："神拳小诸葛邓定侯？"

香香眼睛里闪着光。道："刚才老孙回来，说他正在天福楼喝酒，还请了好多好多人陪他一起喝。"

张聋子终于转过头看了看小马，小马也正在看着他。

两个人都好像想笑，又笑不出。

张聋子道："是你去还是我去？"

小马道："我去。"

香香抢着道："去找邓定侯？"

小马道："去找皮猴子，一个脸皮比一个城墙还厚的胖猴子。"

香香不懂，蓝兰却有点懂了："难道这个邓定侯就是老皮冒充的？"

小马道："不是才怪。"

香香道："邓定侯是名震天下的大侠，谁敢冒充他？"

小马道："老皮敢，喝了三斤酒之后，天下绝没有他不敢做的事。"

蓝兰道："可是你刚才还说他连一点本事都没有。这种事他怎做得出？"

小马道："就因为他一点本事都没有，所以他什么事都做得出，这就是他最大的本事！"

（四）

老皮并不太胖，更不像猴子。

他衣冠楚楚，一表人才，看起来简直比邓定侯自己更像邓定侯。

可是他看见小马的时候，却好像老鼠看见了猫。小马叫他往东，他绝不敢往西。

小马说："我们上狼山去！"

他立刻就同意："好，我们上狼山去。"

小马道："你不怕？"

老皮就拍着胸膛道："为朋友两肋插刀都不怕，何况走一次狼山。"

小马笑了，道："现在你总算明白了吧。"

蓝兰也在笑了。

她的确明白了，这个人的确是个不折不扣的胖猴子。只有一点她还不明白："你们刚才为什么要说他是皮匠？"

小马道："他本来就是的！"

蓝兰道："可是他看来完全不像。"

张聋子道："那只因为他这个皮匠，和我这个皮匠有点不同。"

蓝兰道："有什么不同？"

张聋子道："我这个皮匠是补鞋的。"

蓝兰道："他呢？"

张聋子道："他是赖皮的。"

老皮居然一点都不生气，笑嘻嘻道："我们这两个臭皮匠加在一起，虽然还比不上一个诸葛亮，要比个把曹操，总是绰绰有余的了。"

于是小马就带着这两个臭皮匠、三个小姑娘，保护着一个弱不禁风的女人、一个奄奄一息的病人开始出发。

如果别人知道他们要去的地方，竟是比龙潭虎穴还凶险的狼山，无论谁都一定会替他们捏一把汗。

可是小马自己却一点都不在乎。

病人坐在轿子里，轿子密不透风。他连这人长得是什么样子都没看见，就为这个人去卖命了。

别人一定会认为他是个笨蛋，可是他自己却不在乎。

只要他高兴，他什么事都肯去做，什么都不在乎。

三个皮匠

（一）

九月十二日。正午。晴。

天高气爽，万里无云。

两顶小轿、三匹青驴，从西门出城。就好像一家人快快乐乐的要去郊外玩玩一样。

老皮大马金刀地走在前面，就像是大哥，三个小妹妹脸上蒙着黑纱，骑着青驴，爸爸妈妈坐在轿子里，小马和张聋子就像是他们的跟班。

一个小跟班，一个老跟班，穿得比轿夫还要破烂。

蓝兰问小马为什么不肯换套新衣，小马回答很干脆："我不高兴换。"

他不高兴做的事，你就算砍下他的脑袋，他也绝不肯做的。

这一行人走在路上当然难免引起人注意，他们也在注意别人。

每个人他们都注意，就连蓝兰都不时要把帘子掀开一线缝，留意着过路的人。

七种武器

路上的人却没有什么值得特别留意的，因为这里还未到狼山。

这里是龙门。

龙门是个小镇，也是到狼山去的必经之路。

头脑清楚、神智健全的人，绝不会想到狼山去，就连做恶梦的时候都不会梦到狼山去。

所以经过这个小镇的人，不是疯子也是有点毛病，不是穷神，也是恶鬼。

所以这小镇当然荒凉而破落，留在镇上的人，不是不想走，而是走不了。

走不了的人不是因为太穷，就是因为太老。

一个已老掉了牙的老婆婆，开了家破得连锅底都快破穿洞的小饭铺，墙上写着各式各样的菜名和酒名，糖醋排骨溜蛋子，陈年绍兴竹叶青，什么都有。

其实你要什么都没有，除了已经快穷病了的人之外，谁也不会来这里吃饭。

奇怪的是，今天这里却来了七八位客人。看来非但不穷，而且都很有气派。

七八个人都好像是约了的一样。一到中午，就从四面八方赶来了，赶路却很急，可是彼此间却又偏偏全不认得。

七八个人坐在一间东倒西歪的破屋子里、几张东倒西歪的破凳子上，你瞪着我，我瞪着你，身上都佩着刀剑，眼睛里都带着敌意。

七八个人每个人都要了一碗肉丝面，半斤黄酒，因为除了这两样外，这地方根本没有别的。

面早就摆在桌上，酒也早就来了，可是谁也没有举杯，更没有动筷子。

"就好像一家人快快乐乐地要去郊外玩玩一样。"

因为面汤比洗锅水还脏，酒比醋还酸，老婆婆又早已人影不见，而且早就收了钱。

老婆婆并不笨。

她早就看出来这些人绝不是特地到这里来喝酒吃面的。

这些人为什么要到这里来？

她猜不出，她也不想管，她虽然又穷又老，可是她还想多活几年。

午时已过去，七八个人脸上都露出焦急之色，却还是动也不动地坐着。

忽然间，马啼声响，响得很急，七八个人都伸长脖子往外看。

一匹快马急驰而来，马上人肩宽、腰细、手大、脚长，穿着宝蓝色的紧身衣，腰上凸起一条，衣服下面藏着的也不知是什么软兵器。

看见了这个人，只看了一眼，大家就全都掉过了头。他们显然是在等人，等的却不是这个人。

这个人一拍马头，马就停下来。

马一停下，这个人已到了老婆婆的破饭铺里，谁也没有看见他是怎样下马的。

他的腿不但长，而且长得特别。他不但腿长，脸也长，长脸上却长着双三角眼，三角眼里精光闪闪，从这些人脸上一个个看来，忽然道："我知道你们是谁，也知道你们干什么来的。"

没有人答腔，也没有人再回头看他一眼，好像生怕再看他一眼，眼珠就会掉下来。

长腿冷笑，道："你们当然也知道我是谁，是干什么来的。"

他忽然抬腿一踢。他的腿虽然长，可是再长的腿也不会有五尺长。

　　这屋子虽然矮，可是最矮的屋子至少也有二三丈高。

　　谁知道他随随便便抬起腿一踢，屋顶就被他踢出了个大洞。

　　大家的脸色都变了，却还是不动。

　　屋顶掉下的灰土瓦砾，掉在他们头顶、面碗里，他们也毫无反应。

　　长腿已坐下来，坐在一个满面胡子的彪形大汉对面，冷冷道："这半年来，你在河东做了几票大买卖，收入想必不错。"

　　大汉还是没有反应，一双青筋结现的手却已在桌下握住刀柄。

　　长腿道："从今天开始，你有麻烦，我照顾你，你做的买卖，我们三七分账。"

　　大汉终于看了他眼一道："你只要三成？"

　　长腿道："你收三成，我占七成。"

　　大汉笑了，就在他开始笑的时候，刀已出鞘，刀光一闪，急砍长腿的左颈。这一刀招沉力猛，出手狠毒，这柄刀也不知砍过多少人的脑袋。

　　长腿没有动，至少上半身绝没有动，大汉的人却突然飞了起来，从三个人头顶飞过去，"砰"的撞在墙上，连屋子都几乎撞倒。

　　他的刀虽快，长腿的腿更快，随随便便在桌子下一踢，就将一个百把斤的大汉踢得飞出好几丈。

　　长腿冷冷地道："这就是我的追风夺命无影腿，还有谁想尝尝它的滋味？"

　　没有人答腔，甚至连喘气的声音都没有。

长腿道："那么从今天起，你们做的买卖，都归我来分账……"

突听身后一个人冷冷道："三成归他们自己，七成归我。"

长腿脸色变了，身子一缩，一双长腿已急风般连环踢出。

只听"咯啦、咯啦"两声响，他的人已飞出门外，重重跌在路心。

后面门上的棉布帘子仿佛被风吹起，还在不停地波动，谁也没看清有什么人走过去。

可是刚才还在大门口说话的声音，现在却已到了这扇小门后面的小屋里，道："赵大胡子多留两成回家治伤，其余的也改成三七分账，先交账的先走。"

坐在后门口的一个青年人立刻抢先走进去，道："这半年来我做了十三票买卖，总共有三千五百两，可是我自己吃喝嫖赌，已经花了一半。"

那声音带着笑道："你这小子倒还真会花钱。"

年轻人道："剩下的我已全部带来，可以全部交给你老人家。"

那声音道："不够的呢？"

年轻人道："你说怎么办，我就怎么办。"

那声音道："好，有理。看你还算老实，我只要你这点东西抵数。"

年轻人走出来的时候，脸上鲜血淋淋，左脸上一块皮已被削了下来。

（二）

轿子忽然在前面停下，老皮忽然从前面大步奔过来，他平

七种武器

时走路通常是四平八稳、很有气派，很少人看见他走得这么急。

小马道："你见了鬼？"

老皮道："鬼虽然没有见到，人倒看见了不少。"

小马道："什么人？"

老皮道："章长腿。"

小马道："这个人并不比鬼可爱多少。"

张聋子道："他在哪里？"

老皮道："就躺在前面的路上。"

张聋子道："躺在路上干什么？"

老皮道："你知不知道那个老太婆开的破酒店？"

张聋子知道，这条路他们都不只走过一次。

老皮道："我走到那里的时候，他正从老婆婆的店里飞出来，一下子跌在路上，躺了下去。"

小马道："然后呢？"

老皮道："然后就再也不动了。"

小马道："为什么不动？"

老皮道："因为他现在已没有腿。"

小马又皱起了眉。

章长腿的追风夺命无影脚，他是知道的，能够让章长腿变成没有腿的人，江湖中并不多。

小马道："现在还有些什么人在老婆婆那破酒店里？"

老皮道："还有七八个。"

小马道："有没有我们认识的？"

老马道："有一个。"

小马道："谁。"

老皮吞下口水，脸上的表情就好像刚吞下五斤黄连。

小马的眼睛却亮了，道："是不是常老刀？"

老皮点点头，脸上的表情好像又吞下了个发了霉的臭鸡蛋。

小马却高兴得跳起来，比刚从垃圾堆里找到个活宝贝还高兴。

老皮抢着道："你要找他来，我就走。"

小马道："你能往哪里走？"

老皮道："要我留下，你就得答应我一个条件。"

小马道："你说。"

老皮道："叫他离得我远远的，越远越好，只要他走近我一丈之内，我就算逃不了，至少我总可以一头撞死。"

小马笑了。

轿子的帘子已撩起一条线，一双美丽的眼睛正在看着他们道："常老刀是什么人？"

小马道："常老刀也是个皮匠。"

蓝兰的眼睛眨了眨，道："是个什么样的皮匠？"

小马道："是个剥皮的皮匠。"

店里七个人已剩下两个。

两个本来很有威风的江湖好汉，现在却好像待宰的小羊般坐在那里，愁眉苦脸，唉声叹气。

棉布帘子里的人已经在问："你们两位为什么不进来？"

两个人你看着我，我看着你，好像都想让对方先进去，好像明知一进去就得挨宰。

帘子里的声音更冷，道："你们是不是要我亲自出去请？"

一个年纪比较小的，终于鼓起勇气站起来。

年纪大的却拉他，压低声音，道："这次你交不了账？"

年轻的点点头。

年纪大的道："还差多少？"

年轻的道："还差得很多。"

年纪大的叹了口气，道："我也不够，也差得多。"

他忽然咬了咬牙，从身上拿出叠银票，道："加上我的，你一定够了，这些你都拿去！"

年轻的又惊又喜，道："你呢"？

年纪大的苦笑道："快也是一刀，慢也是一刀，反正我也已是个老头子了，我……没关系。"

年轻的看着他，显得又感动、又感激，忽然也从身上拿出叠银票，道："加上我的，你也一定够了，你拿去。"

年纪大的道："可是你……"

年轻的勉强笑了笑，道："我知道你还有老婆孩子，我反正还是光棍一条，我没有关系！"

两个人眼睛里都已有热泪盈盈，都没有发现大门外已多了一个人。

小马正在门口看着他们，好像也快被感动得掉下眼泪来，还没有开口，帘子里的人已在破口大骂："王八蛋，妈那个巴子，操那娘，日死你先人板板，操你妈，丢你老母，干你娘！"这一骂，已经包括了九省大骂，甚至包括了还在海隅的骂人方式。

一个冷酷、冷漠、冷静的人，忽然会这么样开骂，已经很令人吃惊。最令人吃惊的是他最后一句话。

"你们两个龟孙子快给我滚吧，滚得越远越好，滚得越快越好！"

年纪大的和年轻的两个人都怔住，不是害怕得怔住，是高兴得怔住。

他要他们滚，简直比一个人凭空送他们两栋房子还值得高兴，简直比天上忽然掉下两个大饼来还要高兴。这种高兴的程度，简直已经让他们不敢相信。

小马相信。小马相信这个人。

小马道："他让你们走，你们还不走？"

两个人直到现在才看见小马，年纪大的吃吃地问："他真的让我们走？"

小马道："你们能够义气，他为什么不能够义气？"

两个人还不太相信。

小马道："你们不用怕他骂人，只有他在觉得自己很够义气的时候，他才会骂人。"

两个人你看着我，我看着你，再同时看看小马，就一起走了。

不是走，是逃。逃得比两匹被人抽了三百六十下的快马还要快十倍。

小马笑了。门帘里没有声音。

小马笑道："想不到你这条专剥人皮的瘦猪，还有被感动的时候。"

门帘里的人终于忍不住开腔："瘦猪是你，不是我。"

小马大笑。

门帘里的人又道："你比我还瘦，比我还像猪。"

小马大笑道："我至少还有一点比你强。"

门帘里的明知故问："哪一点？"

小马道："遇见了我，你就得跟我走。"

他又解释："跟我走虽然倒霉，不跟我走你就更倒霉。"

谁也不希望自己太倒霉，所以两个皮匠就变成了三个臭皮匠：一个补鞋，一个赖皮，一个剥皮。

初遇狼人

（一）

九月十二，午后。

晴。

秋天的阳光最艳丽。

艳丽的阳光从正面的窗子里照进来，使得老婆婆的破酒铺看来更破旧，也使得会剥人皮的常老刀看来更可怕。

常老刀通常就叫常剥皮。他的确常常会剥人的皮。

看见了他，老皮立刻走得远远的，不仅远在一丈外，他好像很怕常剥皮会剥他的皮。

无论谁看见常剥皮，都难免会有一种要被剥皮的恐惧。他实在是个很可怕的人。

他矮、瘦、干枯，全身的肉加起来也许还没有四两重。

可是他远比一个三百八十八斤的巨人更可怕，他就好像是把刀子——四两重的刀子，也远比三百八十八斤废铁更可怕。

何况这把刀子的刀锋又薄又利，而且又出了鞘——无论谁看见他这个人，都一定会有这种感觉。尤其是他的眼睛。

他的眼睛看着一个人的时候，这个人通常都会觉得好像有一把刀刺在自己身上——刺在自己身上最痛的地方。

现在蓝兰就有这种感觉，因为常剥皮的眼睛正在瞥着她。

蓝兰是个很漂亮的女人。

很漂亮的女人不一定很有吸引力。

蓝兰不但漂亮，而且很有吸引力，足以将任何一个看过一眼而远在三百里外的男人，吸引到她面前一寸近的地方来。

可是她已经发现这个男人的眼光不同。

别的男人的眼光，只不过是想剥她的衣服；这个男人的眼光，却只不过是想剥她的皮。

想剥衣服的眼光，女人可以忍受，随便任何女人都可以忍受——只要并不是真的剥，就可以忍受。

想剥皮的眼光，女人可就有点受不了，随便哪种女人都受不了。

所以蓝兰在看着小马，问道："常先生是不是也肯跟我们一起过狼山？"

小马道："他一定肯。"

蓝兰道："你有把握？"

小马道："有。"

小马道："为什么？"

小马道："因为他让章长腿变成了没有腿。"

蓝兰道："章长腿也是狼人？"

小马道："不是。"

张聋子道："他只不过是柳大脚的老情人。"

蓝兰道："柳大脚是谁？"

张聋子道："狼人有公也有母，柳大脚就是母狼中最凶狠的一个！"

蓝兰笑道："长腿配大脚，倒真是天生的一对儿。"

小马道："所以现在长腿变成了没有腿，柳大脚一定生气得很，就算常老刀不上狼山，柳大脚也一定会下山来找他的。"

蓝兰眼珠子转了转，道："他上了狼山，岂不是送羊入虎口，自投罗网？"

小马道："常老刀不是羊，也不是老皮，他既然敢动章长腿，就一定已打定主意，要让柳大脚也变成没有脚。"

张聋子道："常老刀一向干净利落，要斩草就得除根，绝不能留下后患。"

常剥皮一直在听着，脸上连一点表情都没有，忽然道："十万两银子，两瓶好酒。"

他不喜欢说话，他说的话一向很少人听得懂。

蓝兰听不懂，可是她看得出小马和张聋子都懂。

张聋子道："这就是他的条件。"

蓝兰道："要他上狼山，就得先送他十万两银子、两瓶好酒？"

张聋子道："不错。"

他又补充："银子一两都不能少，酒也一定是最好的。常老刀开出来的条件，从来不打折扣。"

小马道："可是这些东西绝不是他自己要的，他并不喜欢喝酒。"

张聋子道："他要钱，却一向喜欢用自己的法子。"

他最喜欢用的法子，就是黑吃黑。

小马道："所以他要这些东西，一定是为了另外一个人。"

蓝兰道："为了谁？"

小马没有回答，张聋子也没有——因为他们都不知道。

蓝兰也不再问，更不考虑，站起来走了出去。回来的时候，就带回了十万两银票和两瓶最好的女儿红。

她是个女人，可是她做事比无数男人痛快得多。

常剥皮只看了她一眼，连一个字都没有说，用一只手挟起了两瓶酒，两根手指拈起了银票，站起来就走。不是走出去，是走进去。走进了后面老婆婆住的屋子。

一间又脏、又乱、又破、又小的屋子，那老婆婆正缩睡在屋子里的一张破炕上，缩在角落里，整个人都缩成一团。

常剥皮走进来，将两瓶酒和一叠银票都摆在破炕前的一张破桌子上，忽然恭恭敬敬的向老婆婆鞠躬长揖。

从来也没有人看见他对任何人如此恭敬过。

老婆婆也显得很吃惊，身子又往后缩一缩，看来不但吃惊，而且害怕。

常剥皮道："银票是十万两，酒是二十年陈的女儿红。"

老婆婆好像根本听不懂他在说什么。

常剥皮道："晚辈姓常，叫常无意，在家里排第三。"

老婆婆忽然道："你老子是常漫天？"

常无意道："是。"

老婆婆身子忽然坐直了，忽然间就已到了桌子前面，拍碎了酒瓶上的封泥嗅一嗅，疲倦衰老的眼睛里立刻发出了光。

就在这一瞬间，这个老掉了牙的老婆婆好像变成了另外一个人，不但变得年轻很多，而且充满了威严和自信，说不出的镇定而冷酷。

这种变化不但惊人，而且可怕。

常无意既没有吃惊，也没有害怕，好像这种事根本就是一定会发生的。

老婆婆再坐下来时，桌子上的那叠银票也不见了。

常无意虽然脸上还是完全没有表情，眼睛里却已露出希望。

只要她肯收下这十万两，事情就有了希望。

老婆婆道："这是好酒。"

常无意道："是。"

老婆婆道："坐下来陪我饮。"

常无意道："是。"

老婆婆道："喝酒要公平，我们一人一瓶。"

常无意道："是。"他搬了张破椅子过来，坐在老婆婆对面，拍碎了另一瓶酒的泥封。"

老婆婆道："我喝一口，你喝一口。"

常无意道："是。"

老婆婆捧起酒瓶，喝了一口，常无意也捧起酒瓶喝了一口。

好大的一口，一口酒下肚，老婆婆的眼睛就更亮了。

第二口酒喝下去，衰老苍白的脸上，就有了红晕。瞧着常无意看了半天，道："想不到你这孩子还有点意思。"

常无意道："是。"

老婆婆道："至少比你老子有意思。"

常无意道："是。"

老婆婆又喝了口酒，又瞧着他看了半天，忽然问道："你也想跟他们上狼山去？"

常无意道："是。"

老婆婆道："你老子已死了，你大哥、二哥也死了，你们家的人几乎死尽死绝。"

常无意道："是。"

老婆婆道："你不想死？"

常无意道："我不想。"

老婆婆笑了，露了一嘴已经快掉光的牙齿，道："我拿了你的钱，喝了你的酒，我也不想让你死。"

常无意道："是。"

老婆婆道："可是你上了狼山，我也不一定保证你能活着下来！"

常无意道："我知道。"

老婆婆道："狼山上有各式各样的狼，有日狼，有夜狼，有君子狼，有小人狼，有不吃人的狼，还有真吃人的狼。"

她又喝了口酒："这些狼里面，你知不知道最可怕的是哪种狼？"

常无意道："君子狼。"

老婆婆又笑了，道："看来你不但很有意思，而且很不笨。"

道貌岸然的伪君子，无论在什么地方，都是最可怕的。

老婆婆道："君子狼的老大，就叫做君子，这个人看来就像是个道学先生，不管做什么事都中规中矩，说话更斯文客气，不知道他的人，看见他一定会觉得他又可佩、又可亲。"

她忽然一拍桌子，大声道："可是这个人简直就他妈的不是个人，简直该砍头三万七千八百六十次。"

常无意在听着。

老婆婆又喝了几口酒，火气才算消了些，道："除了这些狼之外，现在山上又多了一种狼。"

常无意道："哪种？"

老婆婆道："他们叫嬉狼，又叫做迷狼。"

这两个名字都奇怪得很。

这种狼无疑也奇怪得很。

老婆婆道："他们年纪都不大，大多都是山上狼人第二

七种武器

代，一生下来就命中注定了是个狼人，要在狼山上过一辈子。

常无意明白她的意思。

狼人的子女，除了狼山外，还有什么别的地方可去？

天下虽大，却绝没有任何地方可以允许他们生存下去。

因为狼人们从来就不让别人生存下去。

可是他们还年轻。

年轻人总是比较善良些的，他们心里的苦恼无法发泄，对自己的人生又完全绝望，所以他们就变成了很奇怪的一群人。

老婆婆道："他们对什么事都不在乎，吃得随便，穿得破烂，有时会无缘无故的杀人，有时又会救人。只要你不去惹他们，他们通常也不会惹你，所以……"

常无意道："所以我最好不要去惹他们。"

老婆婆道："你最好装作看不见，就算他们脱光了在你面前翻跟斗，你最好也装作看不见。因为这群人里面，有很多都可算作年轻一代中的高手。尤其是老狼卜战的三个儿子，和狼君子的两个女儿。"

常无意道："听说狼山上有四个大头目，卜战和君子狼就是其中两个？"

老婆婆点点头，道："可是他们对自己的儿女却连一点法子都没有。"

常无意道："除了卜战和君子狼外，还有两个头目是谁？"

老婆婆道："一个叫柳金莲，是头母狼。只可惜她的三寸金莲是横量的。"

常无意道："柳金莲就是柳大脚？"

老婆婆眯着眼笑道："这头母狼又淫又凶，最恨别人叫她大脚，她若知道你杀她的老公，说不定会拿你来代替，那你就赶快死了算了！"

常无意在喝酒，用酒瓶挡住了脸。

他的面色已变了。

他很不喜欢听这种玩笑。

老婆婆道："还有一个叫法师，是个和尚，不念经也不吃素的和尚。"

常无意道："他吃什么？"

老婆婆道："只吃人肉——新鲜的人肉。"

一瓶酒已经快喝光了，老婆婆的眼睛已经眯了起来，好像随时都可能睡着。

常无意赶紧又问道："据说他们四个还不算真的是狼山上的首脑。"

老婆婆道："嗯。"

常无意道："真正的首脑是谁？"

老婆婆道："你不必问。"

常无意道："为什么？"

老婆婆道："因为你看不到他的，连狼山上的人都很难看到他。"

常无意道："他从来不自己出手？"

老婆婆道："你最好不要希望他自己出手。"

常无意还是忍不住要问："为什么？"

老婆婆道："因为他只要一出手，你就死定了。"

常无意又用酒瓶挡住了脸。

老婆婆道："我知道你心里一定很不服气，我也知道你的武功很不错，可是跟朱五太爷比起来，你还差得太远。"

她叹了口气，道："连我跟他比起来都差得远，否则我又何必在这里受苦？"

她到这里来，就是等着杀朱五？

常无意没有问。

他一向不喜欢探听别人的秘密。

老婆婆又道："他不但是狼山上的王，只要他高兴，随便到什么地方都可以称王。当今江湖中的高手们，几乎已没有一个人的武功能比得上他。"

她的口气中并没有愤恨和怨毒，反而好像充满了仰慕。

她又开始喝酒，一口就把剩下来的酒全都喝光，眼睛里总算又有了点光。

常无意的酒瓶也空了。

老婆婆看着他，忽然道："你为什么不问我跟朱五究竟是什么关系？"

常无意道："因为我并不想知道。"

老婆婆道："真的不想？"

常无意道："别人的秘密，我为什么要知道？"

老婆婆又瞥着他看了半天，轻轻叹了口气，道："你是个好孩子，我喜欢你。"

她忽然从身上拿出枚东西塞在常无意手里，道："这个给你，你一定有用的。"

她拿出的是个已被磨光了的铜钱，上面却有道刀痕。

常无意忍不住问："这有什么用？"

老婆婆道："它能救命。"

常无意道："救谁的命？"

老婆婆道："救你们的命。"

她又解释："你若能遇见一个左手上长着七根手指的人，将这枚铜钱交给他，随便你要他做什么，他都会答应。"

常无意道："这个人欠你的情？"

老婆婆点点头，道："只可惜你未必能遇见他，因为他是头夜狼，白天从不出现。"

常无意道："我可以在晚上找他。"

老婆婆道："你绝不能去找他，只能等着他来找你。"

她的表情很严肃，又道："在别的狼人面前，甚至连提都不要提起这个人。"

常无意还想再问，老婆婆却已睡着了。

忽然就睡着了。

常无意只有悄悄地退出去，等他出门的时候，老婆婆的身子又缩成一团，缩在床角，又变得说不出的衰老疲倦，惊慌恐惧。

（二）

常无意坐下来，坐在蓝兰对面，刀锋般锐利的眼睛里，满布了红丝。

他已醉了。

他一向很少喝酒，他的酒量并不好。

蓝兰道："你们在里面说的话，我们在外面也听见了。"

常无意知道。

他本来就希望他们能听见，免得他再说一次。

蓝兰道："那位老婆婆究竟是什么人？"

常无意道："是个老婆婆。"

蓝兰眨了眨眼，道："我想她一定是位武林前辈，而且武功极高。"

常无意忽然回头，盯着小马，道："这是你的女人？"

小马不能否认。

可是他当然也不能承认。

常无意道："她若是你的女人，你就该叫她闭上嘴。"

蓝兰抢着道："我若不是呢？"

常无意道："我就会让你闭上嘴。"

蓝兰闭上了嘴。

常无意道："这次我们上山，不是去游山玩水，我们是去玩命，所以……"

小马道："所以你还有条件。"

常无意道："不是条件，是规则，大家都遵守的规则。"

大家都在听着。

常无意道："从现在开始，男人不能碰女人，也不能碰酒。"

他的目光快如刀："若有人犯了这条规则，无论他是谁，我都会先剥他的皮。"

（三）

狼山的山势并不凶险，凶险的是山上的人。

可是山上好像连一个人的影子都没有，至少直到现在他们还没有看见过一个人。

现在已近黄昏。

夕阳满山，山色艳丽如图画。

常无意在一块平台般的岩石上停了下来，道："我们歇在这里。"

立刻就有人问："现在就歇下不嫌太早？"

问话的是香香。

直到现在，山势还很平坦，所以她们还骑在驴子上。

她的风姿优美而高贵，张聋子的眼睛很少离开过她。

常无意却连看都没有看她一眼，也没有回答她的话。

张聋子道："现在已不算早。"

香香道："可是现在天还没有黑。"

张聋子道："天黑了，我们反而要赶路了。"

香香道："为什么要在天黑的时候赶路？"

张聋子道："因为天黑的时候比较容易找到掩护，而且这山上的夜狼们也远比别的狼容易对付些，何况……"

常无意突然打断了他的话，道："她是你的女人？"

张聋子很想点头，却能只摇头。

常无意就到了香香的面前，轻飘飘一掌拍在她骑的驴子头上。

驴子倒了下去。

总算她反应还快，总算站住了脚，可是她也闭上了嘴。

小马笑了。

常无意霍然回头，瞥着他，道："你在笑？"

小马本来就在笑，现在还在笑。

常无意道："你在笑谁？"

小马道："笑你。"

常无意沉下了脸，道："我很可笑？"

小马道："一个人若总喜欢做些可笑的事，无论他是谁，都很可笑。"

他不等常无意开口，很快的接着又道："想不让天下雨，不让人拉屎，都是很可笑的事。想不让女孩子们说话也一样。"

常无意在瞧着他，瞳孔在收缩。

小马还在笑道："听说驴皮也可卖点钱的，你为什么不去剥下它的皮？"

常无意走过去，对着他走过去。

小马还站在那里，既没有进，也没有退。

突听张聋子轻呼："狼人来了。"

狼人终于来了。来了三个人。看来就像是个古洪荒时的野人，远远地站在岩石七八丈外的一棵大树下。

张聋子声音压得更低："这一定是吃人狼。"

香香道："他……他们真的吃人？"

她的声音发抖，她怕得要命，怕这些吃人的狼人，也怕常无意。

但是她仍然忍不住要问。

——想要女孩子们不说话，实在并不是件容易的事。

张聋子道："他们不一定真的会吃人，至少他们敢吃人。"

老皮已经很久没有开口了，一直站得远远的，此刻终于忍不住道："我知道他们最喜欢吃的是哪种人。"

香香道："哪……哪种人？"

老皮道："女人。"

他带笑又道："尤其是那种看起来很好看，嗅起来又很香的女人。"

香香的脸白了。张聋子的脸却发了青。

小马立刻拉着他的手，道："那边三位仁兄好像在说话。"

张聋子点点头。

小马道："他们在说什么？"

张聋子闭上了眼，只闭了一下子立刻睁开。

他的样子也立刻变了，看来已不再是个又穷又脏的臭皮匠。

他忽然变得充满了权威。

他对自己做的事充满了信心——没有信心的人，怎么会有权威！

大家都闭上了嘴，看着他。

香香也在看着他。

他知道，可是这次没有去看香香，只瞧着对面那三个人的嘴在动。

三个人的嘴在动，他却连眼睛都没有眨。

过了很久，他才开口："这几条肥羊一定癫了，居然敢上狼山。"

"他们居然还坐着轿子来，看样子不但癫得厉害，而且肥得厉害。"

"可是其中好像还有一两个扎手的。"

"你看得出是谁？"

"那个阴阳怪气、像个活僵尸的人就一定很不好对付。"

"还有那个高头大马、好像很神气的人，说不定是个保镖的。"

"那个瞪着眼睛，看着我们的穷老头，而且已经吓呆了。"

"不管怎样，他们的人总比我们多，我们总得去找些帮手。"

"这两天山上的肥羊来的不少，大家都有买卖做，我们能去找谁？"

"不管怎么样，反正他们总跑不了，这票买卖既然是我们先看见的，我们总能占上几成。"

"我只要那三个女的。"

"若是被那些老色狼看见，你只怕连一点都分不到。"

"等他们用完了，我再吃肉行不行？"

"那倒没问题。"

　　"你最好一半红烧，一半清炖，我也有许久没有吃过这么漂亮的肉了。"

　　"我一定分你三大碗，把你活活胀死。"

　　这些话当然不是和张聋子说的，他只不过将这三个人说的话照样说出来而已。

　　三个人大笑着走了，常无意还是全无表情，老皮已露出得意洋洋的样子。

　　香香却已经快吓得晕了过去。

　　两顶轿子里，一个人又开始不停地咳嗽，喘气。

　　另外一顶轿子里的蓝兰已忍不住伸出头，看着小马，又看着常无意。

　　常无意居然睡了下去，就睡在岩石上，居然好像已睡着了。

　　他说过要歇在这里，就要歇在这里。

　　小马道："这地方很好。"

　　蓝兰道："可是……可是我总觉得这地方就像是个箭靶子。

　　岩石高高在上，四面一片空旷，连个可以挡箭的地方都没有。

　　小马道："就因这个地方像个箭靶子，所以我才说好。"

　　蓝兰不懂。

　　她想问，看着常无意，又闭上了嘴。

　　幸好小马已经在解释："这地方四面空旷，不管有什么人来，我们都可以一眼就看见了。"

　　张聋子道："何况他们暂时好像还找不到帮手，等他们找到时，天已黑了，我们已走了。"

　　天还没有黑。

他们还没有走，也没有看见人，却听见了人声。

一种很不像是人声的声音，一种就像杀猪一样的声音。

这声音却偏偏是人发出来的。

——这两天来的肥羊不少，现在是不是已经有一批肥羊遭了毒手？

小马已坐下，又跳了起来。

常无意还躺在那里，眼睛还闭着，却忽然道："坐下。"

"你要谁坐下？"

常无意道："你。"

小马道："你为什么要我坐下？"

常无意道："因为你不是来多管闲事的。"

小马道："可惜我天生就是个喜欢管闲事的人。"

常无意道："那么你去。"

小马道："我当然要去。"

常无意道："我可以保证一件事。"

小马道："什么事？"

常无意道："你死了之后，绝不会有人去替你收尸。"

小马道："我喜欢埋在别人的肚子里，至少我总可以埋在别人的肚子里。"

常无意道："只可惜别人喜欢吃的是女人的肉。"

小马道："我的肉也很嫩。"

他已准备要去。

可是他还没有去，已有人来了。

（四）

岩石左面，有片树林。

很浓密的树林，距离岩石还有十余丈。

刚才杀猪般的惨呼声，就是从这片树林里发出来的。现在又有几个人从树林里冲了出来。

几个满身都是鲜血的人，有的断了手臂，有的缺了一条腿。

他们冲出来的时候，还在惨呼；惨呼还没有停，他们已倒了下去。

就倒在岩石下。

见死不救的事，你就算砍下小马的脑袋，他也绝不会做的。

他第一个跳了下去，也只有他一个人跳下去。

常无意还在躺着。

香香还坐在轿子里。

老皮虽然站着，却好像也睡着了，睡得比常无意还沉。

香香在看着张聋子。

张聋子没有睡着，所以他只好也硬着头皮往下跳。

他是聋子，但他却不是傻子，就算他想装傻也不行。

因为他知道香香正在看着他。

他的耳朵虽然聋得像木头，可是他的眼睛比猫还精。

平台般的岩石下倒着八个人。有的在挣扎呻吟，有的在满地乱滚。

有的非但连滚都不能滚，连动都不能动了。

每个人身上都有血。

鲜红的血，红得可怕。

小马想先救断臂的人，又想先救断脚的人，也想先救血流得最多的人。

他实在不知道应先救谁才好。

幸好这时张聋子也跳了下来。

小马道："你看怎么办？"

张聋子道："先救伤最轻的人。"

小马不反对。

他知道张聋子说得有理，他自己也早想到这一点，只不过他的心比较软而已。

伤最轻的人，最有把握救活，只有活人才能说出他们的遭遇。

别人的遭遇，有时就是自己的经验。

经验总是有用的。

伤得轻的人，年纪最不轻。

他的血流得最少，脸上的皱纹却最多。

小马扶起了他，先给了他两耳光。

打人耳光并不是因为愤怒和怨恨，有时也会因为是爱。

有时是因为让人清醒。

两耳光打下去，这个人果然张开了眼睛，虽然只不过张开一条线，也总算是张开了眼睛。

小马道："你们是从哪里来的？"

这个人在喘息，不停的喘息、呻吟，道："狼山……狼人……要钱……要命……"

他虽然答非所问，小马却还是要问："你们好好的来狼山做什么？"

这个人道："因为……因为……因为……我们要宰你。"

这一连说了三次"因为"，小马正注意在听。

他在小马注意听的时候，就在他说"我要宰你"几个字的时候，他就忽然出手。

不但他出手，另外的七个人也已出手，四个人对付一个人，八个人对付两个人。

断臂的人本来就是独臂人，断腿的本来就是断腿人。

血本来就是太红，红得已不太像血。

八个人同时出手，八个人都很想出手一击就要了他们的命。

八个人手上都有武器，四把小刀，两把短剑，一个铁护手，带着倒刺的铁护手，还有一样居然是武林中并不常见的镖枪。

镖枪的意思，就是一种很像镖的枪头，也就是一种很像枪头的镖，可以拿在手上做武器，也可以发出去做暗器。

他们用的兵刃都很短。

一寸短，一寸险。

何况他们出手的时候，正是对方绝对没有想到的时候。

幸好小马还有拳头。

他一拳就打在那个脸上皱纹最多的鼻子上，另外一拳就打在鼻子上没有皱纹的脸上。

幸好他还有脚。

他一脚踢飞了一个用小刀的独臂人。等到另一个独腿人的镖枪刺过来时，也就是他听见两个人鼻子碎裂的声音时。

他两只手一拍，夹住了镖枪，眼睛就盯着这个独腿人。还没有等到他出手，已经嗅到了一股臭气。

这个独腿人身上所有发臭的排泄物，都已经被吓得流了出来。

小马并不担心张聋子。

张聋子的耳朵虽然比木头还聋，手脚却比猫子还灵活。

他已经听见另外四个人骨头碎裂的声音。

所以他就瞪着这个已发臭的独腿人，道："你就是狼山上的？"

独腿人立刻点头。

小马道："你是吃人狼？还是君子狼？"

独腿人道："我……我是君子……"

小马笑了："他真他妈的是个君子。"

他笑的时候，膝头已经撞在这位君子最不君子的地方。

这位君子狼叫都没有叫出来，忽然间整个人就软了下来。

原来倒在地上的八个人，现在真的全都倒在地上了。

这次倒了下去，就算华佗再世，也很难再让他们爬起来。

小马看着张聋子。

张聋子道："看样子我们好像上了当。"

小马笑笑。

张聋子道："可是现在看起来，真正上当的还是他们。"

小马大笑，道："这也许只不过因为他们都是君子。"

张聋子道："君子是不是总比较容易上当？"

小马道："君子总比较喜欢要人上当。"

他们在笑，大笑。

岩石上却连一点动静都没有。

小马不笑了，张聋子也已笑不出。

这也许只不过是调虎离山之计——敢下来的人，至少总比不敢下来的胆子大些。

艺高人胆大。

胆子大的人，功夫通常也比较高。

他们下来了，留在岩石上的人说不定已遭了毒手。

这次是张聋子先跳了上去。他忘记不了刚才香香看着他的眼神。

他一跳上去，就看见了香香的眼睛。

眼睛还是睁开着的，睁得很大、很大很美的一双眼里，却带着一种奇怪的表情。

无论什么人的身上，表情最多的地方，通常都是他的脸。

无论什么人的脸上，表情最多的地方通常都是他的眼睛。

无论谁的眼睛里，通常都有很多表情，有时悲伤，有时欢愉，有时冷漠，有时恐惧。

香香眼睛里这种表情，却绝不是这些言词所能表示的。

因为有一把刀正架在她的脖子上。

她是个年轻而美丽的女孩子，她的脖子光滑、柔美、雪白。

她的脖子很细。

架在她脖子上的刀却不细——三十七斤的鬼头刀绝不会细。

拿着刀的手更粗。

张聋子的心沉了下去。

物以类聚。

这句话的意思就是——

龙交龙，凤交凤，王八交王八，老鼠交的朋友一定会打洞。

小马不是个好人——至少在某些方面来说，他绝不是好人。

他喜欢打架，喜欢管闲事，他打架就好像别人吃白菜一样。

张聋子是小马的老朋友，就在那刚才的一瞬间，他还打倒了四个人。

他当然不会因为只看见一把三十七斤重的鬼头刀就被吓得魂飞魄散。

不管这把鬼头刀架在谁的脖子上，他的心都绝不会沉下去。

——只有真正被吓住的人，心才会沉下去。

他的心沉下去，只因为这把鬼头刀之外，他还看见了另外十七把鬼头刀。

岩石上连轿夫在内只有十一个人。除了轿子里的蓝兰和病人外，每个人脖子上都架着一把刀。

鬼头刀的分量有轻有重。

架在香香脖子上的一把，就算不是最轻的，也绝不是最重的。

战　狼

（一）

鬼头刀的刀头重，刀身细，一刀砍下来，就像是一把锤子一样重。

鬼头刀很少砍别人的地方，鬼头刀通常只砍人的头。

一刀砍下，头就落地，绝对用不着再砍第二刀。

尤其是架在常无意脖子上的一把。那当然是最重的一柄。

常无意还在睡觉。

十八柄鬼头刀，十九个人。狼人。

一个人手里没有刀，却拿着根比鬼头刀还长的旱烟管。

张聋子知道这个人是谁。

他见过老狼卜战一面，这个人的装束打扮、神气派头，简直就像是跟卜战一个模子铸出来的。

一个不太好的模子。

所以卜战的毛病，这个人全都学全了，但卜战那种不可一世的气概，这个人一辈子都休想学会。

张聋子道："你是卜战的儿子，还是他的徒弟？"

这个人根本不理他，却在盯着小马。

小马也跃上了岩石，却笑道："我看他只不过是那匹老狼的灰孙子。"

张聋子大笑。

他当然故意在笑了，其实他心里连一点想笑的意思都没有。

看着一把鬼头刀架在一个自己喜欢的女人脖子上，无论谁心里都不会觉得愉快。

何况他早就听说老狼卜战属下的"战狼"剽悍勇猛，悍不畏死，杀起人来，更好像砍瓜切菜一样，绝不会眨一眨眼。

故意装出来的笑声，总不会太好听，而且通常都是想故意气气别人。

这个人居然还能沉得住气，居然还是不理他，还是盯着小马，道："你姓马？"

小马点点头。

这人道："你就是那个愤怒的小马？"

小马道："你呢？你是不是叫做披着狼皮的小狗？"

这人长着三角眼，一张三角脸虽已气得发白，却还是努力要装出一副气派很大、很能沉得住气的样子。冷冷道："我知道你的来历。"

小马道："嗯？"

这人道："你是从东北边上的乱石山冈下来的？"

小马道："是又怎么样？"

这人道："听说你的拳头很硬，一拳就把彭老虎打得直到现在还爬不起来。"

小马道："你是不是也想试试？"

这人冷笑道："现在乱石山冈虽然已跨了，算起来我们总

七种武器

还是道上的同源，所以我才对你特别客气。"

小马道："其实你也用不着太客气。"

这人板着脸道："我叫铁三角。"

看着他的三角眼和三角脸，小马笑了道："这名字倒总算没起错。"

铁三角道："你的名字要却叫错了。"

小马道："哦？"

铁三角道："其实你本来应该叫笨蛋才对，因为你实在笨得要命。"

他用手里的旱烟管四下点了点，道："你数数我们这次来了几把刀？"

小马用不着再数。

一下子忽然看见这么多把鬼头刀，无论谁都会偷偷数一遍的。

他也早就数过了。

铁三角道："你再看看这十八把刀现在搁在什么地方？"

小马用不着再看，他早就看得很清楚。

常无意、香香、曾珍、曾珠、老皮，再加上四个轿夫，每个人脖子上都架着一把刀。

剩下的九把刀，四把架在轿子上，五把守住了岩石的四周。

他们这次的行动显然很有计划，先用躺在岩石下面的那八个人分散对方注意，再出其不意从另一面掩上岩石偷袭。

惟一让小马不懂的是，常无意既不瞎、也不聋，怎么会让刀架在脖子上的。

他看得出这其中一定别有用意，所以他就尽量跟铁三角泡着。

张聋子却有点沉不住气了，香香的样子已越来越可怜。

铁三角道："有十八把大刀架在你朋友的脖子上，你还敢在我面前张牙舞爪，胡说八道，你说你是不是笨得要命？"

小马居然承认："是，我是笨得要命。"

他又笑了笑："要别人的命。"

铁三角也笑了，大笑。

他当然也是故意笑的，笑得比张聋子还难听："这话倒不假。你确实笨得可以要别人的命。"

笑声忽然停顿，三角脸又板了起来，冷冷道："现在你就可以先要一个人的命，我甚至可以让你随便选一个人。"

他用旱烟管指了指香香，道："你看她这条命怎么样？"

小马道："很好。"

张聋子立刻急了："很好是什么意思？"

小马叹道："很好的意思就是说，她这条命很好，不能让别人要走。"

张聋子松了口气，铁三角却在冷笑。

小马叹道："只可惜人家的刀现在就架在她的脖子上，人家是要她的命，还是不要她的命？我连一点法子都没有。"

铁三角道："你总算是个聪明人。"

小马道："有件事我却很不明白。"

铁三角道："你可以问。"

小马道："你们的刀都很像蛮快的。"

铁三角道："快得很。"

小马道："像这样的快刀，要砍下别人的脑袋，好像并不难。"

铁三角道："一点都不难。"

小马道："你们为什么还不砍？"

七种武器

铁三角道："你猜呢？"

小马道："是不是因为最近你们吃得太饱没事做，想要拿他们来消遣消遣？"

铁三角道："这种消遣的法子并不好玩。"

小马道："难道你们想用他们来要挟我，要我去替你们做件什么事？"

铁三角道："这次你总算问对了。"

小马道："你想要我干什么？"

铁三角道："我只想要你这双拳头。"

小马看着自己一双拳头，道："我这双拳头只会揍人，你要来干什么？"

铁三角道："要你不能再揍人。"

小马道："你们有十八把大刀，难道还怕我这双拳头？"

铁三角道："小心些总是好的。"

小马道："你是想我把这双拳切下来送给你，免得我找你们麻烦？"

铁三角道："你说得并不完全对，意思却也差不多了。"

小马笑了："好，送给你就送给你！"

这句话还没有说完，他的人已冲了过去，拳头已到了铁三角的鼻子上。"

铁三角并不是没有看见这一拳打过来。

他看得很清楚。

可是他就偏偏躲不过。

拳头打在鼻子上的声音并不大，鼻骨碎裂时更几乎连声音都没有。

可是这种滋味可不太好受。

铁三角只觉得脸上一阵酸楚，满眼都是金星，他一个筋斗跌了下去，大吼一声："杀！"

这个"杀"说出来，架在脖子上的九把刀立刻往下砍。

张聋子也冲了过去，准备先托住对付香香那个人的臂，再给他一拳。

可是他根本就用不着出手。

他还没有冲过去，拿着鬼头刀的大汉已惨叫一声，痛得弯下了腰。

一弯下腰，就倒了下去，一倒下去，就开始满地乱滚。

那个看起来又害怕、又可怜的香香，却还好好的站着，看着他，好像显得很同情，柔声道："对不起，我本不该踢你这个地方的，可是你也用不着太难受，这地方被踢断了，也少了许多麻烦。"

张聋子吃惊地看着她，已看呆了。

这个又温柔、又柔弱的女人，出手简直比他还快。

等他再去看别人时，来的十九匹战狼已倒下去十七个。

一个人满脸鲜血淋淋，整个一张脸上的皮都已几乎被剥了下来。

这个人当然就是刚才要宰常剥皮的人。

死得最快的两个，是刚才站在蓝兰轿子外的两个。

他们动也不动地躺在地上，全身上下只有一点儿伤痕。

只有眉心间有一滴血。

没有死的两个，还站在病人那轿子的外面，可是手中的刀再也砍不下去。

常无意冷冷地看着他们。

他们的腿在发抖，有一个连裤裆都已湿透。

常无意道："回去告诉卜战，他若想动，最好自己出手。"

七种武器

听见了"回去"这两个字，两个人简直比听见中了状元还高兴，撒腿就跑。

常无意道："回来。"

听见了"回来"这两个字，另外一个人的裤裆也湿了。

常无意道："你们知道我是谁？"

两个人同时摇头。

常无意道："我就是常剥皮。"

开始说这句话的时候，他已用脚尖从地上挑起了一把鬼头刀。

说完了这句话，两个人脸上已都少了一块皮。

小马在叹气。

常无意道："你叹什么气？"

小马道："我本来以为是他们想拿你来消遣，现在我才明白，原来你是想拿他们来消遣。难道你认为我们跟你一样，吃饱了没事做？"

常无意冷笑。

小马道："你为什么不早点出手？"

常无意道："因为我不想笨得要别人的命。"

小马道："要谁的命？"

常无意道："说不定就是你的。"

小马也在冷笑。

常无意道："你若能晚点出手，现在我们一定太平得多。"

小马道："现在我们不太平？"

常无意闭上了嘴，刀锋般的目光，却在瞄着右边的一处山峡。

夕阳已消逝，夜色已渐临。

山峡后慢慢地走出七个人来，走得很斯文，态度也很斯文。

走在最前面的一个人，儒衣高冠，手里轻摇着一把折扇。

折扇上可隐约看出八个字："惇惇君子，温文如玉。"

（二）

夜色还未深。这个人斯斯文文地走过来，走到岩石前，收起折扇，一揖到地。

后面的六个人也跟着一揖到地。

礼多人不怪，人家向你打躬作揖，你总不好意思给他一拳头的。

老皮第一个抢到前面去，赔笑道："大家素未谋面，阁下何必如此多礼？"

白衣高冠的儒者微笑道："萍水相逢，总算有缘，只恨无酒款待贵客，不能尽我地主之谊。"

老皮道："不客气，不客气。"

白衣高冠的儒者道："在下温良玉。"

老皮道："在下姓皮。"

温良玉道："皮大侠在下闻名已久，常先生、马公子和张老先生的大名，在下更早就仰慕得很，只恨缘悭一面，今日得见，实在是快慰平生。"

他只看了他们一眼，他们的来历底细，他居然好像清楚得很。

小马的心在往下沉，因为他已经猜出这个人是谁了。

温良玉道："据闻蓝姑娘的令弟抱病在身，在下听了也很着急。"

七种武器

小马忍不住道："看来你的消息实在灵通得很。"

温良玉笑了笑，道："只可惜此山并非善地，我辈中更少善人，各位要想平安度过此山，只怕很不容易，很不容易。"

小马道："那也是我们的事，跟你好像并没有什么关系。"

温良玉道："也许在下可以稍尽绵力，助各位平安过山。"

老皮立刻抢着道："我一眼就看出阁下是位君子，一定懂得为善最乐这句话的。"

温良玉长长叹息，道："在下虽然有心为善，怎奈力有不逮。"

小马道："要怎么样你的能力才能达？"

温良玉道："此间困难重重，要想过山，总得先打通一条路才是。"

小马道："这条路要怎么样才能打得通？"

温良玉又笑了笑，道："说起来那倒也并非难事，只要……"

小马道："你究竟想要什么？"

温良玉淡淡道："只不过十万两黄金，一双拳头，一只手而已。"

小马笑了："只要是金子都差不多，拳头和手就不同了。"

温良玉道："的确大有不同。"

小马道："你想要什么样的拳头，什么样的手？"

温良玉道："身体发肤，受之父母，千万不能伤损，所以……"

小马道："所以你想要会揍人的拳头，会剥皮的手？"

温良玉并不否认，微笑道："只要各位肯答应在下这几点，在下保证蓝姑娘的令弟在三日内就可以平安过山，否则……"

他又叹了口气："否则在下就爱莫能助了。"

小马大笑。

他并不是故意大笑，他是真的笑。

他忽然发现了一件事——这些伪君子们不但可恨，而且可笑。

无论在什么地方的伪君子都一样。

温良玉却面不改容，道："这条件各位不妨考虑，在下明日清晨再来静候佳音。"

小马故意作出很正经的样子，道："你一定要来。"

温良玉道："夜色已深，前途多凶险，各位若是想一夜平安无事，还是留在此地的好。"

他又长长一揖，展开折扇，慢慢地走了。

后面的六个人也跟着长揖而去。走的还是很斯文，连一点火气都没有。

小马的火气却已大得要命，恨恨道："他为什么不出手？"

常无意道："他若出手了，你又能怎么样？"

小马道："只要他出手，我保证他的鼻子现在已经不像个鼻子。"

常无意冷冷道："那时你的人也很可能不像是个人。"

张聋子抢着道："这些人就是君子狼？"

常无意道："那个人就是君子狼。"

张聋子道："你早就看见他们了？"

常无意道："那时你们正在后面急着救命，救你们自己的命。"

张聋子道："你故意跟卜战的手下泡着，就因为你知道有战狼在这里，他们就不会来。"

常无意道："这是狼山上的规矩。"

七种武器

张聋子叹了口气："看来他们的确比那几把鬼头刀容易对付得多。"

他忍不住又问："可是现在卜战的手下已经走了，他们为什么没有出手？"

常无意道："现在是什么时候？"

张聋子道："现在已经到了晚上。"

常无意道："君子狼从不在夜间出手。"

张聋子道："这也是狼山上的规矩？"

常无意道："是的。"

老皮远远地站着，忽然叹了口气，道："幸好他要的不是我的拳头，也不是我的手。"

他站得很远，可是这句话说完，常无意已经到了他的面前。

老皮的脸色立刻变了，想勉强笑一笑，一张脸都已完全变硬了。

看见了常无意，他简直比看见了个活鬼还害怕。

常无意瞥着他，冷冷道："他们不要你的拳头，也不要你的手，可是我要。"

老皮道："你……你……"

常无意道："我不但要你的手，我还要剥你的皮。"

老皮本来很高，忽然间就矮了一半。

常无意淡淡的接着道："只可惜你的手人家不要，你的皮也没有人要。"

他转过身，蓝兰已下了轿，他连看都没有看老皮一眼。

老皮居然还不敢站起来。

蓝兰却过来亲手扶起了他，柔声道："谢谢你，刚才那两把鬼头刀几乎已砍在我身上，若不是你的夺命针，我只怕活不到现在。"

老皮揉揉鼻子，又揉揉眼睛，道："这种事你又何必再提，我本来不愿让他们知道的。"

蓝兰道："我知道你深藏不露，可是救命之恩，我也不能不说。"

她用一只纤纤玉手往鬓角摘下一朵珠花："这是一点小意思，你一定要收下。"

珠花是用三十八粒晶莹圆润的珍珠串成的，每一粒都同样大小。

老皮本来想推的，看了一眼，本来要去推的那只手，已将这朵珠花握在手心了。

他是识货的人，他已看出这朵珠花至少够他大吃大喝三个月。

小马却显得很吃惊——并不是因为他收下了这朵珠花，而是因为蓝兰说的话。

吃惊的并不只小马一个人。

张聋子看看他，再看看地上那两具尸身，眉心间的一滴血："你几时学会这种武器的？我怎么从来没看见你用过？"

老皮干咳了两声，昂起了头，道："这是致命的暗器，在朋友面前我怎么会使出来？不到必要的时候，我也不会使出来。"

蓝兰轻轻叹了口气，道："你真是个好朋友。"

她有意无意之间瞄了常无意一眼，常无意脸上却全无表情。

蓝兰道："十万两黄金，我是可以拿得出来的，可是那位温君子的条件，我绝不考虑。"

这次她转过头去正视常无意，道："现在天已黑了，我们

七种武器

1185

是不是已经可以往前走？"

　　常无意点点头。

　　小马道："谁在前头开路？"

　　常无意道："你。"

　　小马道："你在后？"

　　常无意道："是。"

　　小马道："张聋子呢？"

　　常无意道："他陪你。"

　　老皮抢着道："我也陪小马。"

　　常无意冷冷道："你既然有这么好一手暗器功夫，就该居中策应。"

　　老皮道："反正我总不会到后面去的。"

　　常无意冷笑。

　　小马道："一有警兆，大家就应该抢先去保护两顶轿子。"

　　常无意冷笑道："也许他们根本不需要……"

　　这句话他还没有说完，忽然有两条人影从地上飞扑而起。

　　铁三角并没有死。

　　另外一个被小马打碎了鼻子的也没有死，鼻子并不是致命的要害。

　　小马并不喜欢杀人。

　　轿子里的病人又在咳了。

　　两条人影一掠起，就扑向这顶轿子，只要能挟制轿子里的这个病人，别的人也同样被挟制。

　　铁三角虽然没有躲开小马那一拳，功夫却很不错，不但身法很快，看得也准。

　　现在小马、张聋子、常无意都距离这顶轿子很远，一行人中，只有他们三个最可怕。

铁三角看准了这是最好的机会。

他手里的旱烟管是精钢打成的，烟斗大如拳头，无论是打在人的脑袋上，还是打在穴道上，一击就可致命。

他的同伴已悄悄抓起了一把鬼头刀。

刀光一闪，直劈轿顶。

三十七斤重的鬼头刀，凌空一刀劈下，轿顶最好的木头，也要被劈开。

轿子里的病人咳得更厉害，看来绝对避不开他们这一击。

小马和常无意的出手虽快，现在出手也是万万来不及的了。

铁三角这时出手，当然已有了一击必中的把握。

可是算错了。

就在这时，轿下的黑影中，竟忽然有两道剑光闪电般飞起。

一柄剑顺着鬼头刀的锋斜削过去，就听见一声惨叫。

鲜血飞溅，拿刀的人四根手指已被削落，剑光再一闪，就已穿胸而过。

这一剑不但使得干净利落、迅速准确，而且凶狠毒辣无比。

那道火星四激，"叮叮叮"三声响，旱烟管已接住三剑。

铁三角毕竟不是容易对付的人。脚尖找到了轿杆，借力凌空翻身。

强敌环伺，他怎么敢恋战？他想走。

谁知这时剑光已到了他胯下，剑光再一闪，竟刺入了他的裤裆。

这一剑更狠、更准、更毒辣。

七种武器

铁三角狼叫般惨呼，至死也不信使出这招的，竟是个十六七岁的小姑娘。

（三）

剑尖还在滴血。

两个小姑娘并肩站着，脸上蒙着的黑纱在晚风中轻轻地飘动。

她们拿着剑的手却稳如磐石。

她们居然还在吃吃地笑。

对她们来说，杀人竟好像只不过是种很有趣、很好玩的游戏。

这也许只因为她们年纪还太小，还不能了解生命的价值。

她们的笑声好听极了，笑的样子更娇美。

常无意冷冷地看着她们，忽然道："好剑法。"

曾珍娇笑着道："不敢当。"

曾珠却噘起嘴道："只可惜我们还是打不过那小马，我的脸都被他打肿了。"

看她们的神情，听她们说话，只不过还是两个小孩子。小孩子怎么会使出如此毒辣老练的剑法？

常无意道："你们的剑法是谁传授的？"

曾珠道："我偏不告诉你。"

曾珍吃吃地笑着道："听说你比小马还有本事，你怎么会看不出我们剑法的来历？"

常无意冷笑，忽然就到了她们面前，出手如电，去夺她们的剑。他用的是空手入白刃，还带着七十二路小擒拿法。

这种功夫他就算练得还未登峰造极，江湖中能比得上他的

许明康 许黎黎/绘

剑尖还在滴血。两个小姑娘并肩站着，脸上蒙着的黑纱在晚风中轻轻地飘动。

人却已不多。

两个小姑娘吃吃一笑，挺起了胸，两柄剑已藏到背后。小姑娘虽然是小姑娘，胸前的两点已如花蕾般挺起。

常无意虽然无意，一双手也不能抓到小姑娘的胸部上去。

曾珍娇笑道："这是我们的剑，你为什么要来抢我们的剑？"

曾珠道："一个大男人要来抢小孩子的东西，你羞不羞？"

曾珍道："羞羞羞，羞死人了。"

常无意脸色发青，竟说不出话来。

谁知两个小姑娘身形一转，剑光乍分，竟毒蛇般刺向他左右两肋。常无意空手夺白刃的功夫虽厉害，可是骤出不意，竟不敢去夺她们这一剑。

幸好他总算避开了。

两个小姑娘却偏偏得理不饶人，一左一右，联手抢攻，眨眼间攻出三剑，这三剑不但迅速毒辣，配合得更好，最后一剑如惊虹交错，眼看着就要在常无意的胸前上对穿而过。

谁知常无意的身子突然一偏，两柄剑竟都被他挟了入肋。

这一着用的真绝，也真险。两个小姑娘用尽力气也没法子将自己的剑从他肋下拔出来。

曾珍奴起了嘴，好像已经快哭出来的样子。曾珠却已真的流下泪来了。可是她们还在拼命用力，想不到常无意的两肋突然又松开。两个小姑娘身子立刻往后倒，一起跌在地上，索性不站起来了。

曾珠流着泪道："大人欺负小孩子，不要脸，不要脸。"

曾珍本来连一滴眼泪都没有流，现在却放声大哭起来。

轿子里的咳声已停了，一个人喘息着道："住嘴。"

他虽然只说了两个字，却好像已用尽了全身力气，喘息更剧烈。

这两个字的声音虽然微弱，却好像神奇的魔咒一样，简直比魔咒还灵验。两个小姑娘立刻不哭了，立刻擦干了眼泪，乖乖地站在一边。

常无意还站在那里，看着那顶轿，好像已看得入了神。只可惜他什么都看不见。

轿子上的帘拉得密密的，连一条缝都没有，轿子里的人又在不停地咳着。

这人究竟是个什么样的人？究竟得了种什么样的病？常无意没有问。他终于转过身，慢慢地走回去，小马和张聋子正在等着他。

小马道："你看出了她们的剑法没有？"

常无意闭着嘴。

小马道："我也看不出。"

他在苦笑："这样的剑法我非但看不出，我简直连看都未看过。"

张聋子道："那不是武当剑法。"

小马道："当然不是。"

张聋子道："也不是点苍、昆仑、南海、黄山的。"

小马道："废话。"

这的确是废话。武林中七大剑派的剑法，他们绝对一眼就看得出来。

张聋子却道："这不是废话。"

小马道："哦？"

张聋子道："连我们都没有看见过的剑法，别人大概都未曾看过。"

小马道："嗯。"

张聋子道："所以这种剑法也许根本没有在江湖中出现过！"小马在听，常无意也在听。

张聋子又道："可是看这种剑法的辛辣老到，必定已存在了很久。"

小马道："有理。"

张聋子道："传授她们这种剑法的人，当然也是位绝顶的高手。"

小马道："一定是。"

张聋子道："从未出现过江湖的绝顶高手有几个？"

小马道："不多。"

张聋子道："所以我们若是仔细想想，一定能想得出来的。"

蓝兰又进了轿子，老皮、香香和那两个小姑娘都躲得远远的，根本不敢告近他们。可是他们的声音还是很低。

张聋子的声音压得更低，道："那柄夺命针也绝不是老皮发出来的。"

小马同意。

张聋子道："你那位蓝姑娘故意说是他，只因为她知道老皮一定会顺水推舟，承认下来？"

小马笑道："这种好事他当然不会拒绝，否则就算真是他干的，他也会死不认账。"

张聋子道："暗器若不是老皮发的，那么是谁呢？"

小马故意不开口，等他自己说下去。

张聋子道："蓝姑娘为什么要把这事一定推到他身上，而且还送他一朵至少要值好几百两银子的珠花？"

小马道："不止几百两，至少二、三千。"

张聋子道："她为什么要做这种事？是不是她眼睛有毛

七种武器

病？看错了人？”

小马道：“我保证她的眼睛连半点毛病都没有。”

张聋子吐出口气，道：“那么这件事就只有一个解释了。”

小马道：“你说。”

张聋子道：“暗器根本就是她自己发出的，可是她不愿别人知道她是位高手，为了掩饰自己的行藏，就只有把这笔账推在老皮身上。”

小马道：“有理。”

张聋子道：“传授那姐妹两人剑法的，很可能也是她。”

小马道：“很可能。”

张聋子道：“她为什么要掩饰自己的行藏？会武功又不是丢人犯法的事。”

小马看着他，过了很久，才悠然道：“我也想问一件事。”

张聋子在看着他的嘴。

小马道：“她做的事，跟你有什么关系？”

张聋子一句话都没有说，掉头就头，小马却回头看着常无意。

常无意脸上全没表情，只说了一个字：“走！”

（四）

夜色已深。

山路也渐渐崎岖，驴子已走不上来。

香香和曾珍姐妹始终跟着病人的轿子走，老皮总是在她们的前后左右打转，好像很想找机会跟她们搭讪搭讪。其实老皮并不能算是个色中的恶鬼，他最多也只不过是个普通的色鬼而已。

小马并不是没有想到蓝兰。蓝兰做的事虽然跟张聋子没关系，跟他却多多少少总有点关系。

——蓝兰为什么要掩饰自己的武功？

——她弟弟究竟得了什么样的怪病？为什么只有一个人能医？

——她弟弟是个什么人？为什么一直都不肯露面？

他没有想下去，因为他忽然看见三个人从前面的路上走过来。

夜色虽已深，可是月已将圆了，在月色下他还是看得很清楚。

三个人是二女一男。男的是赤足穿着双草鞋，头发乱得像鸡窝，远远就可以嗅到他身上的汗臭气。据小马判断，这个人至少已有十来天没洗过澡。

可是两个女的却紧紧挽住他的臂，好像生怕他跑了。

她们还都很年轻。不但年轻，而且很美。

她们穿得也很随便，一个穿着两边开衩的长裙，每走一步，都会露出大腿来。

她的腿雪白、修长、结实，甚至连小马很少看见这样诱人的腿。

另一个虽然没有露出腿，衣襟却是散开的，坚挺的乳房隐约可见。

三个人的举动都有点吊儿郎当的样子，就好像对什么事都不在乎的样子。

这里是狼山。

可是看他们的样子，却好像在自己家里的花园中散步。

小马看着他们的时候，他们也在看着小马。尤其是那个有双美腿的女孩子，一双眼睛简直就像是钉子盯在小马的脸上。

七种武器

小马居然转过脸。他并不是怕事的人，也不是君子，只不过他并没有忘记那老婆婆的话：

　　——山上有群年轻人，叫嬉狼、又叫迷狼。

　　——他们有时杀人，有时救人，只要你不惹他们，他们通常也不会来惹你。

　　小马并不想惹事，他们果然也没有惹小马，对别的人更都没有看一眼。

　　三个人手挽着手，施施然走进山路旁的一片树林里。

　　老皮还在盯着那双玉腿，男的忽然回头瞪了他一眼，眼睛里就好像有把快刀，看得老皮竟忍不住震了一震。

　　那位有双美腿的女孩子，却回头看着他笑了笑，又笑得他连骨头都酥了。

　　就在他们消失在树林中时，山路两旁忽然出现三十多个黑衣人。

夜 战

（一）

夜狼来了。

只有在黑暗中才会出现的，无论是人还是野兽，都比较神秘可怕些。

只有在黑暗中才会出现的人，多少总有点见不得人的地方。

他们黑衣、黑鞋、黑巾蒙面，每个人都有双狼一般的眼，每个人行动都很矫健。

最后走出来的一个却是个跛子。

他的行动看来最迟钝，走得最慢，可是他一出来，就像是利刀出鞘，自然带着种杀气。

小马带头、常无意殿后的一行人，圈子已在渐渐缩小。

珍珠姐妹已握住了她们的剑。

老皮的一双眼珠溜溜乱转，好像已在准备夺路而逃。

跛足的黑衣人慢慢地走出来，轻轻地咳嗽两声，大家本来以为他正准备开口。

谁知他的咳嗽声一起，各式各样的兵刃和暗器，就暴雨般

七种武器

向小马这一行人打了过来。有刀，有剑，有枪，有长棍，有梭子镖，有连珠箭，甚至有迷香。

江湖上五门、下五门的兵刃暗器，在这一瞬间几乎全都出现了。

每一样的兵刃和暗器，打的都是对方不死也得残废的要害。

幸好这些人之中的高手并不多。

珍珠姐妹挥剑急攻，香香的一双纤纤玉手往腰里一带，竟抽出一条一丈七八尺长的软刀。

用迷香的那两个人，小马抢先冲过去，两拳就打碎了两个鼻子。

常剥皮身形飘忽如鬼魅，只要遇上他的人，立刻就倒下去。

可是各式各样的兵刃和暗器，还是浪潮般一次又一次卷上来。

剑锋上溅出的鲜血，在月光下看来就像会发光的。

但他们究竟是女孩子，手已经渐渐软了，已经开始在喘息。

老皮更是不断地在惊呼怪叫，也不知是不是已受了伤。

小马和张聋子已冲过来挡在病人和蓝兰的轿子前面。

抬轿的那大汉手挥铁棒，虽然打碎了好几个人头，自己也挂了彩。

张聋子道："擒贼先擒王！"

他用的奇形之刀，真的和鞋匠削皮时用的差不多。

一刀斜斜挥出，一条手臂断落。

小马道："你要我先对付那个跛子？"

张聋子点点头。

跛足的黑衣人一旁袖手旁观，忽然又咳两声，道："退。"

这一个字说出口，所有没有倒下的黑衣人立刻退入黑暗中。

跛足的黑衣人早已不看见。

刚才还血肉横飞的战场，忽然间就变得和平而安静。

若不是地上的那些伤者和死人，就像根本没有发生过任何事。

香香和珍珠姐妹已坐了下去，就坐在血泊中，不断地喘息。

老皮更好像整个人都软了，索性躺了下去。

只听蓝兰在轿子里问："他们走了？"

小马道："是。"

蓝兰道："我们伤了几个人？"

常无意道："三个。"

受伤的是两轿夫和曾珍，老皮虽然叫得最凶，身上却连一点儿伤都没有。

蓝兰道："我这里有刀伤药，拿去给他们。"

她从帘子里伸出手，手里有个玉瓶。

她的手比白玉更润滑。

小马伸手去接，她的手忽然轻轻握了握他的手。纵有千言万语，也比不上她这轻轻一握。

他心里竟不由自主起了种说不出的微妙感觉，一切的艰辛和危险，仿佛都有了代价。

她仿佛也明白他的感觉。

她只轻轻说了句："替我谢谢你的朋友。"

她并没有谢他。

七种武器

她不过要他替她谢谢朋友。

因为他是不必谢的，因为他们就等于一个人。小马接过玉瓶，心里忽然充满挚爱。

——一个没有根的浪子，只要得到别人的一点点真情，就永远也不会忘记。

（二）

可是天地间却是充满了悲伤和凄凉。

一轮将圆未圆的明月还高挂在天上，冷清清的月光，照着这满地血泊的战场。

香香长长吐出口气，道："不管怎么样，我们总算把他们打退了。"

张聋子道："只怕未必。"

香香变色道："未必？难道他们还会来？"

张聋子没有回答。

他希望他们已真的退走，可惜他知道夜狼绝不是这么容易就被击退的。

常无意神情也很沉重，道："扎好伤势，就立刻向前闯。"

曾珍道："我们总该先休息一阵子。"

常无意道："你若想死，尽管一个人留下来。"

曾珍这才闭上了口。

轿夫正在互相包扎伤势，其中一人道："老牛伤得很重，就算还能向前走，也没法子抬轿子了。"

常无意冷冷道："没有病的人并不一定要坐轿子的。"

蓝兰道："一定要坐。"

常无意道："你没有腿？"

蓝兰道："有。"

常无意道："那么你为何不能自己走?"

蓝兰道："因为我就算自己下来走,这顶轿子也不能留下来。"

常无意没有再问什么。

他已明白这顶轿子里一定有些不能抛弃的东西。

小马道："其实这根本不成问题,只要是人,就会抬轿子。"

老皮立刻抢着道："我不会。"

小马道："你可以学。"

老皮道："我以后一定会去学。"

小马道："用不着等到以后,你现在就可以学,而且我保证你一学就会。"

老皮跳起来,大叫道："难道你想要我抬轿子?"

小马道："你不抬谁抬?"

老皮看着他,看着张聋子,再看着香香和珍珠姐妹。

常无意他连看都不敢去看。

他已看出这些人他连一个人都指挥不了,所以抬轿子的就只有他。

已经无法改变的事,你若还想去改变,你就是个呆子。

老皮不是呆子。

他立刻站起来,笑道："好,你叫我抬,我就抬,谁叫我们是老朋友呢?"

小马也笑了,道："有时候我实在觉得你这人不但聪明,而且可爱。"

老皮道："只可惜你是个男的,否则……"

这句话他没有说完。

他不是个呆子，可是现在已吓呆了！

黑暗中忽然又出现一群黑衣人，这次来的人数比上次更多。

那跛足的黑衣人也已出现，远远地站在一株大树下。

张聋子大声道："在下张弯刀，算起来也是道上的，阁下……"

跛足的黑衣人好像也是个聋子，根本没听见他在说什么，只咳嗽了两声。

咳嗽声一响，各式各样的兵刃和暗器又暴雨般打了过来。

这次兵器的种类更多，出手也更险恶，其中已有了许多高手。

常无意冷笑了一声，忽然从腰带里取出一把剑。

软剑。

虽然是软剑，迎风一抖，就伸得笔直，而且精光四射，寒气逼人。

他本来不准备动用这把剑的，也不愿让人看见它。

可是现在他已决心要下杀手！

这一战当然更凶险、更惨烈。

珍珠姐妹的剑法虽然毒辣老到，可是两个人身上都已负了伤。

老皮也挨了一刀，一刀斩在他背上，血流如注，伤得不轻，他反而不叫了。

张聋子的弯刀斜削，专走偏锋，一刀挥出，必然见血。

可是常无意的剑更可怕。

黑衣人遇见他，刀剑和拳头固然攻击无效，有时无缘无故的也会倒下去。

倒下去的时候，全身上下都没有别的伤痕，只有眉心一滴血。

谁也看不见这暗器是从那里发出来的。

这种夺命追魂的暗器，就像是来自黑暗的源流，来自地狱。

跛足的黑衣人远远看着，直到他手下两个最勇猛的黑衣人也无声无息的死于这种暗器，他才挥手低叱：

"退。"

夜狼们立刻又消失在黑暗中，月光更凝冷，地上的死人更多。

这次蓝兰已不再问他们自己伤了多少人。

她自己走了下来。刚才她已在轿子里看见，自己的人几乎已全都受了伤。

他们用的本就是拼命的招式，夜狼中居然也有几个不敢拼命的。

只有常无意还笔直地站在那里，衣服上虽然全是血，却不是自己的血。

夜狼们退走时，他手里的剑也看不见了。

香香扶着轿杆，眼睛里带着奇怪的光芒，吃吃地问道："他……他们会不会再来？"

一句话刚说完，就已倒下。

张聋子立刻冲过来，一只手扶着她，一只手把住她的脉。

常无意道："她并没有死，只不过中了迷香。"

张聋子松了口气，道："刚才明明看见小马第一个就已将那个用迷香的人击倒，还踏碎了他的迷香筒，她怎么会被迷倒的?"

常无意冷冷道："你为什么不问她自己?"

张聋子当然无法问。

香香不但已完全失去知觉，而且连脸色都变成了死灰色。

张聋子的脸色也难看极了，忍不住又问道："谁知道她中的是哪种迷香?"

他勉强笑了笑，安慰蓝兰道："幸好她中的并不深，绝不会死的。"

常无意冷冷道："可是那些人再来，她就死定了。"

他说的虽然难听，却是真话。

夜狼们若是再来，来势必定更凶，他们应战还来不及，绝没有人能分身保护她。

老皮哭丧着脸，道："那群狼若是再来，不但她死了，我们恐怕都死定了。"

小马道："可是他们死的一定更多!"

他算过，现在夜狼们的死伤，至少已经在五十人以上。

曾珍倒在地上，声音发抖，却还在安慰自己："也许他们的人已经快死光，已不会再来了。"

小马道："也许。"

老皮道："也许他们马上就会来。"

小马望了他一眼，道："你为什么总是喜欢说让人讨厌的话?"

老皮道："因为我不说别人也一样讨厌我。"

蓝兰看着这些浑身浴血、几乎已筋疲力尽的人，长长叹了一声，道："现在我才知道，狼山真是个可怕的地方。"

其实狼山这地方又岂是"可怕"二字所能形容的!

小马却大声道："我们看不出这地方有他妈的什么可怕。"

"他妈的"本是他的口头禅，近年他已改了很多，现在一气之下，又忍不住脱口而出。

蓝兰道："你看不出？"

小马道："我只看得出他们已快死光了，我们却还会都活着。"

只要还有一口气，他就绝不会泄气。

只要不泄气，就有希望。

蓝兰看着他，眼睛里也渐渐有了光。他不但自己绝不低头，永不泄气，同时也为别人带来了希望。

（三）

可是他们的情况却不太好。

现在距离黎明还有段时间，夜狼们随时都可能重整旗鼓再来。

何况还有别的狼，至少还有君子狼。

君子狼据说比夜狼更可怕。

蓝兰道："现在大家还能不能往前走？"

小马道："为什么不能？"

他大声接着道："大家的腿都没有断，没有不能往前走的。"

老皮道："可是我……"

小马打断了他的话，道："我知道你受了伤，你不能抬轿子，我抬。"

他虽然也受了伤，伤得也许并不比老皮轻，可是他胸膛还是挺着的。

有种人无论遭受到什么样的打击和折磨，都绝不会告饶。

小马就是这种人。

他不但有永远不会消失的勇气，好像还有永远用不完的精力。

于是一行人又开始往前行。

大家虽然都伤得不太轻，虽然都很疲倦，可是看见了小马，居然全都振作了起来。

香香还没有醒，所以蓝兰就下来走，让她坐在轿子里。

老皮一路上都在叹气，直到小马说——

"你若敢再鬼叫一声，我不但要打你的鼻子，还要你来抬轿子！"

珍珠姐妹受的伤虽然重，可是她们毕竟还年轻，蓝兰的刀伤药真的很灵。

所以她们居然还能支持，听见了小马的这句话，居然还能笑。——一个人只要还能笑，就有希望。

他们居然走出了很远。

——走得虽然远，还是走不出黑暗。

夜色仍深。

小马抬着轿子，健步如飞，蓝兰一直都在旁边跟着他。

不但跟着他，也在看着他，眼睛里充满尊敬和爱恋。

张聋子关心的却只有一个人，不时到轿子旁边来，听她的动静。

香香还没有动静。

另一顶轿子里的病人咳嗽也停止，仿佛已睡着了。

蓝兰轻轻道："看样子他们已不会再来了。"

小马道："嗯。"

蓝兰道："可是我们总得找个地方休息休息，否则大家都没法子再支持下去。"

她忽又嫣然一笑，道："当然除了你，你简直好像是个铁打的人。"

小马在擦汗。

他并不是铁打的人。

他自己知道迟早总有倒下去的时候。

可是他不说，也不能说。

蓝兰迟疑着，忽然问道："假如我嫁给你，你要不要？"

小马闭着口。

蓝兰道："难道你还想着她？她究竟是个什么样的女人？"

小马的脸色变了。

并不完全是因为她这句话而改变的，也因为他又看见了一个人。

他又看见了那个跛足的黑衣人。

（四）

崎岖的山路前面，有一块很高的岩石。

跛足的黑衣人就站在这块岩石上，一双眼睛在夜色中闪闪发光。

轿后的常无意已窜了过来，压低声音道："是闯过去，还是停下来？"

小马放下了轿子。

前面的这块岩石就挡在道路上最险恶之处，一夫当关，他们已经很难闯过。

何况岩石后还不知藏着多少人。

曾珍道："我只想宰了那王八蛋！"

曾珠道："你还能宰人？"

曾珍的回答很快："能！"

曾珠道："我们去不去宰？"

曾珍道："去！"

姐妹两个人忽然间就已从轿子旁边冲过去，冲过去时剑已出鞘。

年轻人总是不怕死的。

她们不但年轻，简直还是孩子。

孩子更不怕死。

两个孩子、两把剑，居然还想闯上那岩石，宰了那个跛足的黑衣人。

别人想拉住她们也来不及。

跛足的黑衣人背负着双手，站在岩石上冷笑。

曾珍道："咱们宰了他，看他还笑不笑得出。"

曾珠道："他笑得比鸭子还难看，我宁可死，也不要看见他笑的模样。"

她们若是死，当然就看不见。

她们简直等于在送死。

她们根本就是去送死！

这跛足的黑衣人虽然没有出手，可是看他的眼神，看他的气势，无论谁都应该看得出他是个高手，而且是高手中的高手。

他占据的岩石地势险恶，而且居高临下。

岩石后必定还有他手下的人。

她们还没有抢攻上去，只听见"唧"的一声，一条人影从她们身旁擦过，忽又停下。

她们还没有看清这个人是谁，就已撞在这个人身上。

这个人没有动，她们却被撞得倒退了好几步，险些又跌在地上。

这个人没有回头。

可是珍珠姐妹已看清了他的背影，只要看清他的背影，谁都可以认出他。

他是个很瘦很瘦的人，背稍稍有点弯，腰却很直。

他的手很长，垂下来的时候，几乎已可达到他的膝盖。

无论他背后发生了什么事，他很少会回头的。

这个人是常无意。

曾珠叫了起来："你想干什么？"

曾珍道："你是不是有毛病？"

常无意不说话，也不回头。

他在瞥着岩石上这个跛足的黑衣人。

黑衣人还在冷笑，忽然道："你一定有毛病。"

常无意不开口。

黑衣人道："你救了她们，她们反而骂你。没有毛病的人，怎么会做这种事？"

常无意不开口。

黑衣人道："其实你救不救她们都一样，反正你们都死定了。"

常无意忽然道："你有手，为什么不自己下来跟我动手？"

黑衣人道："因为我不必。"

这一句话说完，黑暗中就出现了一百个黑衣人——就算没有一百，也有七八十。

跛足的黑衣人道："你的剑很快。"

常无意又不开口。

跛足的黑衣人道："而且你有把好剑。"

常无意不否认。

无论谁都不能不承认那把剑确实是把很难看得到的好剑。

跛足的黑衣人道："抬轿子的那小伙子的拳头好像也是双好拳头。"

小马的拳头并不好。

小马的拳头太喜欢揍人，尤其喜欢揍人的鼻子，这种习惯并不好。

可是他的拳头确实太快、太硬。

跛足的黑衣人道："可是我的兄弟们，却还想再试试你们的快剑和拳头。"

他又在咳嗽。

这种咳嗽的声音，当然和轿子里那病人的咳嗽的声音不一样。

听见了他的咳嗽声，连珍珠姐妹的脸色都变了。

她们虽然不怕死，可是刚才那两次恶战的凶险惨烈，她们并没有忘记。

至少现在还没有忘记。

这一声咳嗽响起，就表示第三次恶战立刻就要开始。

这一战当然更凶险、更惨烈。

这一战结束后，能活着的还有几个人？

想不到就在他的咳嗽声响起的一刹那间，远方也同样响起了一声鸡啼。

跛足的黑衣人眼神立刻变了，猛一挥手，本来已准备往前扑的夜狼们，动作立刻停顿。

远山下已有白雾升起。

云雾迷离处，又传来一种奇异的乐声，节拍明快而激烈，充满了火一样的热情。

无论情绪多低落的人，听见了这种乐声，心情都会振奋。

岩石上的跛足黑衣人却已不见了。

夜狼们又消失在黑夜中。

四面鸡啼不已，黎明已将来临，可是看起来夜色却仍很深。

今天的黎明为什么来得特别早？

乐声仍在继续。

小马放松了紧握的拳头，才发现掌心已经被冷汗湿透。

蓝兰长长吐出口气。

不管怎么样，这艰苦凶险的一夜，看来总算已过去。

常无意脸上虽然还是全无表情，收缩的瞳孔却已渐渐扩张。

他终于转回身，才发现珍珠姐妹一双发亮的眼睛正望着他。

她们蒙面的黑纱早已失落。

她们脸上的伤虽然还没有好，可是这双美丽的眼睛里，却充满了柔情和感激。

两个人忽然冲上去，一边一个抱住了常无意，在他脸上亲了亲。

曾珍道："原来你不是坏人。"

曾珠道："你也不是木头人。"

常无意脸上终于有了表情，谁也说不出那是种什么样的表情。

小马笑了。

蓝兰也笑了。

两个人对望了一眼，眼波中充满了柔情蜜意。

生命毕竟是可贵的。

人生中毕竟还是有许多温情和欢愉。

小马道："他的脸虽冷，一颗心却是热的。"

蓝兰看着他，眼波更柔，道："你好像也跟他差不多。"

常无意忽然冷冷道："既然大家都还没有死，腿也没有断，为什么不往前走？"

曾珍嫣然道："现在他无论多么凶，我都不怕了。"

曾珠道："因为现在我们已知道，他那副凶样子，只不过故意装出来给别人看的。"

她们虽然将声音压得很低，却又故意要让常无意能听得见。

等常无意听见时，她们早已溜得远远的。

小马大笑，抬起了轿子，刚抬起轿子，笑声突然停顿。

他忽然发现黑暗中有三双眼睛在瞪着他。

三双狼一般锋利的眼睛，眼睛里仿佛还带着种奇异的欲望。

恶　战

（一）

有生命就有欲望。

可是欲望也有很多种，有的欲望引导人类上升，有的欲望却能令人毁灭。

这三双眼睛里的欲望，就是种可以令人毁灭的欲望。——不但要毁灭别人，也要毁灭自己！

人为什么要毁灭自己？

是不是他们已迷失了自己？

小马已看出他们就是刚刚从路上迎面走过去的三个人。

散漫落魄的长发青年。

修长美丽的腿。

——他们为什么去而复返？

小马故意不去看他们，其实他心里并不是不想多看看那双美丽的腿。

可是他能控制自己。

经过了一次情感上的痛苦折磨后，他已不再是昔日那一个

七种武器

冲动起来，就不顾一切的少年。

美腿的少女却还是在望着他，忽然大声呼喊道："喂！"

小马忍不住道："你在叫谁？"

美腿的少女道："你！"

小马道："我不认识你。"

美腿的少女道："我为什么一定要认识你，才能叫你？"

小马怔住。

没有人一生下来就互相认得的，她说的话好像并不是没有道理。

美腿的少女又在叫："喂！"

小马道："我不叫喂。"

美腿的少女道："你叫什么？"

小马道："别人都叫我小马。"

美腿的少女道："我却喜欢叫你喂，只要你知道我是在叫你就行了。"

小马又怔住。

人与人之间的称呼，本就没有一定的规则，既然有人可以用"先生、公子、阁下"这一类名称叫他，她为什么不能叫他"喂"？

这少女的思想和行为虽然很激烈，很奇特，却与大多数人都不同。

可是她好像也有她的道理存在。

美腿的少女又在叫："喂！"

这次小马居然认了："你叫我干什么？"

美腿的少女道："叫你跟我走。"

小马又怔了怔，道："为什么要我跟你走？"

美腿的少女道："因为我喜欢你。"

这句话更令人吃惊。

小马虽然一向是个洒脱不羁的人，想说什么，就说什么，可是就连他也想不到她会说出这句话来。

蓝兰忽然道："他不能跟你走。"

美腿的少女道："为什么？"

蓝兰道："因为我也喜欢他，比你更喜欢他。"

这句话说出来，也同样令人吃惊，这种话本来随时都可以让两个人打起来的。

谁知美腿的少女却好像觉得这种话很有道理。反而问道："他走了之后，你是不是会很伤心？"

蓝兰道："一定伤心得要命。"

美腿的少女叹了口气，道："伤心不好，我不喜欢要人伤心。"

蓝兰道："那么你就该走。"

美腿的少女道："你们两个人可以一起跟我走。"

蓝兰道："为什么要跟你走？"

美腿的少女道："因为我们那里是个很快乐的地方，到了那里，你们一定比现在快乐得多。"

长发的少年已开了口，道："我们那里只有欢笑，没有拘束；只有音乐，没有……"

小马忽然打断了他的话，道："音乐？"

远方的音乐仍在继续。

小马问道："那就是你们的音乐？"

长发少年道："朝拜祭礼时一定要有音乐。"

礼乐本就是分不开的。

小马的好奇心又被逗了起来，又问道："你们朝拜的是什么？"

七种武器

长发少年道："太阳。"

小马道："现在还是晚上，晚上哪里有太阳？"

长发少年道："今天我们的朝拜祭礼比平时提早了些。"

小马道："为什么？"

长发少年笑了笑，拍了拍美腿少女的头道："因为她喜欢你。"

小马立刻明白了。

他们朝拜的乐声一响起，就表示黎明已将来临。

夜狼们就像是魂魄，黑夜一消失，他们就必须消失。

蓝兰抢着道："就算是你救了我们，他也不会跟你走的。"

美腿的少女道："你呢？"

蓝兰道："这里没有人会跟你走。"

美腿的少女道："我不喜欢勉强别人，可是只要你们来，无论谁我们都会欢迎。"

她的声音充满诱惑："你们只要跟着乐声走，就可以找到我们，找到你们平生绝没有享受过的快乐，我保证你们绝不后悔的。"

她转过身，长袍的开襟吹起，她那双修长美丽的腿就完全裸露了出来。

老皮的眼睛发直，连眼珠子都好像快掉了下来。

另一个少女忽然走过去，走到珍珠姐妹面前。

她一直在望着她们。

她的眼睛里竟似有种令人无法抗拒的魔力，珍珠姐妹竟似已被她看得迷住了。

她走到她们面前时，她们连动都不能动，她就拥抱住她们，在她们耳边轻轻说了几句话。

她的手在轻抚着她们的腰。

珍珠姐妹的目光朦胧，眼波带醉，直到她走了很远都没有醒。

现在三个人都已走了很久，蓝兰才轻轻吐出口气，道："这两个女人简直是魔女。"

小马笑了笑，道："你呢？"

蓝兰不理他，却去问珍珠姐妹，道："她跟你们说了些什么？"

曾珍的脸红了，道："她……她问我们是不是处女？"

她们当然还是处女。

蓝兰道："她还说了些什么？"

曾珍的脸更红，吃吃地连一句话都说不出来。

蓝兰还想逼着她说，轿子里的病人又开始在不停的咳嗽。

这次他咳得更厉害，本来就有很多种病痛都是在黎明前后发作得最剧烈。

蓝兰的眼睛里立刻充满了关切和忧心，道："不管怎么样，现在我们总得先找个地方歇下来。"

她在看着常无意。

常无意居然没有反对，他也看得出这些人都需要休息。

可是在这狼山上，又有什么地方能让他们安静休息？

这里几乎没有一寸土地是安全的。

蓝兰转向张聋子，道："你到狼山来过？"

张聋子点点头。

多年前他就已来过，那时这座山上还没有这么多狼，所以他还能活着下山。

蓝兰道："这里的人虽然变了，山势总不会变的。"

张聋子承认。

蓝兰道："那么你就应该能想得出一个可以让我们歇下来的地方。"

张聋子道："我正在想。"

他已想过很久，想过了很多地方，只可惜他完全没有把握。

突听一个人道："各位不必再想，再想也想不出的。但是我却可以带你们去。"

星月已消沉，东方已渐渐露出了鱼白。

这个人手里却提着灯笼，施施然从岩石后走了出来。

他的衣着和样子看来都像是个生意人，也正是他们到狼山来看到过的最正常的人。

他看来甚至很和气，也很客气。

小马道："你是谁？"

这人笑了笑，道："各位请放心，我只不过个生意人，不是狼。"

小马道："狼山中也有生意人？"

这生意人道："只有我一个。"

他又笑着解释道："因为只有我一个，所以我才能活下去。"

小马道："为什么？"

这生意人道："因为我能跟那些狼大爷们做各式各样的生意，若是没有我这么一个人，他们有很多事都没有这么方便了。"

他再解释："那些狼大爷们只会杀人抢钱，不会做生意。"

小马道："你做的是什么生意？"

这生意人道："什么样的生意我都做，我替他们收藏，替他们卖出去，我还会替他们找女人。"

小马笑了，道："这件事的确重要得很。"

生意人笑道："简直比什么事都重要。"

小马道："所以他们舍不得杀你。"

生意人道："他们要杀我，只不过像捏死只蚂蚁，捏死只蚂蚁有什么用？"

小马道："没有用。"

生意人道："所以这几年来我都太平得很。"

小马道："你准备带我们到哪里去？"

生意人道："太平客栈。"

小马道："狼山也有客栈？"

生意人道："只有这一家。"

小马道"这家客栈是谁开的？"

生意人："我开的。"

小马道："你那里真的很太平？"

生意人笑道："只要走进我那家客栈，我就负责各位太平无事。"

小马道："你有把握？"

生意人道："这是我跟他们约好了的，连朱五太爷都答应了。"

无论谁都知道朱五太爷说出来的话就是命令，没有人敢违抗他的命令。

以前没有，以后也不会。

这生意人道："朱五太爷有时也会要我替他做点事，而且他老人家也知道，要闯狼山的人，一定有急事，谁也不会在我那里住一辈子。"

小马道："所以他们要下手，机会还多得很。"

生意人道："所以他们肯让我做小生意，因为这对他们根本没妨碍。"

小马道："好，这回生意你已做成了。"

生意人道："现在还没有。"

小马道："还没有？"

这生意人笑道："不瞒各位说，我那里只接待一种人，我还得看看各位是不是那种人。"

小马道："哪种人？"

生意人道："有钱的人，很有钱的人。"

他又笑着解释："因为我那里无论什么东西都比别的地方贵一点。"

小马道："贵多少？"

生意人道："有些人说我那里连一杯酒都比别的地方贵三十倍，其实他们是在冤枉我。"

小马道："贵多少？"

生意人道："只贵二十八倍。"

小马笑了。

蓝兰也笑了。

生意人看看他们，道："却不知各位究竟是哪种人？"

蓝兰："是有钱人，很有钱的人"

她随随便便从身上拿出张银票，就是一万两银子；她随随便便就给了这生意人，就好像给的只不过是张破纸。

小马道："这够不够我们住半天？"

一万两银子已经可以买一座很好的房子，在里面住上三五百天都不会有问题。

这生意人却道："只要各位吃得随便一点，也许勉强够了。"

小马大笑："现在我才相信你真是人，不是狼。"

生意人道："为什么？"

小马道："因为只有人才会这么样吃人。"

（二）

太平客栈真的很像是个客栈。

只不过很像而已。

最像的地方就是排在门口的一块大招牌，上面真的写着"太平客栈"四个大字。

除了这一点外，别的地方就不太像了。

最不像的是他的房子。

一间东倒西歪的破屋子，只有一个满头癞痢的小伙子。

生意人道："这是我的儿子。"

即使是癞痢头的儿子，也是自己的好。

生意人道："我老婆已经被我赶走了，我老婆不是个好东西。"

老婆总是别人的好。

生意人道："我们这里有八间房子，还有个大饭厅。"

饭厅的确不太小，至少总比那些豆腐干一样的客房大一点儿。

生意人道："我们的酒菜都是第一流的，所以随便什么时候都有客人。"

这句倒是真话。

现在才刚刚天亮，这里已经有了客人。

只有一个人。

一个又干又瘦的老头子，穿着件用缎子做成的棉袍子。

现在才九月，天气还很热。

他穿的却是件棉袍子，而且还穿着棉袍子饮酒，饮了至少三五斤酒。

可是他脸上一滴汗珠子都没有。

他脸上在闪着光。

旱烟袋的火光！

一杆五尺长的旱烟袋，比小孩子的手膀子还粗，无论谁都应该看得出是纯钢打成的。

烟斗更可怕，里面装的烟丝就算没有半斤，也有六两。

照张聋子估计，这旱烟袋至少总有五十多斤重；照小马估计，就有八九十斤了。

这么重的一杆旱烟袋，被这么样一个又干又瘦的老头子拿在手里，却好像拿着根稻草一样。

他闪着光的脸虽然枯瘦蜡黄，却带着种说不出的慑人气概。

他就这么样随随便便地坐在那里，气派之大，已经很少有人能比得上。

——卜战！

狼山上最老的一匹狼！

每个人都已认出他是谁了，他一双炯炯有光的眼睛也在盯着这些人，忽然问：

"是谁杀了铁三角？"

"我！"

这个字并不是一个人说出来的，小马和常无意都抢着要认这笔账。

他们看得出这匹老狼是来算账的，也看得出珍珠姐妹的剑，绝对接不住他这杆旱烟袋。

卜战在冷笑。

小马抢着道："我杀的人还不止铁三角一个，你要算这账，尽管来找我。"

卜战道："我听说过你。"

小马道："我叫小马。"

卜战冷冷道："你不是马，你是头驴子。"

小马也在冷笑。

卜战道："只有驴子才会做这种蠢事，抢着要把别人的账算在自己身上。"

他不等小马开口，又道："你用的是拳头，铁三角却死在剑下。"

小马道："可是我……"

卜战又打断了他的话，道："他要宰你们，你们当然只有宰他，这本是天公地道的事。"

小马道："想不到你这个人居然懂得公道两字。"

卜战道："这笔账本来并没有什么可算的，只不过……"

他的手紧握："只不过他实在死得太惨，我老头子实在忍不住想看看，那种阴毒狠心的剑法，是什么人使出来的！"

常无意闭着嘴，却抽出了剑。

一柄精光四射、寒气逼人的软剑，迎风一抖，就伸得笔直。

卜战道："好剑！"

常无意冷冷道："是好剑！"

卜战道："好！我等你。"

常无意道："等我？"

七种武器

1223

卜战道："等你睡一觉，等你走。"

常无意道："你不必等。"

卜战道："这里不是杀人的地方。"

常无意道："我现在就可以跟你出去。"

卜战盯着他，霍然长身而起，大步走出了门。常无意已经在门外等着他。

珍姝姐妹还是迷迷蒙蒙的，这件事就好像跟她们完全没有关系。

蓝兰压低声音，道："你看他有没有关系？"

小马握紧拳头，闭着嘴。这一战是谁胜谁负，他完全没有把握。

那生意人道："有关系，有好处。"

小马盯着他道："有什么好处？"

那生意人道："他死定了，少了一个人的开销，各位至少可以多喝几杯酒。"

（三）

晨雾迷离，连山风都吹不散。

卜战身上的棉袍子已被风吹了起来，他的人却峙立如山岳。

他一双脚不丁不八，就这么样随随便便往那里一站，气势已非同小可。

只有身经百战、杀人无算的好手，才能显得出这种气概。

常无意也没有动。

他的敌手还没有动，他绝不先动。

卜战又抓起旱烟管，深深吸了一口，烟袋里的烟丝又闪出了火光。

他冷冷地看着常无意，道："我看得出你是个好手。"

常无意不否认。

卜战道："所以你也应该看得出，我这烟斗里的烟丝，也是杀人的暗器。"

常无意看得出。

这种燃烧着的热烟丝，实在比什么暗器都霸道可怕。

卜战道："我出手绝不会留情，你也尽管把那些阴毒的剑招使出来。"

常无意冷冷道："我会使出来的。"

卜战道："我若也死在你剑下，我那些徒子徒孙们绝不会再来找你们的麻烦。"

常无意道："很好。"

卜战冷冷笑道："你就算剥了我的皮，我也绝不怨你。"

常无意道："你的皮可以留着！"

卜战道："哦？"

常无意道："因为你的皮并不厚。"

他剥皮，可是他只剥一种人的皮。

脸皮厚的人！

卜战又看了很久，道："很好！"

很好！

这就是他们说的最后两个字。

就在这一瞬间，五尺一寸长、五十一斤重的旱烟袋已横扫出去。

旱烟袋通常只不过是点穴，打穴的兵器，用的招式跟判官笔点穴差不多。

七种武器

1225

可是他这根旱烟袋施展起来，不但有长枪大戟的威力，其中居然还夹杂着铁拐、金铁鞭、巨石一类重兵器的招式。

那些炽热的烟丝，随时都可能打出来，烟斗中闪动的火光，也可以炫人眼目。

小马心里在叹气。

就连他都没有看见过这么霸道的外门兵器，他实在有点替常无意担心。

现在卜战已攻出十八招，常无意却连一招都没有回手。

旱烟袋虽然并没有沾上他一点，可是这种现象并不好。

他的剑法本来一向是着着抢攻、绝不留情的，此刻似已被逼得出不了手。

一柄又轻又狭的软剑，要想在这种霸道的招式下出手，实在不是件容易事。

忽然间，"蓬"的一声响，一片发光的烟丝，随着大烟斗的泰山压顶之势，向常无意打了下去。

常无意仿佛已被逼入了死角，他的剑仿佛已根本无法出手。

谁知就在这时，他偏偏出手了。

他的剑忽然又变得柔若游丝，笔直的剑竟变成了无数个光圈。

闪动的光圈，一圈圈绕上去，火烧的烟丝立刻消失不见。

又是"叮"的一声响，剑光击上烟斗，火星四激，剑锋居然又笔直地弹了出去。

小马立刻明白了他的意思。

他一定要卜战先将人逼入死地才出手。

高手交锋，有时就正如大军对垒，要先置之死地而后生。

因为对方的势力比他强，气势比他盛，他只有用这种法子。

小马心里很佩服。

他忽然发现常无意这两年不但多了把好剑，剑法还精进了许多。

真正高明的剑招，有时并不在剑上，而在心里。

这一剑并不以势胜，而以巧胜；并不以力胜，而以智胜。

他胜了！

剑锋弹出，贴着烟管弹出去。

卜战凌空翻身，衣袖起飞，一根五十一斤重的旱烟袋，却已不在他手里。

他不能不撒手。

若是不撒手，剑锋势必削断他的手。

可是高手交锋，连兵器都撒了手，这也是种要忍受一世的奇耻大辱。

卜战身子落地时，脸上已无人色，连那种不可一世的气概都没有了。

常无意剑已入腰，剑已入鞘。

卜战忽然厉声道："再拔出你的剑来！"

常无意冷冷道："你还要再战？"

卜战道："剑是杀人的，不战也可以杀人。"

常无意道："我说过，你可以留下你的皮，人若死了，哪里还有皮可以留下来？"

卜战的手虽然握得很紧，却在不停的发抖，他忽然变得苍老而衰弱。

他只有走。

虽然他想死，也许他真的宁愿死在常无意的剑下，怎奈常无意的剑已入鞘。

死，毕竟不是件容易事。

虽然他已是个老人，生命已无多，也就因为他已是个老人，才懂得生命值得珍惜。

雾已淡了，卜战的身影已消失在雾里，旱烟袋虽然还留在地上，烟斗里的火光却已熄灭。

蓝兰的眼睛里却在发着光，道："这次他一走，以后只怕就绝不会再来。"

小马道："非但他不会再来，他的徒子徒孙也不会来。"

他们都看得出这匹老狼不但有骨头，而且骨头还很硬。

站在他们旁边的生意人忽然笑道："现在人虽然没有少，各位还可以多喝两杯。"

小马故意问："为什么？"

生意人赔着笑道："因为这位大爷的剑法，我实在很佩服。"

突听身后一个人道："我也很佩服。"

他们转回身，才发现屋里又多了一个人，一个儒服高冠、手摇折扇的君子。

狼君子毕竟还是来了。

疑　云

（一）

九月十三，晨。

晴有雾。

太平客栈饭厅里，看起来好像真的很太平。

大家都太太平平地坐着，看起来都好像很客气的样子。

尤其是狼君子更客气。

最不客气的是小马，眼睛一直瞪着他，拳头随时都准备打出去。

温良玉好像根本没看见，微笑着道："这一夜各位辛苦了。"

小马："哼!"

蓝兰嫣然道："辛苦虽然辛苦了一点，现在大家总算还都很太平。"

温良玉道："郝老板!"

生意人立刻赶过来，赔着笑。道："小的在。"

温良玉道："先去做些点心小菜来，再去温几斤酒，账算

七种武器

1229

我的。"

郝生意道："是！"

小马忽然冷笑，道："郝生意的生意虽然做成了，你的好生意却还没有做成，何必先请客？"

温玉良笑道："生意归生意，请客归请客，怎么能混为一谈？"

小马道："就算生意做不成，客你也要请？"

温良玉道："各位远来，在下多少总得尽一点地主之谊。"

小马道："好，拿大碗来！"

蓝兰柔声道："你一夜没有睡，肚子又是空的，最好少喝点。"

小马道："不喝白不喝，喝死算了！"

温良玉抚掌笑道："正该如此，现在若不多喝些，待到没有了拳头时，喝酒就不太方便了。"

小马道："你真的想要我这双拳头？"

温良玉微笑。

小马道："好，我给你！"

一句话没说完，他的拳头已打了过去。

他的拳头不但准，而且快。

快得要命。

谁知温良玉好像早就算准了这一着，身子一滚，连人带凳子都到了八九尺外。

他并没有生气，还是带着微笑道："酒还没有喝，难道阁下就已醉了？"

蓝兰道："他没有醉。"

温良玉并不反对，也不争辩，道："也许他只不过天生喜欢揍人而已。"

蓝兰笑了笑，笑得很迷人，道："你又错了。"

温良玉道："哦？"

蓝兰道："他并不喜欢揍人，他只不过真的喜欢揍你！"

温良玉道："哦？"

蓝兰道："不但他喜欢揍你，这里的人只怕个个都很想揍你！"

常无意道："我不想。"

蓝兰道："你真的不想？"

常无意道："我只想剥他的皮！"

温良玉还是不生气，还是带着笑道："听说令弟的病很重？"

蓝兰道："嗯。"

温良玉道："令弟真的是姑娘嫡亲的弟弟？"

蓝兰道："嗯。"

温良玉道："这位马公子也是？"

蓝兰摇摇头。

温良玉道："那么令弟的一条命，难道还比不上他的一双拳头？"

蓝兰道："只可惜他的拳头是长在他自己的手上的。"

温良玉笑了笑，道："姑娘这么说，就未免太谦虚了。"

蓝兰道："为什么？"

温玉良："姑娘的暗器功夫精绝，在下平生未见！"

他一句话就揭破了她的秘密，蓝兰的脸色居然没有变，道："阁下果然好眼力。"

温良玉道："姑娘身旁的几位小妹妹，也全都是身怀绝技的高手，若想要什么人的一个拳头，只不过像是探囊取物而已。"

蓝兰也笑了笑，道："我们现在若是想要你的一个拳头，是不是也像探囊取物呢？"

温良玉笑得已有点不太自然，道："看来在下这趟生意是真的做不成了。"

蓝兰淡淡道："好像是的。"

温良玉道："却不知姑娘何时离开这里？"

蓝兰道："我们反正不会在这里住一辈子，迟早总是要走的。"

温良玉道："很好，在下告辞。"

他抱拳站起，展开折扇，施施然走出去。

小马忽然大声喝道："等一等！"

喝声中，他的人已挡住了门。

温良玉神色不变，道："阁下还有何见教？"

小马道："你还有件事没有做。"

温良玉道："什么事？"

小马道："付账！"

温良玉又笑了。

小马道："生意归生意，请客归请客，这话是你自己说的。"

温良玉并不否认。

小马道："不管你说出来的话算不算数，你不付账，就休想走出这扇门。"

温良玉立刻就轻摇折扇，施施然走回去，慢慢地坐下，悠然道："我只希望你能明白几件事。"

小马在听着。

温良玉道："我睡足了，你们却亟须休息；我很有空，你们却急着要过山。这么样耗下去，对你们并没有好处。"

他微笑着，又道："这里本是太平客栈，谁也不许在这里出手伤人，你们自己若是破坏了这规矩，狼山上就没有你们存身之地了。"

小马的脸都气红了。

他生气只因为他知道温良玉并不是在唬他们。

这是真话。

张聋子道："这次客你真的不请了？"

温良玉道："现在各位既然不再是我的客人，我为什么还要请？"

张聋子道："好，你不请，我请！"

温良玉大笑，折扇一挥，急风扑面，刺得人眼睛都张不开。

等到大家眼睛再张开时，他的人已不见了。

蓝兰忍不住叹了口气，道："好功夫。"

郝生意笑道："姑娘好眼力，除了朱五太爷之外，狼山上就数他的功夫最好！"

蓝兰道："你见过朱五太爷？"

郝生意道："当然见过。"

蓝兰道："要怎么样才能见到他？"

郝生意迟疑着，反问道："姑娘想见他？"

蓝兰道："听说他是一个很了不起的人，而且一诺千金，所以我在想……"

她眼睛闪着光："假如我们能见到他，假如他答应放我们走，就绝不会有人阻拦我们了。我们要想平安过山，也许这才是最好的法子！"

郝生意笑道："这法子的确不错，只有一点可惜。"

蓝兰道："那一点？"

七种武器

郝生意道："你永远也见不到他的，狼山上最多也只不过有五六个人知道他住在哪里。"

蓝兰道："你也不知道？"

郝生意赔笑道："我是个生意人，我只知道做生意。"

（二）

酒菜已来了。

一碟炒合菜，几个炒蛋，几张家常饼，一小盘卤牛肉，一锅绿豆稀饭，再加半缸子酒。

郝生意笑道："这一顿我特别优待，只算各位一千五百两银子。"

他笑得很愉快。

因为他知道一竹杠敲下去，不管敲得多重，别人也只有挨着。

小马看看张聋子，道："你几时发了财的，为什么抢着要请这顿客？"

张聋子苦笑，道："我只不过急着要让那小子赶快走。"

因为他急着要照顾香香。

小马总算没有再开口。

小马了解张聋子，他并不是个很容易就会动感情的人。

现在他已老了，老年人若是对年轻的女孩子有了情感，通常都是件很危险的事。

可是小马并不想管这件事。

他一向尊重别人的情感——无论什么样的情感，只要是真的，就值得尊敬。

香香已被抬进了屋子，一间并不比鸽子笼大多小的破屋子。

她还没有醒。

珍珠姐妹本来是应该来照顾她的，可是她们自己也睡着了。

张聋子没有睡着，一直都坐在她床头，静静地看着她。

轿子里的病人还在轿子里，他们直接将轿子抬入了最大的一间客房。

据蓝兰说："我弟弟不能下轿子，只因他见不得风。"

这屋里好像并没有风。

小马刚躺下去，又跳起来，他忽然发觉心里有很多事，应该找个人聊聊。

张聋子并没有陪他聊的意思，一点儿这种意思都没有。

他只得去找常无意。

轿夫睡在后面的草棚里，所以他们每个人都能分配到一间客房。

破旧的木板房，破旧的木板床，床上铺着条破的草席。

常无意躺在床上，瞪着小马。

谁都看得出小马有事来找他，可是别人不先开口，他也绝不开口。

小马迟疑着，在他床边的凳子上坐下，终于道："这次是我拖你下水的。"

常无意冷冷道："拖人下水，本来就是你最大的本事。"

小马苦笑道："我知道你不会怪我，可是我自己现在也有点后悔了！"

常无意道："你也会后悔？"

小马点点头，居然叹了口气，道："因为我现在虽然跌在水里，却连自己究竟是在干什么都不知道！"

常无意道："我们是在保护一个病人过山去求医。"

小马道："那病人究竟是个什么样的人？为什么不肯露面？真的是因为见不得风，还是因为他见不得人？"

他又叹了口气，道："现在我甚至连他是不是真的有病都觉得可疑了！"

常无意盯着他，冷冷道："你几时变得如此多疑的？"

小马道："刚才变的？"

常无意道："刚才？"

小马道："刚才卜战跟你交手时，我好像看见那顶轿子后面有人影一闪！"

常无意道："是个什么样的人？"

小马道："我没看清楚。"

常无意道："他是要窜入那顶轿子，还是要蹿出来？"

小马道："我也没看清楚。"

常无意冷冷道："你几时变成了瞎子？"

小马苦笑道："我的眼力并不比你差，可是那条人影的动作实在太快，简直比鬼还快。"

常无意道："也许你真的见了鬼。"

小马道："所以我还想再去见见！"

常无意道："你想去看看那顶轿子里究竟是什么人？"

小马道："现在大家好像都已睡着了，只有蓝兰可能还留在那屋里。"

常无意道："就算她在那里，你也有法子把她支开？"

小马道："我们甚至可以霸王强上弓，先揭开那顶轿子来看看再说！"

常无意道："你真的想去？"

小马道："不去是小狗！"

常无意忽然间就已从床上跳了起来，道："不去的是王八蛋。"

太平客栈里一共有八间客房，最大的一间在最东边，三面都有窗。

窗子都是关着的，关得很密，连缝隙都被人用纸条从里面封了起来。

小马在外面轻轻敲了敲窗子，里面一点儿动静都没有。

常无意已找来一根竹片，先用水打湿了，从窗隙里伸进去，划开了里面的封条。

先用水打湿，划纸时才不会有声音。然后他们就挑开了窗里的木栓。

对他们来说，这并不是什么困难的事。

他们并不是君子。

房间居然已被收拾得很干净，床上已换了干净的被单。

可是床上没有人。

蓝兰并没有在这里，只有那顶轿子摆在屋子中间，里面也没有声音。

小马和常无意对望了一眼，同时蹿过去，闪电般出手，拉开了轿上的帘子。

两个人的手忽然变得冰冷。

这顶轿子赫然竟是空的，连条人影都没有。

他们浴血苦战，拼了命来保护的，竟只不过是顶空轿。

——如果轿子里一直没有人，怎么会有咳嗽的声音传出来？

——如果轿子里的人真的有病，现在到哪里去了？

常无意沉着脸，道："你刚才看见的不是鬼。"

小马握紧双拳，道："可是我们真的遇见个女鬼！"

常无意道："蓝兰？"

小马道："她不但是个女鬼，还是个狐狸精！"

这次常无意对他说的话居然也表示很同意。

小马道："你看她这么样做究竟是什么目的？"

常无意道："我看不出。"

小马道："我也看不出。"

常无意道："所以我们现在就应该回去睡觉，假装根本不知道这回事。"

鬼总要现形的。

狐狸精迟早难免露出尾巴来。

他们找来几条纸，封上了刚才被他们挑破的窗子，才悄悄地开门走出去。

做这种事的时候，他们一向很小心，他们并不是君子，也不是好人。

（三）

门外也静悄悄的不见人影，小马悄悄地溜回了自己的房，刚推开门，又怔住。

他房里居然有个人。

木板床上的破草席不知何时已不见，已换上雪白干净的被单。

蓝兰就躺在这床薄被里，看着他。

她的身子显然是赤裸着的，因为她的衣服都摆在床头的凳子上。

她的眼波朦胧，仿佛已醉，更令人心醉。

小马好像没看见屋里有她这么一个人，关上门就开始脱衣裳。

蓝兰的眼波更醉，悄悄地问："刚才你到哪里去了？"

小马道："我喝得太多，总得放点出来。"

蓝兰嫣然道："现在还可以再放一点出来。"

小马故意装不懂："你不睡在自己房里，到我这里来干什么？"

蓝兰道："我一个人睡不着。"

小马道："我睡得着！"

蓝兰道："你是不是在生气，生谁的气？"

小马不开口。

蓝兰道："难道你也怕常剥皮剥你的皮？"

小马不否认。

蓝兰道："可是他只说过不许男人碰女人，并没有说不许女人碰男人，所以……"

她笑得更媚："现在我就要来碰你了。"

七种武器

她说来就来，来得很快，一个软玉温香的身子，忽然就已到了小马怀里。

她的嘴唇是火烫的。

小马本想推开她，忽然又改变了主意——被人欺骗总不是件好受的事。

这岂非也是报复的方法一种。

他报复得很强烈！

蓝兰火烫的嘴唇忽然变得冰冷，喘息已变为呻吟。

她是个真正的女人，男人梦想中的女人。

她具有一个女人所能具备的一切条件，甚至比男人梦想中还好得多。

她的嘴唇热了很多次，又冷了很多次。

小马终于开始喘息。

她的呻吟也渐渐又变为喘息，喘息着道："难怪别人说你是条驴子，你真的是！"

这是句很粗俗的话，可是在此时此刻听来，却足以令人销魂。

小马的心已软了。

——她至少没有出卖他。

——她本来可以跟狼君子谈成那笔生意的。

——她对他的热情并不假。

现在他想起的，只有她的好处。

屋子里平和安静，紧张和激动都已得到松弛，这本就是男女间情感最容易滋生的时候。

他忽然问："轿子里为什么没有人？"

这句话一出来，他已经在后悔，只可惜话一说出来，就再也收不回去。

想不到的是，蓝兰并没有吃惊，反问道："你是不是想看看我二弟？"

小马道："只可惜我看不见。"

蓝兰道："那只因为他并不在你去看的那顶轿子里！"

——她知道他们去看过？

小马道："他在哪里？"

蓝兰道："他在我房里那顶轿子里，他病得很重，我对他不能不特别小心。"

小马冷笑。

蓝兰道："我故意将一顶空轿子摆在最好的那间客房里，却将他抬入了我的房，我到这里来的时候，就叫珍珠姐妹去守着他。"

小马冷笑。

蓝兰道："你不信?"

小马还在冷笑。"

蓝兰忽然跳起来，道："好，我带你去见见他!"

不管她是女鬼也好，是狐狸精也好，这次她居然没有说谎。

她房里真的有顶轿子，轿子里真的有个人。

她轻轻掀起帘子，小马就看见了这个人了。

（四）

现在是九月。

九月的天气并不冷。

轿子里却铺满了虎皮，就算在最冷的天气，一个人躺在这么多虎皮里，都会发热的。

这个人却还在发冷。

他还是年轻人，可是他脸上却完全没有一点血色，也没有一点汗。

他还在不停地发抖。

他很年轻，可是头发眉毛都已开始脱落，呼吸也细若游丝。

无论谁都看得出他真的病得很重，很重很重。

小马也看得出。

所以现在他心里的感觉，就好像一个刚偷了朋友的老婆、这朋友却还把他当朋友的人。

虽然并不完全像，至少总有点像。

蓝兰道："这是我弟弟，他叫蓝寄云。"

小马看着他苍白憔悴的脸，很想对他笑笑，却笑不出。

蓝兰道："这就是拼了命也要保护我们过山的小马。"

蓝寄云看着小马，目光中充满了感激，忽然伸手握住小马的手，道："谢谢你。"

他的声音衰弱如游丝。

他的手枯瘦而冰冷，简直就像只死人的手。

握住了这只手，小马心里很难受，吃吃地想说几句安慰他的话，却连一个字都说不出来。

病人又开始在咳嗽，连眼泪都咳了出来。

小马也看得快掉眼泪了，终于挣扎着说出五个字："你……你多保重。"

病人勉强笑了笑，也想说话，可是眼帘已慢慢合起。

蓝兰也轻轻地放下帘子，小马早已悄悄地溜了出去，只恨不得能找个地洞钻下去。

蓝兰出来的时候，他眼睛还是红红的，忽然道："我不是驴子，我是个猪！"

蓝兰柔声道："你不是。"

小马道："我是！"

蓝兰嫣然道："你又不肥，怎么会是猪？"

小马道："我是个瘦猪！"

他抬起手，好像准备重重的给自己两耳光。

蓝兰已握住他的手，将面颊贴在他胸膛上："我知道你的心事，我心里也很难受，可是……"

　　她又抬起头，仰视着他："可是只要我们能保证他平安过山，我们……"

　　小马打断了他的话，大声道："我若做不到这件事，我自己一头就撞死！"

　　蓝兰的手在轻轻抚着他的手，嘴唇也在轻吻着他的脸。

　　他忽然发现她的手冰冷，嘴唇也冰冷，而且在发抖。

　　现在并不是刚才激情刚过去的时候，她的手和嘴唇为什么会这么冷？

　　小马道："你还在生气？"

　　蓝兰道："嗯。"

　　小马道："我……"

　　蓝兰气："我不是在生你的气。"

　　小马道："你在生谁的气？"

　　蓝兰道："我再三吩咐，叫她们守在这里，可是现在她们居然连人影子都看不见了。"

　　小马这才想到房里只有她弟弟一个人，珍珠姐妹果然已人影不见。

　　她们实在不该走的。

　　蓝兰道："就算她们有什么急事，也不该两个人一起走的。"

　　小马道："也许她们很快会回来。"

　　她们没有回来。

　　过了很久很久，她们还是人影不见，找遍了整个太平客栈，都找不到她们的人。

　　非但找不到她们，连老皮都不见了。

七种武器

迷　失

（一）

九月十三，正午。

晴，有时多云。

阳光还从山外照过来，照进窗户，照在常无意苍白冷酷的脸上。

张聋子站在窗口发呆，小马和蓝兰坐在屋子里发呆。

他们都在等，等老皮和珍珠姐妹的消息，这三个人却连一点儿消息都没有。

常无意冷冷道："我早就说过他根本不是人。"

小马苦笑道："但我却保证，珍珠姐妹绝不是被他拐走的。"

常无意冷笑道："不是？"

小马道："他还没有这么大的本事。"

他站起来，又坐下，忽然问道："你还记不记得那个有双漂亮大腿的女孩子？"

常无意当然记得。

那么美的腿并不是时常都能看见的，只要是男人，想不看都很难。

小马道："你还记不记得她说的话？只要我们去找她，她随时都欢迎。"

她说这句话的时候，她的腿正好是完全裸露着的，仿佛也在对他们表示欢迎。

蓝兰叹了口气，道："那女人实在是个魔女，我若是男人，说不定也会忍不住要去找她。"

他们还记得老皮看着那双腿时眼睛里的表情，也记得另外一个女孩子对珍珠姐妹做的事。

她们不喜欢用暴力，可是这种原始而邪恶的诱惑却还比暴力更可怕。

小马也在叹息，道："其实我早应该知道他们受不了这种诱惑的。"

常无意道："我只知道一件事。"

小马道："什么事？"

常无意道："多了他们三个人并不算多，少了他们三个人也不算少。"

小马道："难道你准备就这样把他们抛下？"

常无意道："难道你还想去找他们？"

小马道："我想。"

常无意道："你还想不想过山？"

小马闭上了嘴。

忽然间，一个女孩子，吃吃地笑着，摇摇晃晃地走了进来。

她还很年轻，长得也很美，身上穿着件用麻袋改成的长袍，却已有一半被鲜血染红。

可是她笑得仍然很开心，一点都看不出受了伤的样子。

她开心地笑着，向每个人打招呼，就好像跟他们是老朋友一样打招呼，看来对任何人都没有恶意。

小马心里在叹息。

他看得出她也是一匹狼，一匹已完全迷失了自己的雌狼。

她的瞳孔扩散，眼睛里充满了一种无知的迷惘，忽然走过去，一屁股坐在小马身上，轻抚着小马的脸，梦呓般低语。

"你长得真好看，我喜欢好看的男人，我喜欢……我喜欢。"

小马没有推开她。

一个人能够有勇气说出自己心里喜欢的事，绝不是罪恶。

他忍不住问："你受了伤？"

她衣襟上的血还没有干，却不停地摇头，道："我没有，我没有。"

小马道："这血是哪里来的？"

她痴笑着，道："这不是血，是我的奶，我要给我的宝贝吃奶。"

染着红的衣襟忽然被掀开，露出了鲜血淋漓的胸膛。

她纤巧坚挺的乳房竟已只剩下一半。

小马的手冰冷。

她还在吃吃地笑。

这种痛苦本不是任何人都能忍受的，她却好像完全感觉不到。

"你猜我的另一半到哪里去了？"

小马猜不出，也不愿猜。

"到法师肚子里去了，"她笑得又甜又开心："他是我的宝贝，他喜欢吃我的奶，我也喜欢给他吃。"

小马冰冷的手紧按着自己的胃，几乎忍不住要呕吐。

——狼山上还有个头目叫法师，他是个和尚，从来不吃肉，猪肉、牛肉、鸡肉、羊肉、狗肉，他都不吃。

——他只吃人肉。

蓝兰已经开始在呕吐。

剩下的一半乳房还是坚挺着的，她忽然送到小马面前。

"我也喜欢你，你也是我的宝贝，我也要给你吃我的奶。"

小马叹了口气，突然挥拳打在她下颚间。

她立刻晕了过去。

小马看着她倒下，苦笑道："我本来不该这么对你的，可是我想不出别的法子。"

要解除她的痛苦，这的确是种最直接、最有效的法子。

郝生意终于也出现了，看着晕倒在地上的少女，摇头叹息，喃喃道："好好的一个女孩子，为什么偏偏要吃草？"

小马道："她吃草？"

郝生意道："吃得很多。"

小马更奇怪："吃什么的人我都见过，可是吃草的人……"

郝生意道："她吃的不是普通的那种草。"

小马道："是哪种？"

郝生意道："是那种要命的毒药。"

他叹息着解释："这里的山阴后长着种麻草，不管谁吃了后，都会变得疯疯癫癫、痴痴迷迷的，就好像……"

小马道："就好像喝醉酒一样？"

郝生意道："比喝醉酒还可怕十倍。一个人酒醉时心里总算还有三分清醒，吃了这种麻草后，就变得什么事都不知道，什么事都会做得出了。"

小马道："吃这种草也有瘾？"

郝生意点点头，道："据说他们那些人一天不吃都不行。"

小马道："他们那些人是些什么人？"

郝生意道："是群总觉得什么事都不对劲，什么人都看不顺眼的大孩子。"

——他们吃这种草，就是要为了麻醉自己，逃避现实。

小马了解他们，他自己心里也曾有过这种无法宣泄的梦幻和苦闷。

一种完全属于年轻人的梦幻和苦闷。

可是他没有逃避。

因为他知道逃避绝不是解决问题的好法子，只有辛勤的工作和不断的奋斗，才能真正将这些梦幻苦闷忘记。

他俯下身，轻轻掩起了这少女的衣襟。

想到那个吃人肉的法师，想到这个人的可恶与可恨，他的手又冰冷。

他忽然问："你见过法师？"

郝生意道："嗯。"

小马道："什么人的肉他都吃？"

郝生意道："如果他有儿子，说不定也已被他吃下去。"

小马恨恨道："这种人居然还能活在现在，倒是怪事。"

郝生意道："不奇怪。"

小马冷笑道："你若有个儿子女儿被他吃了下去，你就会奇怪他为什么还不死了。"

郝生意道："就算我有个儿女被他吃了下去，我也只有走远些看着。"

他苦笑，又道："因为我不想被他们吃下去。"

小马没有再问，因为这时门外已有个人慢慢地走了进来。

一个态度很严肃的老人，戴着顶圆盆般的斗笠，一身漆黑的宽袍长垂及地，雪白的胡子使得他看来更受人尊敬。

郝生意早已迎上去，恭恭敬敬替他拉开了凳子，赔笑道："请坐。"

老人道："谢谢你。"

郝生意道："你老人家今天还是喝茶？"

老人道："是的。"

他的声音缓慢而平和，举动严肃而拘谨，无论谁看见这样的人，心里都免不了会生出尊敬之意，就连小马都不例外。

他实在想不到狼山上居然也会有这种值得尊敬的长者。

他只希望这老人不要注意到地上的女孩子，免得难受伤心。

老人没有注意。

他端端正正地坐着，目不斜视，根本没有看过任何人。

郝生意道："今天你老人家是喝香片，还是喝龙井？"

老人道："随便什么都行，只要浓点，今天我吃得太多太腻。"

他慢慢接着道："看见年轻的女孩子，我总难免会多吃一点儿的，小姑娘的肉不但好吃，而且滋补得很。"

小马的脸色变了，冰冷的手已握紧。

老人却连看都不看他一眼，态度还是那么严肃而拘谨，用一只手慢慢地解开了系在下颚的丝带，脱下了那顶圆盆般的斗笠，露出了一颗受过戒的光头，看来又像是修为功深的高僧。

小马忽然走过去，拉开他对面的凳子坐下，道："你不喝酒？"

老人摇头。

小马道："据说吃过人肉后，一定要喝点儿酒，否则肚子会疼的。"

老人道:"我的肚子从来不疼。"

小马冷冷道:"现在说不定很快就会疼了。"

老人终于抬头望了他一眼,慢慢地摇了摇了头,道:"可惜,可惜。"

小马道:"可惜什么?"

老人道:"可惜我今天吃得太饱。"

小马道:"否则你是不是还想尝尝我的肉?"

老人道:"我用不着尝,我看得出。"

他慢慢地道:"人肉还分几等,你的肉是上等肉。"

小马笑了,大笑。

郝生意正端着茶走过来,满满一大壶滚滚的浓茶,壶嘴里冒着热气。

小马忽然问他:"这地方是不是真的从来没有人打过架?"

郝生意立刻点头,道:"从来没有。"

小马道:"很好。"

两个字说出口,他已一脚踢飞了桌子,挥拳痛击法师的鼻子。

法师冷笑,枯瘦的手掌轻挥,本来就是像纸带般卷着的指甲,忽然刀锋般弹起,急刺小马的脉门。

想不到小马的另一拳已打在他的肚子上。

这并不是什么奇妙的招式,只不过小马的拳头实在太快。

"卜"的一声响,拳头打在肚子上,就好像打鼓一样。

接着又是"卜"的一声响,法师坐着的凳子忽然碎裂。

他的人却还是凌空坐着,居然连动都没有动,小马的拳头竟好像并不是打在他肚子上,而是打在凳子上一样。

常无意皱了皱眉。

他看得出这正是借力打力、以力化力的绝顶内功，能将功夫练到这一步的人并不多。

小马却好像完全不懂，对着法师道："现在你的肚子疼不疼？"

法师冷冷道："我的肚子从来不疼。"

小马道："很好。"

两个字说出口，他的拳头又飞了出去，打的还是鼻子。

这次法师出的手也不慢，刀锋般的指甲急刺他的咽喉。

这一着以攻为守，攻的正是对方的必救之处——必救之处的意思，就是不救便死。

小马却偏偏不救。

他根本连理都不理，拳头还是照样打出去——还是另一只拳头，还是打在肚子上。

法师的指甲眼看已将洞穿他的咽喉，只可惜慢了一点儿。

只慢了一点点儿。

小马的拳头实在太快，胆子也实在太大。

他要打这个人的肚子，就非打不可，死活他根本不在乎。

法师居然还没有动，脸色却已有些发白，刀锋般的指甲又纸带般卷了起来。

他的内力已被打散。

小马道："现在你的肚子疼不疼？"

法师摇头。

小马冷笑道："肚子不疼，怎么连话都说不出？"

法师深深吸了口气，身子忽然跃起，反手猛切小马左颈，双腿也踢向小马下腹。

他的出手毒而怪异，一动起来，整个人都在动，甚至连黑色的长袍都在动，就像是个吃人的妖魔。

七种武器

1251

只可惜小马的拳头又已经开始打在他的肚子上。

这一拳他已受不了，"砰"的撞上墙壁，再跌下。

小马冲过去，拳头如雨点，打他的鼻子，打他的肚子，打他的软肋和腰。

他不停地打，法师不停地呕吐，连鲜血、苦水、胆汁都一起吐了出来。

他整个人都被打软了，只能像狗般趴在地上挨揍。

小马总算住了手。

因为他已经被蓝兰用力抱住。

法师已经不能动，郝生意的脸色也发了白，喃喃道："好快的拳头，好快的拳头。"

小马道："以后你可以告诉别人，这里总算有人打过架了。"

郝生意叹了口气道："这里本是你们惟一可以太太平平睡一觉的地方，你为什么一定要坏了这里的规矩？"

小马道："因为这只不过是你们的规矩，不是我的。"

郝生意苦笑道："你也有规矩？"

小马道："有。"

郝生意道："什么规矩？"

小马道："该揍的人我就要揍，就算有刀架在我脖子上，我也非揍他一顿不可。"

他冷冷的接着道："这就是我的规矩，一定比你的规矩好。"

郝生意道："哪一点比我好？"

小马扬起他的拳头，道："只要有这一点，就已足够了。"

郝生意不能不承认，任何人都不能不承认，世上的规矩，本来就至少有一半是用拳头打出来的。

我的拳头比你硬，我的规矩就比你好。

小马瞪着郝生意，道："我还有一件事要告诉你。"

郝生意只有听。

小马道："破坏规矩的是我，跟别人没有关系，所以他们在这里歇息的时候，若是有人来找他们麻烦，我就来找你。"

他板着脸，慢慢地接着道："这一点你最好不要忘记。"

他知道郝生意一定不会忘记的，他的拳头就是保证。

蓝兰忍不住问道："我们在这里歇着，你呢？"

小马道："老皮是我的朋友，珍珠姐妹对我也不错。"

蓝兰道："你还是想去找他们？"

小马看着地上的女孩，道："我不想让他们留在那里吃草。"

蓝兰道："可是我们也需要你。"

小马道："现在最需要别人帮助的绝不是你们，至少你们在这里还很太平，何况现在本来就是大家都应该睡一觉的时候。"

蓝兰道："你可以不睡？"

小马道"我可以。"

他不让蓝兰开口，很快的接着又道："有朋友要往火炕里跳的时候，只要能拉他一把，不管要我怎么样都可以。"

蓝兰道："这也是你的规矩？"

小马道："是。"

蓝兰道："就算拿刀架在你脖子上，你也绝不会破坏你的规矩？"

小马道："是的。"

郝生意忽然又出现了，将手里的一壶酒摆在小马面前，道："喝完这壶酒再走还来得及。"

小马笑了，道："你是不是还想做我最后一笔生意？"

郝生意道："这是免费的。"

小马道："你也有请客的时候？"

郝生意道："我只请你这种人。"

小马道："我是哪种人？"

郝生意道："有规矩的人，有你自己的规矩。"

他替小马斟满一杯："这种人近来已不多了，所以我也不必担心会时常破费。"

小马大笑，举杯饮尽，道："可惜你今天至少还得破费一次。"

郝生意道："哦？"

小马道："日落时我一定会回来，就算爬，也要爬回来。"

蓝兰咬着嘴唇，悠悠地问："回来喝他免费的酒？"

小马凝视着她，道："回来做我已答应过你的事。"

常无意忽然冷冷道："你若是死了呢？"

小马道："死了更好。"

蓝兰道："更好？"

小马道："再凶的狼也比不上厉鬼。我活着时是个凶人，死了以后一定是个厉鬼。"

他微笑着，又道："如果有个厉鬼保护你们过山，你们还有什么好担心的？"

蓝兰也想笑，却笑不出。

她也替小马斟满了一杯，道："你有把握在日落前找到嬉狼的狼窝？"

小马道："本来没把握，可是现在我已有了带路的人。"

蓝兰看看地上的女孩，道："她能找到她自己的窝?"

小马道："我有把握能让她清醒。"

蓝兰叹了口气，道："她伤得不轻，清醒后一定会很痛苦。"

小马道："但是痛苦也能使人保持清醒。"

痛苦也能使人清醒。

人活着，就有痛苦，那本是谁都无法避免的事。

你若能记住这句话，你一定会活得更坚强些，更愉快些。

因为你渐渐就会发觉，只有一个能在清醒中忍受痛苦的人，他的生命才有意义，他的人格才值得尊敬。

（二）

泉水从高山上流下来，小马将昏迷的女孩浸入了冰冷清澈的泉水里。

她伤得不轻。

冰冷的泉水流入她的伤口，一定会让她觉得痛苦难忍。

可是痛苦却已使她清醒。

阳光灿烂，她忽然开始在泉水中打挺，就像是条忽然被标枪刺中的鱼。

鱼不会呼号。

她的呼号声却使人不忍卒听。

小马在听，也在看。

他的心肠并不硬，他这么样做，只因为他觉得这个女孩子无论身体和灵魂都应该洗一洗——不是用水洗，是用痛苦来洗。

就好像黄金一定要在火焰中才能炼得纯，就好像凤凰一定要经过烈火的洗礼，才会变得更辉煌美丽。

呼号和挣扎终于停止。

她静静地漂浮在水面上，等到她能再睁开眼时，她就看见了小马。

她的眼睛也已清醒。

清醒使她的眼睛看来更美，美而清纯。

在迷醉时她也许是个妖女、荡女，清醒时她却只不过是个寂寞而无助的小女孩。

看见了小马，她居然露出了惊惶羞怯的表情。

妖女和荡女们，是绝不会有这种表情的，即使在身子完全裸露时都不会有。

小马笑了，忽然道："我姓马，别人都叫我小马。"

女孩吃惊地看着他，道："我不认得你。"

小马道："可是刚才你还记得我的，你不该忘得这么快。"

女孩看着他，再看看自己。

刚才的事，她并没有完全忘记。

一个刚从噩梦中惊醒的人，绝不会很快就会将那场噩梦忘记的。

——是噩梦中的她才是真正的她自己？还是现在？

她已有点儿分不清了。

她已在噩梦中过得太久。

小马了解她的感觉："现在你是不是已经想起来了？是不是觉得很害怕？"

女孩忽然从水中跃起，扑向小马，仿佛想去扼断小马的脖子，挖出小马的眼睛。

小马只有一个脖子，一双眼睛。

幸好他还有一双手。

他的手一伸出来，就抓住了她的脉门，她整个人立刻软了下去。

小马用自己的衣服包住了她，轻轻地把她搂在怀里。

女孩咬着牙道："我要杀了你，我迟早一定要杀了你。"

小马道："我知道你并不是真的要杀我，因为你真正恨的并不是我，而是你自己。"

他在笑，笑得很温柔。

可是他说的话却像是一根针，一针就能刺入人心："我也知道你现在一定已经在后悔，因为你做那些事，本来是为了要寻找快乐的，可是找到的却只有痛苦和悔恨。"

他看得出她的痛苦表情，可是他的针却刺得更深："只要你在清醒的时候，你一定时时刻刻都在恨自己，所以你才会拼命虐待自己，折磨自己，报复自己，却忘了这么样做无论对谁都没有好处。"

现在他的针已刺得很深了，已经深得可以刺及她心里的结。

他感觉得到。

她的身子颤抖，眼泪已流下。

一个已无药可救的人，是绝不会流泪的。

他轻抚着她的头发："幸好现在你还年轻，要想重新做人，还来得及。"

她忽然仰起脸，用含泪的眼睛看着他，就好像溺水的人，忽然看见根浮木。

"真的还来得及？"

"真的。"

泉水恢复了清澈，水中的血丝已消失在波浪里，绝没有任何污垢血腥能留在泉水里，因为它永远奔流不息。

他们沿着泉水往山深处走。

"泉水的源头，是个湖泊，"女孩说，"我们都叫它做太阳湖。"

"那就是你们祭祀太阳的地方？"

女孩点点头。

"每天早上太阳升起的时候，第一道阳光总是照在湖水上。"

她眼睛里带着种梦幻般的憧憬："那时候湖水看起来就好像比太阳还亮，我们赤裸着跃入湖水，就好像被太阳拥抱着一样！"

她的声音中也充满了美丽的幻想，绝没有一点邪恶淫猥之意。

"然后我们就开始在初升的太阳下祭祀，祈祷它永远存在，永远不要将我们遗弃。"

"你们用什么祭祀？"小马问。

"在平常的日子里，我们通常都用花束，"女孩轻轻的说，"从远山上采来的鲜花。"

"什么时候是不平常的日子？"

"每个月的十五。"

"那一天你们用什么作祭祀？"

"用我们自己。"

她又解释："那一天我们每个人都要将自己完全奉献给太阳。"

小马还是不懂。

"你们怎么奉献？"

"我们选一个最强壮的男孩，他就像征着太阳神，每个女孩子都要将自己奉献给他，直到太阳下山时为止。"

她慢慢的接着道："然后我们就会让他死在夕阳下。"

她说得很平淡，就好像在叙说着家常。

小马地觉得自己的胃又在收缩。

"那个男孩自己愿意死？"他问。

"当然愿意！"女孩道："世上绝没有任何一种死法有那么光荣，那么美丽。"

她的声音中忽然充满悲伤："只可惜我已没有这种机会了！"

"你？"

"那一天男孩们也要选一个最美丽的女孩子，作他们的女神。"

"然后每个男孩都要跟她……跟她……"小马实在想不出适当的字句来说这件事。

"每个男孩都一定要将自己的种子射在她身体里。"她替他说了出来。

"因为男人的种子比血更珍贵，每个人都要将自己最珍贵的东西奉献出来，让她带给太阳。"

她说得还是很平淡，小马的拳头却已握紧。

他忽然发现他们之中一定有个极邪恶的人在操纵他们，利用这些年轻人的无知和幻想，将一件极邪恶的事蒙上层美丽的外衣。

他们不但肉体在受着那个人的摧残，心灵也受到了损伤。

小马握紧拳头，只恨不得一拳就将那个人的鼻子打进他自己的屁眼里。

七种武器

1259

女孩又在继续说："后天就是十五了，这个月大家选出来的女神本来是我。"

　　"现在呢？"

　　"现在他们已换了一个人来代替我！"她显然很伤心："他们选的居然是个从外地来的陌生女人！"

　　"所以你又生气，又伤心，就拼命的吃草，想忘记这件事。"

　　女孩承认。

　　小马忽然笑了，大笑。

　　女孩吃惊的看着他："他为什么笑？"

　　小马道："因为我觉得很滑稽。"

　　女孩道："什么事滑稽？"

　　小马道："你！"

　　女孩道："我很滑稽？"

　　小马道："一个本来已经死定了的人，忽然能够不死了，无论谁都会开心得要命，你反而偏偏觉得很伤心。"

　　他摇着头笑道："我这一辈子都没有听过比这更滑稽的事。"

　　女孩道："那只因为你不懂。"

　　小马道："我不懂什么？"

　　女孩道："不懂得生命的意义！"

　　小马道："如果你就这么样糊里糊涂地死了，你的生命有什么意义？"

　　女孩叹了口气，道："这本来就是件很玄妙神奇的事，我也没法子跟你解释。"

　　小马道："你知道有谁能解释？"

　　女孩道："有一个人。"

她眼睛里又发出了光："只有一个人，只有他才能引导你到永生！"

小马的拳头握得更紧，因为他一定要控制住自己的怒气。

他试探着问："这个人是谁？"

女孩道："他就是太阳的使者，也是为我们主持祭礼的人。"

小马道："我能不能见到他？"

女孩道："你想见他？"

小马道："想得要命！"

女孩道："你是不是也有诚心想加入我们，做太阳神的子民？"

小马道："嗯。"

女孩道："那么我就可以带你去见他。"

小马跳起来："我们现在就去。"

这时黑夜还没有来临，满天夕阳如火。

七种武器

太阳湖

（一）

"每天黄昏太阳下山时，最后一道阳光也总是照在湖水上。"

"那时你们也有祭祀？"

"嗯。"

"主持祭礼的也是那位太阳神的使者？"

"通常都是。"

小马看着自己握紧的拳头，喃喃道："我只希望今天不要例外！"

夕阳满天，夕阳满湖。

在夕阳下看来，这一片宁静的湖水仿佛也有火焰在燃烧着。

湖上漂浮着一条船。

小小的船上，堆满了鲜花，各式各样的鲜花，从远山采来的鲜花。

湖畔只有一个人。

一个就好像黄金铸成的人，金色的袍，金色的高冠，脸上还带着黄金的面具。

　　他独立在满天夕阳下，满湖夕阳边，看来真是说不出的庄严，辉煌而高贵。

　　小马看见了这个人。

　　小马已来了，带着他紧握的拳头来了，但他却看不见这个人的庄严和高贵。

　　他只看见了这个人邪恶和无耻。

　　——世上有多少邪恶无耻的事，都披着美丽高贵的外衣？

　　小马握紧拳头冲过去："你就是太阳神的使者？"

　　使者点点头。

　　小马指着自己的鼻子："你知道我是谁？"

　　使者又点点头，道："我知道，我正在等着你。"

　　他的声音绝对没有一点儿太阳的热情，却带着种奇异的魅力。

　　他慢慢接着道："你若是诚心皈依，我就收容你，引导你到极乐和永生。"

　　小马道："死就是永生？"

　　使者道："有时是的。"

　　小马道："那么你为什么不去死？"

　　他的人冲了上去，他的拳头已击出，迎面痛击这个人的鼻子。

　　就算他明知这个鼻子是黄金铸成的，他也要一拳先把它打成稀烂再说。

　　他一共打碎了多少鼻子，他已记不清。

　　他只记得像这么样一拳打出去，是很少会打空的——就算打不中鼻子，至少也可以打肿一只眼睛，打碎几颗牙齿。

他这一拳并没有什么奇诡的变化，也不是什么玄妙的招式。

这一拳的厉害，只有一个字——

快！

快得可怕。

快得令人无法闪避，无法招架。

快得不可思议。

追风刀丁奇是江湖中有名的快刀，据说他的刀随时可以在一刹那间把满屋子飞来飞去的苍蝇和蚊子都削成两半。

有一次他很想把小马也削成两半，从小马的脖子上开始削。

他的刀锋已经到了小马的脖子上。

可是小马的脖子没有断，因为小马的拳头已经先到了他鼻子上。

他这出手一拳当然比不上小李飞刀，小李飞刀是"出手一刀，例不虚发"的。

可是他也差不了太多。

假如有人替他计算过，他出拳的比例大约是九成九。

那意思就是说，他一百拳打出去，最多只会落空一次。

想不到他这一拳居然又打空了。

他的拳刚击出，这位太阳神的使者已经像风一样飘了出去。

就在这一下午，还不到半天功夫，他的拳头已经打空了两次。

这实在是他一辈子都没有遇见过的事。

他忽然发现这位太阳神使者的轻功法，竟好像比君子狼还要高。

使者正在看着他，悠然道："你打空了。"

小马道："这一次打空了，还有第二次。"

使者道："你还想再试试？"

小马道："只要你的鼻子还在脸上，我的拳头还在手上，我们就永远没完！"

他又准备冲过去。

使者立刻大叫："等一等！"

小马道："等什么？"

使者道："等我先让你看一个人。"

小马道："看谁？"

使者道："当然是个很好看的人，我保证你一定很想看她。"

他说得好像很有把握。

小马已经开始有点儿被他打动了。

使者道："你看过了她之后，如果还想打碎我鼻子，我绝不还手！"

小马不信，却更好奇，忍不住问："这个人究竟是谁？"

使者道："严格说来，现在她已经不能算是人。"

小马道："不是人是什么？"

使者道："是女神。"

——那天男孩们当然也要选一个最美丽的女孩子，作他们的女神。

——现在他们选的居然是个从外地来的陌生女人。

小马的拳放松，又握紧。

他心里忽然有了种不祥的预兆，又忍不住问："她在哪里？"

使者转过脸，遥指着湖上的花船："就在那里！"

夕阳已将消沉，在这将要消沉却还未消沉的片刻间，也正是它最美丽的时候。

花舟在满湖夕阳中飘荡，看来就像一个美丽的梦境。

可是这美丽的梦，忽然就变成了噩梦。

满船鲜花中，已有个人慢慢地站了起来。

一个女人。

一个完全赤裸着的美丽女人。

她披散的头发柔美如丝缎，她光滑的躯体也柔美如丝缎。

她的乳房小巧玲珑而坚挺，她的腰肢纤细，双腿笔直。

这正是男人们梦想中的女人，一个只有在梦境中才能寻找到的女人。

但是对于小马来说，这个梦却是个噩梦。

有多少辛酸、甜蜜的往事？

多少永难忘怀的回忆？

多少欢聚？

多少寂寞？

他消沉堕落是为了谁？

——小琳。

他悲伤痛苦是为了谁？

——小琳。

他流浪天涯，是为了寻找谁？

——小琳。

小琳在哪里？

——小琳就在这里。

这个从鲜花中站起来的女人，这个已准备将自己奉献给太阳神的女人，就是他魂牵梦萦、铭心刻骨、永难忘怀的小琳。

（二）

小马的手冰冷，全身都已冰冷。

此时此刻，他心里是愤怒？是悲伤？是痛苦？什么都不是。

此时此刻，他心里竟忽然变成了一片空白，他的灵魂，他的血，都仿佛一下子被抽光。

只有真正经历过悲痛和打击的人，才能了解他的这个感觉。

小琳呢？

她仿佛已完全没有感觉。

她痴痴地站在花舟上，痴痴地站在鲜花中，她的灵魂，她的血，好像已被抽光了。

早已被抽光了。

她在看着小马，却好像完全不认得这个人。

小马忽然大喊，用尽全身力气大喊。

她听不见。

她已不是她自己，她已奉献给太阳神。

小马冲过去，跃入湖水中。

没有人阻拦。

花舟就在湖心，他用尽全身力气游过去，花舟却已到了另一方。

他再游过去，花舟已远了。

这花舟就像是梦中的花，风中的雾，水中的月，他能看见，却永远捉不住。

七种武器

夕阳已消沉。

黑暗的夜，不知在什么时候已笼罩大地，远山，湖水，都已沉没在黑暗中。

那刚才还在夕阳下发着光的太阳神使者，也已变成了一条黑暗的影子。

可是他仍在，仍在湖畔，冷冷地看着小马在湖水中挣扎、追逐、呼喊。

只可惜他的呼喊永无回应，他追逐的也仿佛是个永远追不上的幻影。

夜色更深，更黑暗。

湖水冰冷。

他忽然觉得心里一阵刺痛，直刺入他的四肢，他的骨髓。

他沉了下去，沉入冰冷的湖水里。

（三）

没有水了，有火。

火焰在燃烧。

燃烧着的火焰闪动不熄，让人几乎很难张得开眼睛。

可是小马终于张开了眼睛。

火焰中仿佛也有一个人的影子，火焰又像是鲜花，人仍在花中。

"小琳，小琳。"

他想扑过去，扑向火焰。

——风蛾为什么要扑火？是因为它愚蠢？还是因为它宁死也要追求光明？

他想扑过去，可是他不能动，他的全身上下、手足四肢都已不能动。

幸好他还能看，还能听。

他第一个看见的人竟是老皮。

老皮站在火焰旁，笑嘻嘻地看着他。

也不知是因为火焰的闪动，还是因为他的眼花了，现在这个老皮，看来已不像他以前认得的那个老皮。

以前的老皮虽然皮厚，虽然赖皮，看起来却是个蛮像样的人，高大挺拔、相貌堂堂。

——一个人若是长得很不像样，怎么能够在外面冒充"神拳小诸葛"，怎么能在外面混吃混喝、招摇撞骗？

可是现在这个老皮样子却变了，竟变得有七八分像疯子、三分像白痴。

以前的老皮一向很讲究衣服，在这种"只重有冠不重人"的社会里，要想做一个骗子，几件好行头是万万不可少的。

可是现在他居然只穿着条短裤。

小马看着他，心里又在想一件事——一拳打扁这个人的鼻子。

只可惜他连拳头都握不紧。

老皮忽然笑嘻嘻地问："你看我怎么样？"

小马只能用一个字答复："哼！"

老皮道："可是我自己觉得好极了，简直从来都没有这么好过！"

他笑起来很像白痴："到了这里后，我才知道以前的日子都是白活的。"

小马道："滚。"

七种武器

老皮道："你叫我滚我就滚。"

他居然真的往在地上一躺，居然真的滚走了。

看着他像野狗般在地上打滚，小马的心里是什么滋味？

不管怎么样，这个人总是他的朋友，现在这个人还能不能算是人？

再想到小琳，想到她很快就会遭到的事，小马更连心都碎了。

他没有流泪，也没有呼喊，只因为他发现那太阳神的使者正在火焰后冷冷的看着他，道："现在你还有两条路可走。"

小马只有听。

使者道："如果你真心皈依我，现在还来得及；如果你想死，也方便得很。"

小马真的很想死。

他已救不了老皮，也救不了小琳，他恨不得能立刻投入火焰，让自己全身的骨骼血肉化作灰烬。

可是他又想起了丁喜的话。丁喜是他的好朋友，是他的兄弟，丁喜一向被人认为是"聪明的丁喜"。

丁喜曾对他说："死，并不是解决问题的法子，只有懦夫才会用死来解脱。"

只要你活着，只要你有决心、有勇气，无论多艰苦困难的事，都一定有法子解决的。"

火焰中仿佛又出现了丁喜的笑脸，笑得那么讨人喜欢，又笑得那么坚强勇敢。

小马忽然道："我不想死。"

使者道："那么你就该明白一件事。"

小马在听。

使者道："现在你的命，已经是我的。"

小马道："我明白。"

使者道："你准备用什么来换回你的命？"

小马道："要什么？"

使者道："蓝兰。"

小马很意外道："你想要她？"

使者道："很想。"

小马道："你不想要轿子里的那个人？"

使者道："很想。"

小马的心在下沉。

他并不是不很聪明的人，他当然已明白使者的意思："你要我用她来换小琳？"

使者不否认："只要你跟你的朋友站在我这一边，他们绝对逃不出我的掌心！"

小马并没有答应。

他不敢答应得太快，他不敢让对方有一点儿怀疑。

过了很久，他才试探着问："你要我替你做事，当然要先放我走？"

使者道："当然。"

小马的心在跳："你相信我？"

使者道："我相信。"

小马的心跳得更快，道："你认为我是个随时都会出卖朋友的人？"

使者道："我知道你不是，但他们并不是你的朋友，老皮却是的，还有小琳。"

小马的心又在往下沉。

使者道："所以只要你答应我，我立刻放你走，在十五日出之前，你若不带他们来，那么你的小琳就⋯⋯"

他没有说下去，也不必说下去。

小马更不愿意再听，忽然问道："我只一有点儿想不通。"

　　使者道："你可以问。"

　　小马道："你们最恨的本来是我。"

　　使者也不否认。

　　小马道："轿子里那个人，却只不过是个陌生的过路客，而且还有重病。"

　　使者道："嗯。"

　　小马道："现在你们宁可为了他而放过我，他对你为什么如此重要？"

　　使者回答得很干脆："他值钱。"

　　小马问："值多少钱？"

　　使者道："多得你连做梦都想不到。"

　　小马没有再开口。

　　他想吐。

　　他看见老皮又爬过来，正想吻使者的脚。

　　他想不通一个人为什么会在一日间就变得如此可怕。

　　使者道："你应该感激我，我没有让你吃草，可是我已经给你吃了另一种药！"

　　小马的指尖冰冷，忍不住问："什么药？"

　　使者道："当然是毒药。"

　　小马道："毒药也有很多种。"

　　使者淡淡道："十五的日出之前，你若还没有把人带来，你就会知道那是种什么样的毒药了。"

（四）

　　九月十三，夜。

夜已深，有雾。

太平客栈的窗内仍有灯，从雾中看过去，灯光朦胧如月色。

屋子里没有别的人，他的算盘打得"得得"响，这正是他一天中最愉快的时候。

他做的生意从来没有亏过本。

小马冲过去，大声问："人呢？"

郝生意没有抬头，道："什么人？"

小马道："我那些朋友。"

郝生意道："那些人已经走了。"

小马道："什么时候走的？"

郝生意道："当然是算过账才走的，已经走了很久，他们急着赶路。"

小马怔住。

他并没有打算出卖他的任何一个朋友，他回来找他们，只因为现在正是他最需要朋友的时候。

郝生意终于抬头看了他一眼，道："你不想去追他们？"

小马道："你知道他们走的哪条路？"

郝生意道："不知道。"

他掩起账薄，叹了口气，淡淡的接着道："我只知道无论他们走的是哪条路，都是条死路，所以你就算追上他们也没有用。"

小马瞪着他，突然出手，一把揪住他的衣襟，把他整个人从柜台后揪了出来。

郝生意的脸色白了，勉强笑道："我说的是老实话。"

小马知道他说的是老实话，就因为他说的是老实话，所以小马才难受。

因为他已经没有法子再自己骗自己。

他不能出卖别人，也不能牺牲小琳。

没有人能替他解决这难题，也没有任何人能够帮助他。

现在他就算追上他们，又有什么用？

郝生意看着他的脸色，试探着道："我知道你一定又遇上了麻烦，而且麻烦一定不小。"

小马的脸色惨白。

郝生意立刻接下去，道："我们总算也是朋友，我也很想帮帮你的忙，只可惜这里是狼山，无论谁在这里遇上了麻烦，都绝对没有人能替他解决的。"

小马忽然道："也许还有一个人。"

郝生意道："谁？"

小马道："狼山之王。"

郝生意又勉强作出笑脸，道："只要有朱五太爷的一句话，当然什么问题都可以解决了，只可惜……"

小马道："只可惜我找不到他？"

郝生意叹道："非但你找不到，简直就没有人能找得到他。"

小马道："我知道一定有个人的。"

郝生意道："谁？"

小马道："你！"

郝生意的脸色已发青，道："不是我，真的不是……"

小马道："你带我去，我绝不会害你，朱五也绝不会怪你，因为我只不过是送礼去的。"

郝生意道："送礼？送什么礼？"

小马道："送我的这双拳头！"

他握紧拳头，对准郝生意的鼻子："否则我就将这双拳头送给你！"

郝生意居然没有闪避，反而挺起胸，道："你就算打死我，我也没法子带你去。"

小马道："我并不想打死你，死人不会带路，没有鼻子的人却一样可以带路。"

郝生意的鼻尖上已冒出冷汗，苦着脸道："没有鼻子的人也一样找不到他老人家！"

"如果连眼珠子也少掉一个呢？"

郝生意道："那……那……"

小马道："也许那也没有什么了不起，可是男人身上，有样东西是万万不能少的。"

郝生意满头大汗滚滚而落，连一个字都说不出了。

他当然知道男人身上最不能少的是什么，每个男人都知道。

小马道："现在你是不是已经想起他在哪里了？"

郝生意吃吃道："有一点儿，好像有一点儿，你总得让我慢慢地想。"

小马道："你要想多久？"

郝生意还没有开口，门外已有个人冷冷道："你就算让他再想三年，他也想不起来的。"

说话的是个女人，这女人好大的一双脚！

人都有脚。

女人也是人，当然都有脚。有的脚好看，有的难看，有的底平趾敛，就像是用白玉雕成的，有的却像是发了霉的萝卜干。

这女人的一双脚却简直像是两条小船，鞋子脱下来，就算不能载人过河，至少也可以做孩子的摇篮。

如果你没有看见过这个女人，我保证你连做梦都想不到天下会有这么大的一双脚，而且居然是长在一个女人身上的。

现在小马总算见到了，见到了之后，还几乎有点不太相信。

这个女人当然就是柳金莲。

柳金莲不但脚大，嘴也不小，看着小马的时候，就好像随时都准备一口把小马吞下去。

小马只想吐。

柳金莲上上下下把他打量了几遍，才接着道："你想找朱五太爷，只有一个人可以带你去找。"

小马立刻问："谁？"

柳金莲伸出一根胡瓜般的手指，指着脸上一堆又像是肥肉，又像是鼻子的东西，道："我。"

小马心里在叹气，却还是忍不住问道："你肯带我去？"

柳金莲道："只要你答应我一件事。"

小马道："什么事？"

柳金莲道："你们杀了章长脚，你总得赔个老公给我。"

小马又一把提起了郝生意，道："这个人不但会说话，而且会赚钱，做老公正是再好也没有的了。"

他的话还没有说完，郝生意已经在拼命摇头，道："我不行，我是个……"

小马也没有让他的话说完，随手拿了块抹布，塞住了他的嘴，道："我就把他赔给你做老公，你看好不好？"

柳金莲道："不好。"

小马道："你想要个什么样的男人？"

柳金莲道："我要的就是你！"

这句话刚说完，她的人已经向小马扑了过去，就像是一座山忽然压下来了一样。

可是她的身法居然很轻快，两条膀子一伸开，又像是老鹰扑小鸡。

幸好小马不是小鸡。

小马的拳头已经闪电般击出，往她脸上那堆又像肥肉、又像是鼻子般的东西打了过去。

不管这样东西是什么，只要被小马的拳头打中，都一样受不了。

只可惜小马忘了一件事。

他忘了柳金莲不但有双大脚，还有张大嘴——比他的拳头还大得多。

他一拳击出，柳金莲就已张开嘴等着。

他这一拳竟打进了柳金莲的嘴里。

小马叫"愤怒的小马"。

愤怒的小马当然喜欢打架，为了各式各样的原因，跟各式各样的人打过架。

所以各门各派、各种奇奇怪怪的招式，他大多都见过。

可是他没有想到柳金莲这一招。

他只觉得自己的拳头好像一下子打进了一堆发烫的烂泥里。

更糟的是，烂泥里还有两排牙齿，一下子就把他的脉门咬住。

接着，他的人也被抱了起来，抱得好紧。

七 种 武 器

他已连气都透不出。

现在他才真正明白，什么事能比死更可怕了。

被柳金莲这么样一个女人抱着，已经比死更可怕三倍。

如果再真的被迫做了她的老公，那情况简直令人连想都不敢想。

只可惜现在人连死都死不了。

如果一个人的嘴里含着个拳头，还能不能笑得出来？

柳金莲能。

她的笑声简直可以令人把三个月以前吃的饭吐出来。

她的手还在乱动。

小马的头已经被挤在她胸膛上的肥肉里，眼睛虽然看不见，却可以感觉到她正抱着他往最左边的一间房里走。

那间房里有张最大的床。

进了那间房之后，会发生些什么事？也许有很多人都能想像得到。

幸好这一次什么事都没有发生，因为一进了那间房，柳金莲就倒了下去。

忽然间就像是一座山一样倒了下去。

鲜血箭一般从她颈子后面的大血管里喷出来，喷在墙上。

她还想扑上来，心口又挨了一刀。

这一刀更狠，更重。

小马的手根本不能动，手里根本没有刀。

是谁杀了她？

"是我。"

有个人手里有把刀。

菜刀。

能够用把菜刀就能杀死柳金莲的人，是个什么样的人？

当然是个绝不会让柳金莲提防的人，是那种绝不会让任何人觉得危险的生意人。

刀锋上还有血。

刀就在郝生意的手里。

小马先看见这把刀，才看见郝生意的手。

他看见过郝生意很多次，每次都只注意到那张会做生意的笑脸。

这是他第一次注意到郝生意的手，一只有七根手指的手。

五根手指紧紧握着刀柄，两根歧根就像是路标般指向两方。

小马长长吐出口气："原来是你！"

郝生意道："就是我。"

狼山之王

（一）

九月十三，四更后。

雾浓。

小马和郝生意并肩走在浓雾中，寸步不离。

他实在不敢离开这个人半步，这个很会做生意的生意人实在太诡秘难测、太难以捉摸。

先开口的是郝生意："你知道我平生最倒霉的事是什么？"

小道："是认得那个老太婆？"

郝生意叹了口气，道："只不过我平生最走运的事，也是认得了她。"

小马道："哦？"

郝生意道："若不是她，现在我已经只能到十八层地狱里去做生意。"

小马道："所以你一定要报她的恩？"

郝生意道："所以你现在还活着。"

如果真的做了柳金莲那种女人的老公，除了一头撞死外，还能怎么办？

小马心里虽然感激得要命，嘴里却绝对连一个"谢"字都不肯说出来。

他只问："现在我们走的是什么路？"

郝生意道："那就得看你了。"

小马道："看我？"

郝生意道："你若走得对，这就是狼山上惟一的一条活路。"

小马道："我若走得不对？"

郝生意道："那么你跟我就要被打下十八层地狱，万劫不复。"

小马当然已明白他的意思，却还是忍不住要问："除了阎王之外，还有谁能把我们打下十八层地狱？"

郝生意道："还有一个王。"

他说得已经很明显，小马却非打破砂锅问到底不可。

"还有一个什么王？"

"狼山之王。"郝生意声音里充满尊敬："在狼山上，他的权力还比阎王还大得多。"

（二）

每条路都有尽头。

这条路的尽头，已在山巅。

云雾已到了足底，仰面就是青天，旭日正从东方升起，彩霞满天。

小马的心一跳："今天是十几？"

郝生意道："十四。"

七种武器

1281

小马仰起脸："前面是什么地方？"

郝生意道："前面就是狼山之王的皇宫。"

小马已完全信任这个人，可是他看见的，却绝不像座皇宫。

山巅居然还有花。

一丛丛不知名的小花，掩映着一道竹篱，篱后仿佛有间木屋。

一个白发苍苍的跛足老人，正弯着腰，在慢慢地扫着石径上的落花。

现在已到了花落时节，斜斜的石径上落花缤纷。他们踏着落花走上去，郝生意远远就停下脚，道："我只能送你到这里。"

小马道："到了这里，我就一定可以见到他？"

郝生意道："不一定。"

他勉强笑了笑，道："这世上本就没有绝对一定可以做得到的事，我已尽了力，你是不是可以见得到他，就全得看你自己了。"

小马也勉强笑了笑，道："我明白，如果我见不到他，这里就是我的葬身之地。"

风中充满了干燥木叶和百花的芬芳，青天下远山如翠。

一个人能死在这里，也算是死得其所了。

可是小琳呢？

郝生意看着他的脸，忽然压低声音，道："我还可以泄露一点秘密给你。"

小马在听。

郝生意道："要想见朱五爷，对那扫花的老人，就得特别尊敬。"

小马没有再说什么，却伸出了手，用力握握他的手。

那只长着七根手指的手，指尖冰冷。

郝生意道："祝你顺利。"

小马道："祝你好生意。"

扫花的老人弯着腰扫花，始终没有抬起头。

小马大步走过去，抱拳躬身："我姓马，我特地来求见朱五太爷。"

扫花的老人听不见。

小马道："我此来并无恶意，我是来送礼的。"

扫花的老人还是没有抬头，却忽然道："跪下来说话，再爬着进去。

小马并没有忘记郝生意的叮咛，他已经对这老人特别尊敬。

现在他居然还能忍住气，道："你叫谁跪下来？"

老人道："叫你。"

小马忽然大吼："放你妈的屁！"

他已经准备不顾一切冲进去。

他的拳头已握紧。

谁知道扫花的老人反而笑了，抬头看着他，一双衰老疲倦的眼睛里也充满笑意。

小马的拳头也无法再打出去。

老人喃喃道："有意思，有意思。"

小马不懂："什么事有意思？"

老人道："我已五十一年没听过'放你妈的屁'这五个字，现在忽然听见，实有很有意思。"

小马的脸有点红了。

不管怎么样，这老人的年纪已经大得可以做他爷爷，他实在不应该无礼。

老人又道："走进去再向左，就可以看见一扇门，敲三次门，就推门进去。"

他又弯下腰去扫花，扫那永远扫不尽的花。

小马很想说几句有礼的话，却连一句都说不出。

等他走入竹篱，再回头时，却已看不见竹篱外弯着腰扫花的人影。

（三）

门也在花丛中。小马敲门三次，就推开门进去。

木屋不大，窗明几净。一个人坐在窗上，背对着他，仿佛在看一卷图。

小马躬身问："朱五太爷？"

这人既不承认也不否认，却反问道："你来干什么？"

小马道："来送礼的。"

这人道："什么礼？"

小马道："一双拳头。"

这人道："你的拳头？"

小马道："是。"

这人道："你这双拳头有什么用？"

小马道："这双拳头会打人，打你要打的人。"

这人道："人人的拳头都会打人，我为什么偏偏要你的？"

小马道："因为我打得比人快，也比人准。"

这人道："你先打我两拳试试。"

小马道："好。"

他居然毫不考虑就答应，而且说打就打，先冲过去，再转身打这人的鼻子。

这并不是因为他特别喜欢打人的鼻子，只不过因为他从不愿在别人背后出手。

先冲到这人面前再转身，出手当然要慢一步。

这一拳打空了。

这个人凌空跃起，再飘飘落下。

小马失声道："是你。"

他认得这个人。

这个人不是朱五太爷，是卜战，"老狼"卜战。

卜战看着他，眼睛居然也在笑，道："你从不在背后打人？"

小马道："嗯。"

卜战道："好，好汉子。"

他忽然指着后面一扇门，道："敲门五次，推门进去。"

这扇门后的屋子比较长，也比较宽。

屋角有张短榻，短榻上斜卧着一个人，也是背对着门的，却不知是睡是醒。

小马再躬身问："朱五太爷？"

这人道："不是。"

小马道："你是谁？"

这人道："是个想挨揍的人。"

小马道："我若想见朱五太爷，就得先挨你一顿？"

这人道："不错。"

他还是斜卧在榻上，背对着小马："随便你揍我什么地方都行。"

小马道："好。"

他又握紧拳头冲过去。

他可以打这人的后头和背脊，也可以打这人的屁股和腰。

这都是人身上的关节要害，现在全都是空门，只要挨上一拳，就再也站不起来。

但是小马打的并不是这些地方。

他打的是墙，这人对面的墙。

一拳头打过去，木板墙立刻被打穿个大洞，碎裂的木板反激出来，弹向这人的脸。

这人当然没法子再躺在那里，身子一挺，已凌空跃起。

小马也一跃而起，凌空挥拳痛击这个人的脸。

这一次他打的不是鼻子。

仓促间他没把握能打准这人的鼻子，脸的目标总比较大些。

这人再想闪避，怎奈力已将尽，身子悬在半空中，也没有法子再使新力。

只听"轰"的一声，他的人已被打得飞了出去，撞在木板墙上。

本来已被打穿个大洞的木板墙，破的洞更大了。这人穿洞飞出，小马也跟着穿过去，里面的一间屋子更大。

一个人远远的坐在几边品茶，满头苍苍白发，赫然竟是那扫花的老人。

刚才被一拳打进来的人，现在又已从墙上的破洞穿出去。

扫花的老人道："他不好意思见你。"

小马道："为什么？"

扫花的老人道："刚才他还在吹牛，只要你在背后出手，绝对过不了他这一关。"

他眼睛里又有了笑意："你果然没有失信，果然没有在他背后出手。"

小马道："他也没有失信。"

扫花的老人不懂。

小马道："他想挨揍，现在已挨了揍。"。

扫花的老人大笑："好小子，不但有种，而且还有趣。"

小马道："我是个好小子，你呢？"

扫花老人道："我只不过是个老头子。"

小马盯着他，道："是老头子？还是老太爷？"

扫花的老人微笑道："老头子通常就是老太爷。"

小马眼睛里闪着光："是朱五太爷？"

扫花的老人不说话了，只是笑。

小马也不再问。

他忽然跳起来，一拳打出去。

打这老人的鼻子。

他并没有失约，并没有在背后出手，可是他出手的时候，也没有打声招呼。

他要让这老人一点防备都没有。

这种打法，非但不能算英雄好汉，简直有点儿赖皮。

可是他一定要试试这老人的武功。

他这么样一拳打出去，无论谁要闪避招架都不容易。

何况这老人背后就是墙，根本已没有退路。

他对自己这一拳本来很有信心，可是这一拳却偏偏又打空了。

他一拳击出，扫花老人已到了墙上，就像是一张纸一样，轻飘飘地飞了上去，轻飘飘地贴在墙上，看着小马微笑。

小马没有再打第二拳。

他在向后退，退出好几步，找了张椅子坐下。

七种武器

扫花的老人道："怎么样？"

小马道："很好。"

扫花的老人道："谁很好？"

小马道："你很好，我不好。"

扫花的老人道："你那点不好？"

小马道："我那么样出手很不好，比起在背后出手已差不了多少。"

扫花老人道："可是你出手了。"

小马道："因为想试试你。"

扫花的老人道："你试出了什么？"

小马道："我的拳头一向很少打空，今天却已打空了三次。"

扫花老人道："哦？"

小马道："第一次是温良玉，第二次是个见鬼的太阳神使者。"

扫花老人道："那两个人就是狼山上数一数二的高手。"

小马道："但是他们比你还差得多。"

扫花的老人道："哦？"

小马道："自从我上了狼山，你是我遇见的第一高手。"

扫花的老人道："哦。"

小马道："可是我的拳头也不错。"

扫花的老人承认："很不错。"

小马道："而且我会拼命。"

扫花的老人道："我看得出。"

小马道："所以你若肯收下我这双拳头，对你还是很有用。"

扫花的老人道："当然很有用。"

小马道："你肯收？"

扫花的老人道："我也很想收下来，只可惜你这双拳并不是送给我的。"

小马道："我是送给朱五太爷的。"

扫花的老人道："不错。"

小马道："你就是朱五太爷，朱五太爷就是你。"

扫花的老人笑了。

就在这时，后面忽然响起了一声金锣。

扫花的老人微笑道："这一次你虽然又看错了人，可是朱五太爷已准备见你。"

小马怔住。

扫花的老人道："还有一点你一定要记住。"

小马只有听。

扫花的老人道："我绝不是山上的第一名高手，在朱五太爷面前，我简直连出手的机会都没有。"

小马几乎不能相信世上有武功比他高出那么多的人，却又不能不信。

扫花的老人道："所以你在他面前，千万不能放肆，更不能出手，否则必死无疑。"

他说得很郑重，忽又笑了笑："普天之下能见到他真面目的人并不多，所以你进去后无论是死是活，也都可以算不虚此行了。"

七种武器

（四）

屋后还有一扇门。

锣声又一响门大开。

1289

小马在门外怔住。

此刻他面对着的，竟是间七丈宽、二十七丈长的大厅，他走入竹篱时，实在想不到那几间木屋后竟有这么样一个地方。

大厅里空无一物，四壁洁白如雪，二十七丈外却又有扇门。

门上挂着珠帘，一个人坐在珠帘后。

小马看不见他的脸，甚至连他的衣冠都看不清楚，却已觉得有种慑人的气势，如杀人的剑气般直逼眉睫而来。

后面的门已关起，扫花的老人留在门外。

小马正想往前走，四壁后突然传出一声鸣雷般的暴喝：

"站住！"

小马只有站住。

他是来求人的，不是来打架的，至少有九个人的性命都被捏在珠帘后这个人的手里，他怎么能轻举妄动。

一声暴喝，大厅里立刻变得死寂如坟墓。过了很久，珠帘后才有声音传出。

声音苍老而有威。

"你已知道我是谁？"

"是。"

小马当然已知道，除了朱五太爷外，谁有这样的威风？这样的气势？

朱五太爷道："你要见我？"

小马道："是。"

朱五爷道："你姓马？"

小马道："是。"

朱五爷道："愤怒的小马？"

小马道："是。"

朱五太爷道："昔年镖局联营，五犬开花，就是被你和丁喜破了的？"

小马道："是。"

朱五爷道："好，看坐。"

雪白的墙壁间，忽然出现了一扇门，两条巨人般的彪形大汉，秃顶光头、耳戴金环，抬着张虎皮小椅进来。

朱五太爷道："坐下。"

小马坐下，两条大汉还留在他身后没有走，墙上的门却已消失了。

朱五太爷道："五犬开花，气焰不可一世，天下豪杰共厌之，你能击破他们的联营削弱了他们的气势，所以你今日才有坐。"

小马道："我知道。"

朱五太爷道："可是有坐未必就有命！"

小马道："我知道。"

朱五太爷道："我也知道你并不珍惜你自己这条命。"

小马沉默。

朱五太爷道："你已中了太阳化骨散的毒，最多也只能活到明晨日出时。"

小马沉默。

朱五太爷道："你的朋友都已陷入绝境，你的情人已落入太阳神使者手里，这次你们同上狼山的人，要想活着下山，已难如登天。"

小马只有沉默，因为他无话可说。

对这位狼山之王他实在不能不佩服。

他本来以为这个人只不过是孤僻古怪、妄自尊大的濒死老

人，隐士般独居在山巅，任凭他的属下欺瞒摆布。

现在他才明白，只有这个人，才是狼山真正的主宰，狼山上发生的每件事，都没有任何一件能瞒过他的。

朱五太爷道："现在你自知已无路可走，所以你才来找我，想用你的一双拳头，换回你们的十条命。"

他忽然冷笑，接着道："你有没有见过只凭在神前烧了一炷香，就能换得终生幸运的人？"

小马道："没有见过。"

朱五太爷："我就是这里的神。"

小马道："我的拳头却不是一炷香！"

朱五太爷道："你的拳头是什么？"

小马道："是个忠心的伙伴，也是件杀人的武器。"

朱五太爷道："哦？"

小马道："你并不是真的神，你的力量毕竟有限，能够多一个忠心的伙伴，多一件杀人利器，迟早是有用的。"

他一定要说服这个人，所以又接着道："死人却没有用，十个死人比不上一把快刀，我的拳头还比刀更快。"

朱五太爷道："你怎么知道这里没有比你更快的拳头？"

小马道："至少我还未见过。"

朱五太爷道："你想见见？"

小马道："很想。"

朱五太爷道："你回头看看。"

小马回过头，就看见那两条大汉，神话中巨人般的大汉。他们当然也有拳头。他们的拳头已握紧，就像是钢铁打成的。

朱五太爷道："你左边的一个人叫完颜铁。"

这个人身材虽较矮，却还是有九尺开外，脸上横肉绷紧，全无表情，左耳上戴着个碗大的金环，秃顶闪闪发光。

朱五太爷道："他是童子功，十三太保横练。左拳击出，重五百斤，右拳重五百七十斤。"

小马道："好，好拳。"

朱五太爷道："你右边的一个，叫完颜钢。"

这个人身材更高，容貌几乎和左边那人完全相同，只不过金环戴在右耳。

朱五太爷道："他也是从小的童子功，金钟罩、铁布衫的功夫，刀枪难入。他的右手一拳重四百斤，左拳一击却至少有七百斤重。"

小马道："好，好拳头。"

朱五太爷道："他们都是胡儿，单纯质朴，毫无机心。"

小马道："我看得出。"

朱五太爷道："他们不但已将拳头奉献给我，连他们的命也献给了我。"

小马道："我也看得出。"

朱五太爷道："有了他们，我为什么还要你？"

小马道："因为我既不单纯，又有机心，所以我比他们有用。"

朱五太爷道："可是现在他们这两拳头若是同时击下，你会怎么样？"

小马道："不知道。"

他真的不知道。

这两双拳头一击，纵然没有两千斤的力气，也差不了太多。

要对付他们，他实在没把握。但是他也知道自己绝无选择的余地。

朱五太爷道："你想不想试试他们的拳头？"

小马道："很想。"

别无去路

（一）

九月十四，晨。

大厅里没有窗户，也没有阳光。

这宽阔的大厅，四面墙壁虽然粉刷得雪一般白，却终年不见日色。

阴惨惨的灯光，也不知是从哪里照进来的。

朱五太爷道："你真的很想？"

小马道："真的！"

朱五太爷道："你不后悔？"

小马道："一言既出，永无后悔。"

朱五太爷道："好！"

这个字说出口，完颜兄弟的铁拳已击下，铁拳还未到，拳风已震耳。

完颜铁右拳打小马的左颚，完颜钢的左拳打小马的右颈。

他们每个人只击一拳，这两拳合并之力，已重逾千斤。

小马没有动。

快拳必重，重拳必快。

这两拳既然重逾千斤，当然快如闪电，一拳击出，力量一发，就如野马脱缰，弩箭离弦，再也难收回去了。

小马看准了这一点。

他并不是那种很有机心的人，可是他打架的经验实在太丰富。

他既然不动，这两拳当然全力击出。

就在这时候，他忽然游鱼般滑了出去。

他几乎已感觉到拳锋触及他的脸。

他一直要等到千钧一发、生死刹那间，他才肯动，除了经验外，这还得有多么大的勇气！

只听"蓬"的一声，双拳相击，完颜铁的右拳，正打在完颜钢的左拳上。

没有人能形容那是种多么可怕的声音。

除了两只铁拳相击声外，其中还带着骨头碎裂的声音。

但是这两个神话中巨人般的大汉，却连一点声音都没发出来。

他们还是山岳般站在那里，横肉绷紧的脸虽已因痛苦而扭曲，冷汗如雨，但是他们连哼都没有哼一声。

小马身子滑出，骤然翻身，忽然一拳击向完颜铁的右肋。

完颜铁并没有倒下去。

他还有一只拳头，反而挥拳迎了上去。

小马的拳头并没有变化闪避，他是个痛快人，喜欢用痛快的招式。

又是"蓬"的一声，双拳相击，声音更可怕，更惨烈。

小马的身子飞出，凌空翻了两个跟头才落下。

完颜铁居然还没有倒下去。

可是他也似已站不住了。

他的全身都已因痛苦而痉挛，满头黄豆般的冷汗滚滚而落。

他的双手垂下，拳骨已完全碎裂。

但他却还是没有哼一声。

他宁死也不能丢人，不能替他的主宰丢人，就算他要死，也只能站着死。

小马忍不住道："好汉子！"

完颜钢双眼怒凸，瞪着他，一步步走过去。

他还有一只拳头。

他还要拼！

孤军奋战，不战死至最后一人，绝不投降，因为他们有勇气，还有一份对国家的忠心。

这个人也一样。

只要还有一分力气，他就要为他的主宰拼到底。就算明知不敌，也要拼到底。

小马在叹息。

他一向敬重这种人，只可惜现在他实在别无选择。

他也只有拼，拼到底。

完颜钢还没有走过来，他已冲过去，他一拳击出，笔直如标枪。

这一拳并不是往完颜钢拳头上打过去的，是往他鼻子上打过去的。

要从这巨人的铁拳下去打他的鼻子，实在太难，太险。

小马这么做，也并不是因为特别喜欢打别人的鼻子。

他敬重这个人的忠诚，他要为这个人留下一只拳头。

这一拳没有打空。

完颜钢的脸上在流着血，鼻梁已碎裂。

虽然他的眼睛满是金星，已看不见他的对手，但是他还想再拼。

小马却已不再给他这种机会，小马并不想这个人为了别人毁灭自己。

他再次翻身，一拳打在这个人的太阳穴上。

完颜钢终于倒了下去，只剩下他的兄弟一人站在那里，脸上不但有汗，仿佛还有泪。

一种无可奈何的痛苦之泪。

既然败了，就只有死。

他本来想死的。

可是朱五太爷没有要他死，他就不能死，他只有站在那里，忍受着战败的痛苦与屈辱。

他希望小马也过来一拳将他打晕。

小马却已转过身，面对着二十丈外珠帘中端坐的那个人。

人在珠帘内，仍然望之如神。

小马忽然道："你为什么一定要这样做？"

朱五太爷道："怎么样做？"

小马道："你本来早就可以阻止他们的，你早就应看得出他们没有机会。"

朱五太爷并不否认。

完颜兄弟第一拳击出后，他就已应该看得出。

小马道："但是你却没有阻止，难道你一定要毁了他们？"

朱五太爷冷冷道："一个没有用的人，留着又有何益，毁了又有何妨？"

小马握紧双拳，很想冲过去，一拳打在这个人的鼻子上。

七种武器

如果只有他一个人，一条命，他一定会这么做的。

可是现在他绝不能轻举妄动。

朱五太爷道："其实他们刚才本可毁了你的！"

小马不否认。

朱五太爷道："刚才的胜负之分，只不过在刹那之间，连我都想不到你敢用那样的险招。"

小马道："要死中求活，用招就不能不险。"

朱五太爷道："你好大的胆。"

小马道："我的胆子本来就不小。"

朱五太爷沉默了很久，才说出一个字："坐。"

小马坐下。

等他转身坐下时，才发现完颜兄弟已悄悄退下去，连地上的血迹都看不见了。

这里的人做事的效率，就像是老农舂米，机动而迅速。

他坐下很久，朱五太爷才缓缓道："这一次我要你坐下，已不是为了你以前做的事，而是因为你的拳头。"

小马道："我知道。"

朱五太爷道："只不过你有坐还是未必有命。"

小马道："你还不肯收下这双拳头？"

朱五太爷道："我已看出你这双拳头，的确是杀人的利器。"

小马道："多谢。"

朱五太爷道："只不过杀人的利器，未必就是忠心的伙伴。"

他慢慢地接着道："水能载舟，也能覆舟。若将杀人利器留在身边，而不知它是否忠心听命，那岂非更危险？"

小马道："要怎么样你才相信我？"

朱五太爷道："我至少还得多考虑考虑。"

小马道："你不能再考虑。"

朱五太爷道："为什么？"

小马道："你有时间考虑，我已没有，你若不肯助我，我只有走！"

朱五太爷道："你能走得了？"

小马道："至少我可以试试看。"

朱五太爷忽然笑了，道："至少你应该先看看你的朋友再走！"

小马的全身冰冷，心又沉下。

他的朋友也在这里？

他忍不住问："你要我看谁？"

朱五太爷淡淡道："你并不是第一个到这里送礼的人，还有人的想法也跟你一样。"

小马道："还有谁来送礼？送的是什么？"

朱五太爷道："是一把剑。"

小马道："常无意？"

朱五太爷道："不错！"

小马动容道："他的人也在这里？"

朱五太爷道："他来得比你早，我先见你，只因为你不说谎。"

小马怔住。

朱五太爷道："坐。"

小马只有坐下。

常无意既然也已到了这里，他怎么能走？

他忽然发现自己已完全被这个人控制在掌握中，别无去路。

（二）

锣声又响起，门大开。

常无意赫然就在门外，苍白疲倦的脸，看来已比两日前苍老了十岁。

这一夜间他遭遇到什么事？遇到过多少困境？多少危险？

此时此刻，忽然看见他，就好像在他乡异地骤然遇见了亲人——一个身世飘零，无依无靠的人，这时是什么心境？

小马看着他，几乎忍不住要有热泪夺眶而出。

常无意脸上却连一点表情都没有，只冷冷地说了句："你也来了？"

小马忍住激动，道："我也来了！"

常无意道："你还好？"

小马道："还好！"

常无意慢慢地走进来，再也不说一个字，甚至连看都不再看他一眼。

小马也只有闭上嘴。

他很了解常无意这个人，就像是焦煤一样，平常是冷冷的，又黑，又硬，又冷，可是只要一燃烧起来，就远比任何可以燃烧的都炽热。

不但炽热，而且持久。

也许它连燃烧起来都没有发光的火焰，可是它的热力，却足以让寒冷的人们温暖。

可是现在他既然已到了这里，别的人呢？是在寒冷的危险中？还是平安温暖？

现在常无意也已面对珠帘。

他并没有再往前走，他一向远比任何人都沉得住气。

珠帘中的人也仍然端坐，就像是一尊永远在受人膜拜的神祗。

常无意在等着他开口。

朱五太爷忽然问道："你杀人？"

常无意道："不但杀人，而且剥皮！"

朱五太爷道："你能杀什么样的人？"

常无意道："你属下也有杀人的人，有些人他们若不能杀，我就杀。"

朱五太爷道："你说得好像很有把握。"

常无意道："我有把握。"

朱五太爷道："只可惜再利的口舌也不能杀人。"

常无意道："我有剑。"

朱五太爷道："剑在哪里？"

常无意道："通常都在别人看不见的地方，到了要杀人时，就在那人的咽喉间！"

朱五太爷沉默了，坐了很久，又说出了他刚才说过的两个字："看坐。"

小马坐的是张虎皮交椅。

交椅的意思，通常并不是张普通的椅子，当然也不是宝座。

可是交椅的意思，和宝座也差不了太多。

交椅通常是很宽大，两边有舒服的扶手，大部分人坐上去，都会觉得宛如坐入云堆里。

云是飞的，是飘的。

椅子不是，无论哪种椅子都不是。

这张椅子却像是飞进来的，飘进来的，谁都看不见抬椅子的人。

因为抬椅子的人实在太矮、太小，大家只看得见这张宽大沉重的虎皮交椅，却看不见他们。

他们的腰绝不比椅子脚粗多少，看来就像是七八岁的孩子。

他们绝不是七八岁的孩子，他们的脸上已有了皱纹，而且有了胡须。

他们的腰上，束着三道腰带，一条金、一条银，光华灿烂，炫人眼目。

交椅放下，大家才能看见他们的人。

朱五太爷道："只要是剑，都能伤人。"

常无意道："是！"

朱五太爷道："一寸长，一寸强，一寸短，一寸险。"

常无意道："是。"

朱五太爷道："一柄剑是否可怕，并不在于它的长短。"

常无意道："是。"

朱五太爷道："人也一样。"

常无意道："是。"

朱五太爷道："这两人都是侏儒，可是他们从十岁已练剑，现在他们已四十一。"

磨剑三十年，这柄剑必是利剑；练剑三十年，这个人如何？

常无意道："我知道他们。"

朱五太爷道："哦？"

常无意道："昔年天下第一剑客燕南天，身高一丈七寸，但是剑法之轻灵变化，当世无敌。"

没有人不知道燕南天。

没有人不尊敬他。

一个人经过许多年渲染传说，很多事都会被夸大。燕南天也许并没有一丈七寸，但他人格的伟大高尚，却是没有人能比得上的。

常无意道："当今最高大的剑客，号称巨无霸，他的剑法却比不上白玉京。"

朱五太爷道："我知道他已败在'长生剑'下十三次。"

常无意道："你也应该知道，当今江湖中练剑的人，最高大的人也不是他。"

朱五太爷道："我知道。"

常无意道："当今江湖中练剑的人，最矮小的却无疑必是玲珑双剑。"

朱五太爷道："你知道的倒不少。"

常无意道："这两人就是玲珑双剑，死在他们剑下的，至今最少已有一百一十七人。"

朱五太爷道："差不多。"

常无意道："他们的腰带，就是他们的剑。玲珑双剑，金银交辉，金剑长三尺七寸七，银剑长四尺一寸，人短剑长，凌空飞击，很少人能通过他们的剑下！"

朱五太爷道："的确很少。"

常无意道："要破他们的剑，只有一种法子！"

朱五太爷道："什么？"

常无意道："要他们根本无法拔出他们的剑。"

这句话有十三个字。

说到第二个字，他的剑已在金剑的咽喉上。

七种武器

说到第三个字时，他的剑又已到了银剑的咽喉间。

说到第四个字时，剑锋又到了金剑咽喉。

说到第十二个字时，他的剑锋已在这兄弟两人的咽喉间移动六次。

说到第十三个字时，他的剑已入鞘。

玲珑双剑呆住了。

他们的剑根本无法出鞘。纵然一个人的剑能有机会出鞘，另一个人的咽喉已被洞穿。

他们并不是完颜兄弟那种纯真质朴的人，他们已看到完颜兄弟的教训。

他们谁也不希望看到自己的兄弟像狡兔已死的走狗般，死在别人剑下。

他们的冷汗已湿透衣裳。

大厅中又一阵死寂。

朱五太爷终于不能不承认："好！好快的剑！"

常无意并不谦虚。

小马更不是个谦虚的人，立刻道："我的拳头也不慢。"

朱五太爷道："却不知是你的拳快，还是他的剑快。"

小马道："不知道。"

朱五太爷道："你们不想试试?"

小马道："也许我们迟早总会试一试的，可是现在……"

朱五太爷道："现在怎么样?"

小马道："现在我只要我的朋友们安全无恙，太平过山。"

朱五太爷道："他们太平过了山，你的拳头，他的剑，就都是我的?"

小马看着常无意。

常无意道："是。"

朱五太爷大笑，道："好朋友，果然不愧是好朋友。"

他的笑声来得突然，结束得也突然，可是笑声一发，珠帘就开始摇荡，珠玉相击，"丁当"作响，直到笑声停顿很久，还在不停地响。

小马看了看常无意，两个人心里都明白，这位狼山之王的气功，的确已练到登峰造极、骇人听闻的地步。

就算他们的一双拳头、一柄剑同时攻过去，也未必是这人的敌手。

朱五太爷忽然又问："你们是九个上山的。三个到了太阳湖，你们在这里，还有四个人在哪里？"

常无意道："在一个安全之地。"

朱五太爷道："那地方真的安全？"

常无意闭上了嘴。

他实在没把握。

朱五太爷道："在这狼山上，真正的安全之地只有一处。"

小马忍不住问："太平客栈？"

朱五太爷冷笑。

小马道："不是太平客栈是哪里？"

朱五太爷道："是这里。"

他冷冷的接着道："普天之下，绝没有任何人敢在这里惹是生非，纵然丁喜和邓定侯到了这里，也绝不敢放肆无礼。"

小马道："除此之外呢？"

朱五太爷道："除此之外，无论他们在哪里，随时都可能有杀身之祸。"

小马的心悬起。

他知道这绝不是恫吓，他忍不住问常无意："现在他们究竟是否平安？"

"是的。"

回答他这句话的人并不是常无意，而是狼山之王朱五。

小马的心又沉下。

常无意的指尖在颤抖，掌心已有了冷汗。

这是他握剑的手，他的手一向干燥而稳定，可是现在他竟已无法控制自己。

因为他已听懂了朱五太爷这句话的意思。

小马也懂。

既然只有这里才是狼山上惟一安全之地，既然朱五能确定张聋子、香香和蓝家兄依旧平安无恙，那么他们现在当然也都已到了这里。

过了很久，小马才长长吐出口气，道："他们是怎么来的？"

"是我带来的。"

回答这句话的，既不是常无意，也不是朱五太爷。

门开了一线，一个人悄悄地走进来，竟是郝生意。

小马的拳头握紧，道："想不到你又做了一件好生意。"

郝生意苦笑道："这次我做的却是件赔本生意，虽然没赔钱，却赔了不少力气。"

小马冷笑道："赔本的生意你也做？"

郝生意道："只此一次，下不为例。"

他叹了口气，接着道："他们都是我的客人，我总不能让他们糊里糊涂就死在那山洞里。"

小马道："什么山洞？"

郝生意道："飞云泉后面的一个山洞。"

小马道："你怎知他们在那里？"

郝生意道："这位常先生虽然觉得那地方又平安、又秘

1306

密，却不知那地方才是真正有死无生的绝地。"

他又叹了口气，道："狼山上没有人不知道那地方，前面飞泉阻洞，滑石密布，无论谁都很难从里面攻出来，后面更无路可退，若有人攻进去，你让你们往哪里走？"

常无意的脸色铁青。

小马忍不住道："那么秘密的地方，你能找得到，倒也不容易。"

郝生意立刻同意："若不是有人带路，实在很难找得到。"

小马道："带路的人是谁？"

常无意不开口，郝生意又抢着道："一定是猎狗。"

小马道："猎狗？"

郝生意道："猎人先放条狗出去把老虎引到有陷阱地方，老虎才会掉下去，这种狗，就叫做猎狗。"

小马道："你知道那条猎狗是什么人？"

郝生意道："当然知道。"

小马道："是谁？"

郝生意道："就是我。"

这次小马握紧的拳头居然没有打出去。

他的拳头只打人，不打狗。

这个人的确是条狗，甚至比狗都不如。

郝生意居然还振振有辞，道："我答应过那老太婆，要报她一次恩；我也答应过朱五太爷，绝对听他老人家的话，现在我两样都做到了。"

小马道："哦？"

郝生意道："你们要我带你们来见朱五太爷，我已带你们来了，因为朱五太爷也正好要我带你们来见他，所以我不但还了那老太婆的情，也没有违抗朱五太爷的命令。"

他长长吐出口气，笑道："我是个生意人，要做生意，就得两面讨好，谁都不能得罪的。"

小马忍不住问："你为什么要杀柳大脚？"

郝生意道："要杀她的不是我。"

小马道："是谁？"

郝生意道："只有朱五太爷才能叫我杀人。"

小马道："柳大脚得罪了他？"

郝生意道："我是个生意人，只管做生意，别的事我从来不问。"

小马道："杀人也是生意？"

郝生意道："不但是生意，而且通常都是好生意。"

常无意突然道："这种生意我也常做。"

郝生意笑道："我看得出。"

常无意道："只不过我通常只杀人，不杀狗。"

郝生意笑得已有点勉强，道："这附近好像没有狗。"

常无意道："有一条。"

郝生意退后几步，笑得更勉强，道："你既然从不杀狗，这次当然也不会破例。"

常无意冷冷道："偶尔破例一次也无妨。"

郝生意笑不出了，骤然翻身，想夺门而出。

门还没有拉开，剑已飞来，四尺长的软剑标枪般飞了过去，从他的后背穿入，前胸穿出，"夺"的一声，活生生将他钉死在门上。

他死得实在很冤。因为他做梦也想不到竟有人敢在这里出手！

（三）

没有惨呼。剑锋一下子就已经穿透心脏。

大厅中一片死寂。过了很久，朱五太爷才缓缓道："你好大的胆子。"

常无意不开口，小马却抢着替回答："他的胆子本来就不小。"

朱五太爷道："你竟敢在这里杀人！"

小马又抢着道："他本来不敢的，只不过他也不愿坏了自己的规矩。"

朱五太爷道："什么规矩？"

小马道："他一向不喜欢别人骗他，骗了他的人，从来没有活过半个时辰的。"

朱五太爷道："你知不知道这里的规矩？"

小马道："什么规矩？"

朱五太爷道："杀人者死！"

小马道："这是条好规矩。"

朱五太爷道："所以我也不愿有人坏了这条规矩。"

小马道："我也不愿意。"

朱五太爷道："那么现在你就替我杀了他！"

小马道："是。"

他转过身，面对常无意："反正我早就想试试，究竟是我的拳头快，还是你的剑快。"

七种武器

杀人者死

（一）

剑已拔下，剑锋还在滴着血。

拳头也已握紧。

常无意的脸色铁青，全无表情。

小马道："快擦干你剑上的血。"

常无意道："为什么？"

小马道："因为我若杀不了你，你就会杀了我。我不想让一柄上面还带着狗血的剑刺入我喉咙里去，我连狗肉都不吃。"

常无意道："有理。"

他就在那张铺着虎皮的交椅上擦干了他剑锋上的血。

小马却已转过身，面对珠帘，道："不行，绝对不行。"

朱五太爷道："什么事不行？"

小马道："我不能杀他。"

朱五太爷道："为什么？"

小马道："因为我忽然想起了一件事。"

朱五太爷道："什么事？"

小马道："你这里的规矩，是杀人者死。"

朱五太爷道："不错。"

小马道："他杀的却不是人，是狗。"

一个人若连自己都承认是条狗，别人为什么还要把他当作人？

小马道："我想你这里总不会有'杀狗者死'这条规矩。"

无论什么地方都不会有这条规矩。

朱五太爷忽然大笑，笑声振动珠帘，珠帘摇荡间，锣声又响起。

门大开。

四个人抬着两顶轿子大步走进来，还有两个走在后面。

后面的两个人是香香和张聋子，轿子里的当然无疑就是蓝家兄妹。

朱五太爷道："你们果然都不愧是好朋友，不管怎么样，我总得让你们先见上一面。"

小马很想问："见过这一面之后又如何？"

但是他没有问。

他已经感觉到这次事件很不单纯，其中有很多关键，都是他上山时没有想到的，而且随时随刻都可能有变化，每个变化也会都出他意料之外。

现在他既然已上了山，凭一口气上了山，就好像一个人已经骑上了虎背。

这是他自己心甘情愿的，他只有骑在虎背上，等着看以后的变化。

就算他被这头老虎吃下去，连皮带骨都吃下去，他也只有认命。

可是他绝不能看着被他拖上虎背的这些朋友也被吞下去，尸骨无存。

幸好他现在还有一条命。

不管以后的事还有什么变化，他都已准备将这条命送给他的朋友，送给他心爱的人。

——只要死得有代价，死又何憾！

——可是为了自己的朋友，为了自己心爱的人，就算自己只能多活一天，就绝不能死。

——所以他现在绝不能死，他还要活着为他们的生存奋斗下去。

（二）

香香走得很慢，显得很软弱。

张聋子寸步不离，一直跟随在她身旁，目光一直没有离开过她。

她却连看都没有看他一眼，就好像自己身旁根本没有这么样一个人。

他不在乎。

他关心的是她，不是自己。

世上有很多种感情都很难解释，他这种情感无疑就是其中之一。

他落拓江湖，潦倒一生，现在年纪已老大，自知配不上香香。

只不过他也是人，在度过了空虚孤独的半生之后，他也想找一个精神上的安慰和寄托。

他对香香的感情，并不完全是男女间的爱，更不是占有，而是一种奉献和牺牲。

小马不但了解这种感情，而且尊敬。

因为他知道这是真的，无论那种感情，只要是真的，就值得尊敬。

抬轿子进来的四条大汉，黑衣白刃，剽悍矫健，已不是他们上山时带的轿夫。

轿子停下。

香香赶过去掀起第一顶轿的垂帘，蓝兰就扶着她的手走下来。

经过了这么多天的危难劳顿后，她居然完全没有一点疲倦憔悴之色，反而显得更容光焕发、明艳照人。

她来的时候，一定已经在轿子里着意修饰过。

因为她不但美丽，而且聪明，她知道一个女人最大的武器，就是她的容貌和风姿。

小马一向很佩服她。

他从未在任何时候看见她有一点令人不愉快的样子。

蓝兰只用眼角瞟了他一眼，就面对珠帘，盈盈一拜，道："我叫蓝兰，特地来拜见朱五太爷！"

她的声音柔媚，风姿优美。

朱五太爷纵然已老了，毕竟是个男人，她相信只要是男人，就无法抗拒她的魅力。

这就是她惟一可以用来对付朱五太爷的武器。

朱五太爷却完全没有反应。

蓝兰又道："我虽然是个平凡无用的女人，但有时说不定也有能替你老人家效力的地方，只要你老人家吩咐，不管什么事，我都遵命。"

这句话说得并不露骨，可是其中的风情，只要是男人，都应该明白。

　　她相信朱五太爷也一定不会拒绝的，她已经准备用最优美的姿态走过去。

　　只要能接近珠帘中的这个人，不管什么事都有希望了。

　　想不到这一次她的武器居然完全失效。

　　朱五太爷只冷冷地说了两个字："站住！"

　　蓝兰只有站住，却还想再作一次努力，柔声道："我只不过想看看你老人家的风采，难道连这一点你老人家都不准？"

　　朱五太爷道："你看见了你面前的石级？"

　　蓝兰当然看见了。

　　入门两丈外，就有几层石阶，光可鉴人。

　　朱五太爷道："无论谁只要上了这石级一步，格杀勿论！"

　　石级还离珠帘至少有二十丈。他为什么一定要和别人保持这么远的距离？

　　蓝兰没有问，也不敢问。

　　她使出的武器已无效，这一战她已败了。

　　朱五太爷道："你的兄弟有病？"

　　蓝兰轻轻叹息，道："他病得很重，所以只求你老人家……"

　　她说话的时候，谁也没有注意到张聋子正在悄悄往前走，几乎已接近了石阶。

　　这句话她没有说完，因为朱五太爷忽然又大喝一声："站住！"

　　喝声振动了珠帘，也震住了人的心。

　　张聋子却忽然一个箭步往前面行过去，大声道："你骗不到我的，你……"

　　他平时行动虽然蹒跚迟钝，轻功却不弱，说出这七个字，他已冲出十余丈。

就在这时，摇曳的珠帘后，也有个人窜了出来，身法快如鬼魅，出手更快。

大家还没有看清他的人，他身子还在半空，已一脚踢在张聋子胸膛上。

张聋子武功本不差，昔年也是身经百战的好手，却没有避开这一脚。

他的人竟被踢得飞起来，再落下，滚了几滚，滚下石阶。

香香立刻扑过去，扑在他身上，失声道："你这是为了什么？"

张聋子本来紧咬着牙，现在想开口说两句话，一开口，鲜血就箭雨般喷出，落在脸上。

香香立刻用衣袖去擦，一面擦，一面流泪，他脸上的血擦干了，她已流泪满面。

张聋子看着她，不停地咳嗽，居然还勉强笑了笑，挣扎着说出两句话："我实在想不到……想不到我死的时候，居然还有人为我流泪。"

小马也走过来，压低声音问："你为什么要这样做？"

张聋子不停地咳嗽喘息，又说出了两个字："因为……"

这就是他说出的最后两个字。

香香痛哭失声。

她了解他对她的感情，可是她不敢表露，因为他只不过是个落拓的老人，垂老的皮匠。

现在她才明白，一个人的爱是否值得接受，并不在他的身份和年纪，而在于那份感情是不是真的。

可惜现在已太迟了。

（二）

小马没有泪，常无意也没有。

他们都在盯着站在珠帘前的一个人，刚才一脚踢死张聋子的人。

这个人居然也是个侏儒，却极健壮，一双腿虽然不到两尺，却粗如树干。

常无意忽然冷冷道："好厉害的飞云脚！"

这人裂开嘴笑笑，不开口。

珠帘后却又传出来朱五太爷的声音："他不会说话，他是个哑巴。"

常无意道："据说江湖中有两个最厉害的哑巴，叫西北双哑。"

朱五太爷道："不错。"

常无意道："他就是西方星宿海、天残地缺门下的无舌童子？"

朱五太爷道："想不到你们还有点见识。"

常无意冷冷道："张聋子能死在这种名人脚下，总算死得不冤。"

朱五太爷道："我说过，无论谁只要越过这石阶一步，格杀勿论！"

常无意道："我还记得你说过的一句话。"

朱五太爷道："什么话？"

常无意道："杀人者死！"

朱五太爷道："你想为你的朋友复仇？"

常无意道："是。"

朱五太爷道："你迟早会有机会的，可是现在，你若敢踏上石级一步，我叫你立刻万箭穿心而亡！"

"万箭穿心"这四个字说出口，珠帘两旁的墙壁上忽然出现了两排小窗，无数柄强弓硬弩对准了常无意的心胸，箭头闪闪发光。

常无意整个人都已僵硬。

这看来空无一物的大厅，其实却到处都有杀人的埋伏！

蓝兰叹了口气，柔声道："张先生虽然死了，能死在名人手上，美人怀中，也算是死得其所，死而无憾了。"

小马忽然大笑，道："说得好，说得有理。"

他的笑声听起来实在比哭还让人难受。

蓝兰道："人死不能复生，何况每个人迟早都要死的。"

小马的笑声突然停顿，大吼道："那么你为什么不让你弟弟去死？"

蓝兰道："因为他是我弟弟。"

她的声音还是很平静，慢慢地接着道："也因为我相信你，一定会护送他平安过山的！"

小马闭上了嘴。

蓝兰道："他是个可怜的孩子，从小就多病，连一天好日子都没有过，若是这么样死了，叫我这做姐姐的怎样能安心？"

她的声音已哽咽，美丽的眼睛里也有了泪光，又面对珠帘拜下，道："你老人家若是要了他这条命，简直和踩死只蚂蚁一样。所以我只求你老人家开恩放了我们，让我们过山去求医。"

朱五太爷冷冷道："我也很想放了他，只可惜他不是只蚂蚁，蚂蚁不坐轿子。"

蓝兰道："他一直躲在轿子里，没有出来拜见你老人家，绝不是因为他敢对你老人家无礼。"

朱五太爷道："那是因为什么？"

蓝兰道："因为他实在病得太重，见不得风。"

朱五太爷道："这里有风？"

蓝兰不能不承认："没有。"

朱五太爷道："他为什么不出来？"

蓝兰道："因为……因为外面总比轿子里冷得多。"

朱五太爷忽然大笑，道："说得好，说得有理。"

他的笑声忽又停顿，厉声道："你们替我去把他揪出来，看他死不死得了！"

一句话还没有说完，四壁间已现出了六个人，其中不但有玲珑双剑，还有卜战和那扫花老人。

无舌童子的身子也凌空飞起，窜了过来。

常无意早就等着他。

他的人一过石阶，常无意立刻迎上去，剑光一闪，直刺喉咙。见的剑走偏锋，奇诡迅急。

可是星宿海门下的弟子，武功更奇秘怪异，半空中居然还能再次拧身。

常无意这一剑刺空了，无舌童子的飞云脚已踢向他胸膛。

眨眼间两人已拆了十余招，使出的都是致命的杀手。

他们自己心里都知道，两个只要一交上手，就有一个人必死无疑。

小马迎向那扫花的老人。

老人道："你是个好男儿，我不想杀你。"

小马道："多谢多谢！"

老人道："我也不喜欢杀人。"

小马道："客气客气！"

老人道："这是什么话？"

小马道："你白天在这里扫花，晚上到哪里去了？"

老人道："你说我到哪里去了？"

小马道："杀人！"

他淡淡的接着道："也许你不喜欢自己动手，可是你喜欢看人杀人。"

——夜狼围攻，浴血苦战，一个跛足的黑衣人，远远地站在岩石上。

小马道："你白天扫花，晚上杀人，这种日子也过得未免太忙了些。你累不累？"

老人已沉下脸，冷冷道："扫花和杀人都是种乐趣，我怎么会累？"

小马居然同意，道："一个人做的若是自己喜欢做的事，就不会觉得累的。"

老人道："你喜欢干什么？"

小马道："喜欢打你的鼻子，一拳打不中，还有第二拳，就算打上个三千六百拳，我也不会累的。"

这句话说完，他已经打出了七八拳。

七八拳打出后，他才发现这老人的身法轻灵飘忽，要想打中他的鼻子，实在不容易。

小马不怕累。

可是他却不能不替蓝兰和轿子里那个病人担心，因为玲珑双剑已经过去了，老狼卜战还在旁边掠阵，他根本没法子分身去救他们。

何况还有两排强弓大箭！

小马也不怕死。

七种武器

对他来说，真正可怕的并不是他现在的对手，也不是老狼卜战和玲珑双剑，更不是这些大箭长弓。

真正可怕的只有一个人。

朱五太爷！

只有他才是狼山的主宰，几乎也可以算是小马这一生中所见过的第一高手。

他的气功固然可怕，他的阴沉更可怕。

——你们都是好朋友，不管怎么样，我总得让你们先见上一面。

现在小马终于明白了这句话的意思。

——见过一面后怎么样？

——死！

死也有很多种死法，他选择的必定是最残酷可怕的一种。

从一开始，他就没有打算要小马的拳头，常无意的剑。

从一开始，就没有打算让他们其中任何一个人活着回去。

（三）

病人还在轿子里，蓝兰一直没有离开过这顶轿子。

她看见玲珑双剑向这顶轿子走过来。

小马在拼命，常无意也在拼，为她和她那重病的兄弟拼命。

她却好像没有看见。

她笑得还是那么迷人，声音还是那么动听："两位小弟弟，你们今年已经有多大年纪？"

她知道玲珑双剑绝不会回答这句话的，因为侏儒们一定都不愿别人提起他们的年纪，他们自己当然更不愿提。

她问话的重点并不在这一点。

所以她不等他们开口，立刻又问："你们有没有见过一个真正美丽的女人，而且是完全脱光了衣服的？"

玲珑双剑也许见过，也许没见过。

但他们毕竟也是男人。

若有一个真正美丽的女人脱光了衣服，无论什么样的男人都不会拒绝去看的。

蓝兰忽然唤："香香！"

香香还在流泪。

蓝兰道："你自己认为你自己是不是很难看？"

香香摇头。

蓝兰道："那么你为什么不让他们看看？"

香香虽然还在流泪，却很快就站了起来，很快就让自己全身赤裸了！

在这么样的心情下，她的动作当然绝不会美，可是她的身材却实在很美。

那坚挺的乳房，纤细的腰，浑圆修长的腿，都不是任何男人常常能得一看的。

蓝兰自己好像也很欣赏，轻轻叹了口气，道："你们看她美不美？"

玲珑兄弟同时道："美！"

蓝兰道："你们为什么不多看看？"

玲珑兄弟道："我们想看你！"

蓝兰嫣然道："我已经是个老太婆了，没什么好看的，可是你们如果一定要看，我……"

她垂下头，开始解衣服的扣子，她的衣扣中也藏着暗器。

谁知她的暗器还没有发出，玲珑双剑的剑已挥出。

他们根本没有看香香，他们一直都在盯着蓝兰的手。

蓝兰叹了口气，道："我看错了你们，原来你们这里连大带小、连老带少，都不是男人！"

她的暗器还是发了出来，却已被剑光击落。

玲珑双剑本就是双生兄弟，心意相通，金银双剑合璧，天衣无缝。

蓝兰并不是弱不禁风的女人，她会武功，而且武功不弱。

可是她也没法子抵挡这两把剑。

她的发髻已被削落，金色的剑光如毒蛇般缠住了她，银色的剑光有几次都已几乎穿透她的咽喉。

她已经开始在喘息，大叫道："小马，你还不快来救我？"

小马想过来。

有几次他都已几乎突破那跛足老人的招式，可是卜战的旱烟袋又迎面击来。

沉重的烟斗，炽热的烟丝，他只有退。

他看得出蓝兰的情况更危险，可是他完全无能为力。

蓝兰的声音已颤抖，道："你们真的忍心杀我？"

玲珑双剑不理她。

金色的剑光绵密如丝，封住了她所有的退路，银色的破空一刺，眼见就要穿胸而过。

朱五太爷忽然道："留下她！"

银光立刻停顿，剑锋却还在她眉间。

朱五太爷道："我要的是轿里的那个人！"

玲珑双剑道："要死的，还是要活的？"

朱五太爷的回答只有一个字："杀！"

（四）

狼山上的人，本就视人命如草芥，朱五太爷若说要杀个人，这个人就死定了。

小马也只有看着。

他答应过蓝兰平安护送这个人过山的，他已为这个人流过汗，流过血。

只可惜他是人，不是神！

人力毕竟是有限的，人世间本就有许多无可奈何的事。

你若遇见了这种事，流汗也没有用，流泪也没有泪，流血也没有用。

轿中的秘密

（一）

"杀！"

这个字说出口，抬轿子进来的那四条黑衣白刃大汉，刀已拔出。

四把刀、两柄剑，同时刺入了那顶轿子，分别由四面刺了进去。

无论轿子里的人往哪边去躲，都躲不开的，就算他是条生龙活虎般的好汉，也避不开。

何况轿子里这个人已病重垂危，命如游丝，连手都抬不起？

蓝兰整个人都软了，用手蒙住了眼睛。

轿中人是她的兄弟，这四把刀、四柄剑刺入，她兄弟的血立刻就要将这顶轿子染红。

她当然不忍看，也不敢看。

奇怪的是，她的手指间居然还留着一条缝，居然还在指缝间偷看。

她没有看见血，也没有听见惨呼。

刀剑刺入，轿子里居然连一点反应都没有，轿子外面的六个人的神色地变了，手足也已僵硬。

只听"格，格，格"几声响，四个人同时后退，刀剑又从轿子里抽出。

四把百炼精钢打成的快刀，刀头竟已被折断，玲珑双剑的剑也已只剩下半截。

朱五太爷冷笑道："果然不出我所料，果然好功夫！"

他突又大喝："看箭！"

弓弦声响，乱箭齐发，暴雨飞蝗般射了过来，射入了轿子。

轿子里还是全无反应，几十根箭忽然又从里面抛出，却已只剩下箭杆。

箭头呢？

只听"嗤"的一声响，十道寒光自轿子里飞出，打入了珠帘左边的第一排窗口。

窗口里立刻响起了惨呼，溅出了血珠。

这变化每个人都看得见，小马也看见了，心里却不知是什么滋味。

现在他才知道，他们流血流汗，拼命保护的这个人，才是真正的高手，武功远比任何人想像中都要高得多。

但他却实在想不通这个人为什么要装成病重垂危的样子？为什么要躲在轿子里？

他故意要小马他们保护他过山，究竟为的是什么？

朱五太爷忽又大喝："住手！"

小马立刻住手。

他本就不愿再糊里糊涂地为这个人拼命了。

　　他忽然发现自己这几天做的事，简直就像是条被人戴上罩眼去拉磨的驴子。

　　常无意也已住手。

　　他的心情当然也跟小马差不多。

　　朱五太爷说的话就是命令，他的属下当然更不敢不住手。

　　大厅里立刻又变得一片死寂。过了很久，才听见蓝兰轻轻叹了口气，道："我早就劝过你们，不要去惹他的，你们为什么不听？"

　　轿子里的人在咳嗽。

　　朱五太爷冷笑道："神龙已现首，阁下又何必再装病？"

　　蓝兰道："他本来就有病！"

　　朱五太爷道："什么病？"

　　蓝兰道："心病。"

　　朱五太爷道："他病得很重？"

　　蓝兰点点头，叹息着道："幸好他的病还有药可治！"

　　朱五太爷道："哦？"

　　蓝兰道："治他病的药，并不在山那边！"

　　朱五爷道："在哪里？"

　　蓝兰道："就在这里，我们就是上山来求药的，所以我们故意要让你把我们逼入绝路，故意要让你认为我们已不能不到这里来！"

　　朱五太爷道："你们千方百计，为的就是要来见我？"

　　蓝兰不否认。

　　朱五太爷道："既然如此，他为什么还要躲在轿子里？"

　　蓝兰道："我问问他。"

　　她转过身，靠近轿子，轻轻问道："朱五太爷想请你出来见见面，你看怎么样？"

轿子里的人"嗯"了一声，蓝兰立刻掀起了垂帘，一个人扶着她的手，慢慢地走下轿，正是小马在太平客栈里见过的那个年轻人。

他脸色还是那么苍白，完全没有血色，在这还没有寒意的九月天气，他身上居然穿件貂裘，居然没有流汗。

貂裘的皮毛丰盛，掩住了他半边脸，却还是可以看出他的眉目很清秀。

蓝兰看着他，眼睛里流露出无限温柔，道："你走不走得动？"

这年轻人点点头，面对着珠帘，道："现在你已看见了我？"

朱五太爷道："看来阁下好像真的有病。"

他脸上的表情别人虽然看不见，但是每个人都能听得出他的声音很激动，只不过正故作镇定而已。

年轻人叹了口气，道："只可惜你虽然看得见我，我却看不见你。"

朱五太爷道："你为何不过来看看？"

年轻人道："我正想过去！"

他居然真的走了过去，走得虽然很慢，脚步却没有停。

走过石阶时，他的脚步也没有停。

——无论谁只要走上这石级一步，格杀勿论！

这句话他好像根本没听见。

珠帘旁的窗口里，箭又上弦，闪闪发光的箭头，都在对着他。

他好像根本没看见。

卜战、无舌、夜狼、玲珑双剑，这些绝顶高手，在他眼中也好像全都是死人！

卜战他们也没有动，因为朱五太爷还没有发出命令！

这是不是因为他故意要留下这个人，由自己来出手对付？

因为他才是狼山上的第一高手，只有他才能对付这年轻人。

他那惊人的气功，江湖中的确已很少有人能比得上。

这年轻人深藏不露，武功更深不可测。

他们这一战是谁胜谁负？

没有人能预料，可是每个人手里都捏着把冷汗，不管他们是谁胜负，这一战的激烈与险恶，都必将是前所未见的。

（二）

年轻人已走近了珠帘，朱五太爷居然还是端坐在珠帘里，动也不动。

他是不是已有成竹在胸？

小马的拳头又握紧，心里在问自己。

"别人敢过去，我为什么不敢？难道我真是条被人牵着拉磨的驴子？"

别的事他都可以忍受，挨穷、挨饿、挨刀子，他都不在乎。

可是这口气他实在忍不下去。

这世上本就有种人是宁死也不能受气的，小马就是这种人。

他忽然冲了过去，用尽全身力气冲了过去，冲过了石阶。

没有人拦阻他，因为大家的注意力本都集中在那年轻人的身上。

等到大家注意到他时，他已箭一般冲入了珠帘，冲到朱五太爷面前。

　　　　年轻人已走近了珠帘，朱五太爷居然还是端坐在珠帘里，动也不动。

一个人年纪渐渐大了，通常都会变得比较孤僻古怪。

朱五太爷变得更多。

近年来除了他的贴身心腹无舌童子外，连群狼中和他相处最久的卜战，都不敢妄入珠帘一步。

——妄入一步，乱剑分尸。

以他脾气的暴烈，当然绝不会放过小马的。

小马是不是能撑得住他的出手一击？

常无意也已准备冲过去，要死也得和朋友死在一起。

谁知朱五太爷还是端端正正地坐在那里，动也没有动。

小马居然也没有动。

一冲进去，他就笔笔直直地站在朱五太爷面前，就好像突然被某种神奇的魔法制住，变成了个木头人。

难道这个珠帘后真的有种神秘的魔力存在？可以将有血有肉的人化为木石？

还是因为朱五太爷已练成了某种神奇的武功，用不着出手，就可以将人置之于死地？

这世上岂非本就有很多令人无法思议、也无法解释的事？

对这些事，无论任何人都会觉得有种不可抗拒的恐惧。

常无意紧握着他的剑，一步步走过去。

他心里也在怕，他的衣衫已被冷汗湿透，但是他已下定决心，决不退缩。

想不到他还没有走入珠帘，小马就已动了。

（三）

小马并没有变成木头人，也没有被人制住，却的确看见了

七种武器

一件不可思议的怪事。

一闯入珠帘，他就发现这位叱咤风云、不可一世的狼山之王，竟已是个死人。

不但是死人，而且已死了很久。

珠帘内香烟缭绕，朱五太爷端坐在他的宝座上，动也没有动，只因为他全身都已冰冷僵硬。

他脸上的肌肉也已因萎缩而扭曲，一张本来很庄严的脸，已变得说不出的邪恶可怖。

谁也不知道他已死了多久。

他的尸体没有腐烂发臭，只因为已经被某种神秘的药物处理过。

因为有个人要利用他的尸体来发号施令，控制住狼山上的霸业。

刚才在替他说话的，当然就是这个人。

他绝不能让任何人知道这秘密，所以绝不能让任何人接近这道珠帘。

他能够信任的，只有一个无舌的哑巴，因为他非但没有舌头，也没有欲望。

现在小马当然也明白张聋子为什么要冒死冲过来了。

——他天生就有双锐眼，而且久经训练，就在这道珠帘被"站住"那两个喝声振动时，发现了这秘密。

——"站"字是开口音，可是说出这个字的人，嘴却没有动。

他看出端坐在珠帘后的人已死了，却忘了死人既不能说话，说话的必定另有其人，这个人当然绝不会再留下他的活口。

小马怔住了很久，只觉得心里有种说不出的悲哀，为这位纵横一世的狼山之王悲哀，为人类悲哀。

不管一个人活着时多有权力，死了后也只能受人摆布。

他叹息着转过身，就看见了一个比他更悲伤的人。

那个身世如谜的年轻人，也正痴痴地看着朱五太爷，苍白的脸上，已泪流满面。

小马忍不住问："你究竟是谁？"

年轻人不开口。

小马道："我知道你一定不姓蓝，更不会叫蓝寄云。"

他的目光闪动，忽然问："你是不是姓朱？"

年轻人还是不开口，却慢慢地跪了下去，跪在朱五太爷面前。

小马突然明白："难道你是他的……他的儿子？"

只听一个人在帘外轻轻道："不错，他就是朱五太爷的独生子朱云。"

（四）

朱五太爷仍然端坐在他的宝座上，从珠帘外远远看过去，仍然庄严如神。

他的独生子还是跪在他的面前，默默地流着泪。

卜战远远地看着，眼睛里仿佛也有热泪将要夺眶而出。

小马道："你和朱五太爷已是多年的伙伴？"

卜战道："很多很多年了。"

小马道："但是你刚才并没有认出朱云就是他的独生子。"

卜战道："朱云十三岁时就已离开狼山，这十年都没有回来过。"

无论对任何人来说，十年间的变化都太大。

小马道："他为什么要走，为什么不回来？"

卜战道："他天生就是练武的奇才，十三岁时，就认为自己的武功已不在他父亲之下，就想到外面去闯他自己的天下。"

小马道："可是他父亲不肯让他走。"

卜战道："一个人晚年得子，当然舍不得让自己的独生子离开自己的身边。"

小马道："所以朱云就自己偷偷溜走了？"

卜战道："他是有个志气的孩子，而且脾气也和他父亲同样固执，如果决定了一件事，谁都没法子让他改变。"

他叹息着，又道："这十年来，虽然没有人知道他在哪里，可是我和他父亲都知道，以他的脾气，在外面一定吃了不少苦。"

小马转向蓝兰："这十年来他在干什么，也许只有你最清楚。"

蓝兰并不否认："他虽然吃了不少苦，也练成了不少武功绝技，为了要学别人的功夫，什么事他都可以做得出来。"

一个人的成功本就不是偶然的。

他能够有今日这么样的奇功，当然也经过了一段艰苦辛酸的岁月。

蓝兰道："可是他忽然厌倦了，他忽然发现一个人就算能练成天下无敌的功夫，有时反而会觉得更空虚寂寞。"

她的神情黯然，慢慢地接着道："因为他没有家人的关怀，也没有朋友，他的武功练得越高，心里反而越痛苦。"

小马了解这种情感。

没有根的浪子们，都能了解这种情感。

若是没有人真正关心他的成败，成功岂非也会变得全无意义？

小马凝视着蓝兰，道："你不关心他？"

蓝兰道："我关心他，可是我也知道，他真正需要的安慰与关怀，绝不是我能给他的。"

小马道："是他的父亲？"

蓝兰点点头，道："只有他的父亲，才是他这一生中真正惟一敬爱的人，可是他的脾气实在太倔强，非但死也不肯承认这一点，而且总觉得自己是溜出来的，已没有脸再回去。"

卜战道："我们都曾经下山去找过他。"

蓝兰道："那几年他还未体会到亲情的可贵，所以一直避不见面，等他想回来的时候，已经听不见你们的消息。"

——人世间岂非本就有很多事都是这样子的？否则人世中又怎么会有那许多因误会和矛盾造成的悲剧？

一点儿误会和矛盾，就可能造成永生无法弥补的悲剧。

这也就是人生中最大的悲剧。

蓝兰道："他救过我们蓝家一家人的性命，我当然不能看着他受苦，所以我就偷偷地替他写了很多封信，千方百计托人带到狼山上来，希望朱五太爷能派人下山去接他的儿子。"

卜战道："我们为什么都不知道这回事？"

蓝兰叹息道："那也许只因为我所托非人，使得这些信都落入一个恶贼的手里。"

她接着又道："可是当时我们都没有想到这一点，因为我的信发出不久，狼山上就有人带了朱五太爷的回音。"

卜战道："什么回音？"

蓝兰道："那个人叫宋三，看样子很诚恳，自称是朱五太爷的亲信。"

卜战道："我从未听说过这个人。"

蓝兰道："他这姓名当然是假的，只可惜我们以后永远都不会知道他究竟是谁了。"

卜战道："为什么？"

蓝兰道："因为现在他连尸骨都已腐烂。"

她又补充着道："他送来的是个密封的蜡丸，一定要朱云亲手剖开，因为蜡丸中藏着的是朱五太爷给他儿子的密函，绝不能让第三者看见。"

父子间当然有他们的秘密，这一点无论谁都不会怀疑。

蓝兰道："想不到蜡丸中，却藏着是一股毒烟和三枚毒针。"

小马抢着问道："朱云中了他的暗算？"

蓝兰苦笑道："有谁能想得到亲父亲会暗算自己的儿子？幸好他真的是位不世出的武林奇才，居然能以内力将毒性逼出了大半。"

小马道："宋三呢？"

蓝兰道："宋三来的时候，已经中了剧毒，他刚想逃走时，毒性就已发作，不到片刻间，连骨带肉都已腐烂。"

小马握紧拳头，道："好狠的人，好毒辣的手段。"

蓝兰道："可是虎毒不食子，那时我们已想到，叫宋三送信来的，一定另有其人，他不愿让朱五太爷父子重逢，因为他知道朱云一回去，必将继承朱五太爷的霸业。"

她叹息着道："我们同时还想到了另外更可怕的一点。"

小马道："哪一点？"

蓝兰道："这个人既然敢这么样做，朱五太爷纵然没有死，也必定病在垂危。"

卜战立刻同意，恨恨道："朱五太爷惊才绝世，他若平安无恙，这个人就算有天大的胆子，也绝不敢这么样做的。"

蓝兰道："父子关心，出于天性，到了这时候，朱云也不能再固执了。"

她又叹了口气，道："可是我们也想到了，这个人既然敢暗算朱五太爷的独生子，在狼山上一定已有了可以左右一切的势力。如果我们就这么样闯上山来，非但一定见不到朱五太爷，也许反而害了他老人家。"

卜战替她补充，道："因为那时你们还不能确定他的死活，朱云纵然功力绝世，毒性毕竟没有完全消除，出手时多少总要受到些影响的。"

蓝兰道："可惜我们也不能再等下去，所以我们一定要另外想个万无一失的法子。"

小马道："所以你们想到了我。"

蓝兰点头道："我们并不想欺骗你，只不过这件事实在太秘密，绝不能泄露一点消息。"

小马也叹了口气，点头道："其实我也并没有怪你，这本来就是我自己心甘情愿的。"

常无意冷冷道："现在我只想知道一件事。"

小马道："什么事？"

常无意道："主使这件阴谋的究竟是谁？"

小马没有回答，蓝兰和卜战也没有，可是他们心里都同时想到了一个人——"狼君子"温良玉。

他本是朱五太爷的心腹左右，在这种紧要关头，却一直没有出现过。

珠帘后的宝座下还有条秘道，刚才替朱五太爷说话的人，一定已从秘道中溜走了。

这个人是不是温良玉？他能逃到那里去？

"不管他逃到那里去，都逃不了的。"

"我们就算要追，也绝不能走这条秘道！"

"为什么？"

"以他的阴险和深沉，一定会在秘道中留下极厉害的埋伏。"卜战毕竟老谋深算，"这一次我们绝不能再因为激动而误了大事。"

大家都同意这一点，每个人都在等着朱云的决定。

只有小马没有等。他不愿再等，也不能再等。

他又冲了出去，蓝兰在后面追着他问："你想去哪里？去干什么？"

小马道："去干掉一个人。"

蓝兰道："谁？"

小马道："一个总是躲在面具后的人。"

蓝兰的眼睛里发出光，又道："你认为他很可能就是温良玉？"

小马道："是的。"

外面有光，太阳的光。阳光正照在湖水上。

尾 声

（一）

九月十四，黄昏前。

晴。

太阳已偏西，阳光照耀着湖水，再反射到那黄金的面具上。

"就是他？"

"是的。"小马很信心："除了温良玉之外，我想不出第二个人。"

朱云没有反应。

欢乐的事虽然通常都会令人疲倦，却还比不上悲伤。

一种真正的悲伤非但能令人心神麻痹，而且能令人的肉体崩溃。

愤怒却能令人振奋。

小马冲出来，瞪着对岸的太阳使者："你居然还在这里？"

使者道："我为什么要走？"

小马道："因为你做的事。"

七种武器

——你用朱五太爷的尸体，号令群狼；你不愿他们父子相见，暗算朱云；为了摧毁他们的下一代，你假借太阳神的名，利用年轻人反叛的心理，让他们耽于淫乐邪恶……

这些事小马根本不必说出来，因为这太阳神的使者根本不否认。

小马道："这些事你做得很成功，只可惜朱云还没有死，我也没有死。"

使者道："他没有死，是他的运气；你没有死，是我的运气。"

小马道："是你的运气？"

使者道："因为朱云不是你的朋友，小琳和老皮却是的。"

小琳就在他身后，老皮也在。

使者道："而且你还有双拳头，还有个会用剑的朋友，朱云却已只剩下半条命。"

小马道："你要我杀了他，换回小琳？"

使者道："这世上喜新厌旧的人并不少，也许你会为了蓝兰而牺牲小琳，只不过我相信你绝不是这种人。"

他知道小马不能牺牲小琳，却可以为了小琳牺牲一切。

使者道："我也可以保证，以你的拳头，和常无意的剑，已足够对付朱云。"

小马的拳头没有握紧，他不能握紧，他的手在发抖。

因为他没有想到一件事。

他没有想到那个会跪在地上舐人脚的老皮，竟忽然扑起来，抱住了这太阳神的使者，滚入了湖水里。

在滚入湖水前，老皮还说了两句话：

"你把我当朋友，我不能让你丢人。"

"朋友。"

多么平凡的两个字，多么伟大的两个字！

对这两个字，朱云最后下了个结论。

"现在我才知道，无论多高深的武功，也比不上真正的友情。"

人世间若是没有这样的情感，这世界还成什么世界？人还能不能算是人？

（二）

满天夕阳，满湖夕阳。

小马和朱云默默相对，已久无语。

先开口的是朱云："现在我也知道你才是个真正了不起的人，因为你信任朋友，朋友也信任你，因为你可以为朋友死，朋友也愿意为你死。"

小马闭着嘴。

朱云道："谁都想不到老皮这么样是为了你，我也想不到，所以我不如你。"

他叹息，又道："我也知道我对不起你，可是我至少也可以为你做几件事。"

小马并没有问他是什么事，发问的是蓝兰。

朱云道："我可以保证，狼山上从此再也没有恶狼，也没有吃草的人。"

小马站起来，说出了他从未说过的三个字。

他说："谢谢你！"

七种武器

（三）

小琳已清醒。

夕阳照着她的脸，纵然在夕阳下，她的脸也还是苍白的。

她没有面对小马，只轻轻的说："我知道你在找我，也知道你为我做的事。"

小马道："那么你——"

小琳道："我对不起你。"

小马道："你用不着对我说这三个字。"

小琳道："我一定要说，因为我已经永远没法子再跟你在一起，我们之间已经有了永远无法弥补的裂痕，在一起只有痛苦更深。"

她在流泪，泪落如雨："所以你若真的对我还有一点儿好，就应该让我走。"

所以小马只有让她走。

看着她纤弱的身影在夕阳下渐渐远去，他无语，也已无泪。

蓝兰一直在看着他们，忽然问："这世上真有永远无法弥补的裂痕？"

常无意道："没有。"

他脸上还是全无表情："只要有真的情，不管多大的裂痕，都一定可以弥补。"

蓝兰道："这句话你是对谁说的？"

常无意道："那个像驴子一样笨的小马。"

小马忽又冲过去，冲向夕阳，冲向小琳的人影消失处。

夕阳如此艳丽，人生如此美好，一个人只要还有机会，为什么要轻易放弃？

古龙武侠小说首次出版年表

书　　名	年份	出版者(均为台湾)
苍穹神剑	1960	第一
月异星邪	1960	第一
剑气书香(后半部由墨余生代笔)	1960	真善美
湘妃剑	1960	真善美
剑毒梅香(大部分由上官鼎代笔)	1960	清华
孤星传	1960	真善美
失魂引	1961	明祥
游侠录	1961	海光
护花铃	1962	春秋
彩环曲	1962	春秋
残金缺玉	1962	华源
飘香剑雨	1963	华源
剑玄录	1963	清华
剑客行	1963	明祥
浣花洗剑录	1964	真善美
情人箭	1964	真善美
大旗英雄传	1965	真善美
武林外史	1965	春秋
名剑风流(结尾部分由乔奇代笔)	1966	春秋
绝代双骄	1967	春秋
血海飘香(《楚留香传奇》之一)	1968	真善美
大沙漠(《楚留香传奇》之二)	1969	真善美
画眉鸟(《楚留香传奇》之三)	1970	真善美
多情剑客无情剑(又名《风云第一刀》)	1970	春秋
鬼恋侠情(《楚留香新传》之一 　　　又名《借尸还魂》)	1970	春秋
蝙蝠传奇(《楚留香新传》之二)	1971	春秋
欢乐英雄	1971	春秋
大人物	1971	春秋
桃花传奇(《楚留香新传》之三)	1972	春秋
萧十一郎	1973	汉麟
流星·蝴蝶·剑	1973	桂冠

九月鹰飞(《多情剑客无情剑》后传)	1974	春秋
长生剑(《七种武器》之一)	1974	汉麟
碧玉刀(《七种武器》之二)	1974	汉麟
孔雀翎(《七种武器》之三)	1974	汉麟
多情环(《七种武器》之四)	1974	汉麟
霸王枪(《七种武器》之五)	1975	汉麟
天涯·明月·刀	1975	汉麟
七杀手	1975	汉麟
剑花·烟雨·江南	1975	汉麟
绝不低头	1975	汉麟
三少爷的剑	1975	桂冠
金鹏王朝(《陆小凤传奇》之一)	1976	春秋
绣花大盗(《陆小凤传奇》之二)	1976	春秋
决战前后(《陆小凤传奇》之三)	1976	春秋
火并萧十一郎	1976	汉麟
拳头(又名《愤怒的小马》, 曾被收入《七种武器》)	1976	南琪
边城浪子(《天涯·明月·刀》后传)	1976	汉麟
血鹦鹉	1976	汉麟
白玉老虎	1976	桂冠
大地飞鹰	1976	南琪
银钩赌坊(《陆小凤传奇》之四)	1977	春秋
幽灵山庄(《陆小凤传奇》之五)	1977	春秋
圆月弯刀(大部分由司马紫烟代笔)	1977	汉麟
飞刀·又见飞刀	1977	汉麟
碧血洗银枪	1977	桂冠
离别钩(《七种武器》之六)	1978	春秋
凤舞九天(《陆小凤传奇》之六)	1978	春秋
新月传奇(《楚留香新传》之四)	1978	春秋
英雄无泪	1978	汉麟
七星龙王	1978	春秋
午夜兰花(《楚留香新传》之五)	1979	汉麟
风铃中的刀声(结尾由于东楼代笔)	1980	万盛
剑神一笑(《陆小凤传奇》之七)	1981	万盛
猎鹰·赌局	1984	万盛